행복

행복의 조건은 무엇인가?

행복

오리슨 스웨트 마든 지음
박정숙 옮김

힐링21
Healing21

머리말

행복에 대해서 얘기합시다. 세상은 당신의 슬픔이 없어도 충분히 슬퍼요. 어떤 길도 험하지 않은 곳이 없습니다. 나만의 평탄하고 안전한 길을 찾으세요.

용기에 대해서 말합시다. 경멸에 찬 말과 음울한 의심이 없다면 세상은 훨씬 더 살기 좋은 곳이 될 겁니다. 신神, 사람 그리고 자기 자신에게 믿음을 가지고 있다면 말하세요. 그렇지 않다면 믿음이 생길 때까지 다른 생각을 하지 마세요. 당신이 그렇게 말할 수 없다고 해서 슬퍼할 사람은 아무도 없으니까.

건강에 대해서 얘기합시다. 치명적인 병에 대해 자꾸 이야기하다 보면 우리는 지치고 생기를 잃게 됩니다. 음악도 우울한 단조短調 곡을 들으면 질병을 매력적인 것이나 재미있고 기분 좋은 것으로 변화시킬 수 없습니다. "건강하다, 모든 것이 잘될 거다"라고 말하세요. 그러면 신이 그 말을 듣고 이루어지도록 도와준답니다.

휠러 월콕스

차례

2부 생활의 여유를 가져라

3부 낙관적인 생활을 하라

4부 작은 것에서 기쁨을 맛보라

1부

행복의
조건은
무엇인가?

01

행복,
기다리지 말고 찾아라

오, 현실을 슬퍼하며, 다스릴 왕국을 달라고
신에게 울며 매달리는 사람들은 이것을 알아야 한다.
당신들이 구하는 것은 이미 여기 당신에게 있으며,
볼 수 있는 것임을.

우리 모두는 행복을 꿈꾼다. 또한 인간이 가장 원하는 것은 행복이다. 아주 어릴 때부터 재미, 오락, 놀이, 기쁨에 대한 욕망은 우리 모두에게 아주 강렬하다. 사람들에게 세 가지 소원을 묻는다면 많은 이들이 건강, 부, 행복을 꼽을 것이다. 그중 가장 큰 소원은 아마도 행복이리라.

하지만 진정한 행복을 찾은 사람은 별로 없다. 그 방법을 알지 못하기 때문이다. 건초더미 속에서 바늘 찾기 식으로 사람들은 그것을 어디에서, 어떻게 찾을지 몰라 이곳저곳을 헤집고 다닌다. 그래서 행복찾기는 우리의 전문이 되었다. 알다시피 그런 식으로는 행복을 얻을 수 없다. 야생 동물을 사냥하는 사냥꾼처럼 사냥을 통해 행복을 얻을 수는 없다. 지구 끝까지 따라간다고 해서 행복이 얻어지는 것도 아니다. 행복은 음식도 음료수도 아니고, 소유할 수 있는 것도 아니다. 흥분도, 연이은 여흥도, 즐거운 시간도 아니다. 뇌신경 자극에서 나오는 것이 아니다. 욕망이나 소유의 만족감에서 나오는 것도 아니다.

그런데도 사람들은 금을 찾듯 행복을 찾을 수 있을 거라고 생각한다. 그리고 아주 큰 행운이 따라야 행복을 찾을 수 있다고 믿는다.

어디를 가나 남들이 가진 것을 얻으려고 애쓰는 사람들을 볼 수 있다. 그들은 오직 그것을 가져야만 더 행복해질 수 있을 거라고 생각한다. 하지만 그것들을 높이 쌓아놓는다 해서 행복해질 수 있는 것은 아니다.

자신을 행복하게 해줄 그 무엇, 욕망을 만족시킬 대상을 찾아다니는 사람들은 결국 모두 실망하고 만다. 때로 그들은 너무 늦게, 욕망을 좇다 보면 영혼이 더욱 궁핍해진다는 사실을, '욕망은 바다처럼 탐욕스럽고, 요구가 받아들여지면 받아들여질수록 더욱 많은 것을 요구한다'는 사실을 알게 된다.

행복은 마음가짐의 산물이다. 그것은 우리가 가지고 있는 것에서 찾을 수 있다. 바꿔 말하면, 행복은 우리 밖에서 절대 찾을 수 없다. 성경에서는 이 사실을 강조하고 있다. '하느님 나라', 즉 행복의 나라는 우리 안에 있다.

진정한 행복은 다른 사람들에게 가치 있는 봉사를 함으로써 얻을 수 있다. 즉, 세상에서 제 몫을 하고, 남에게 도움이 되려고 노력하고, 세상을 더욱 살기 좋은 곳으로 만들기 위해 노력할 때 우리는 행복해질 수 있다.

진정한 행복은 내면의 말에 귀 기울임으로써 얻을 수 있다. 즉, 세상에서 가장 단순하고, 가장 조용하며, 가장 소박한 것들을 우리가 간절히 원한다는 사실을 항상 기억하는 데에서 행복이 온다. 석양, 우정, 조용한 산책, 꽃, 달빛, 작은 친절이나 도움, 기분 좋은 말, 작은 용기, 사랑, 애정 같은 것들 말이다.

진정한 행복은 다른 어느 곳에서도 얻을 수 없다.

오/늘/나/는/

🌱 행복 찾는 일을 그만두고 진정한 자아를 발견하려고 노력할 것이다.

🌱 행복을 찾으려면 내 안에 있는 것에서 찾으라고 스스로를 일깨울 것이다.

만일 당신의 삶이 원하는 것만큼 행복하지 않다면, 당신이 그토록 찾아 헤매는 행복은 다른 어느 곳에 숨어 있는 것이 아니라 당신 내부 어딘가에 있는 것이다. 당신의 행복을 나오지 못하도록 막고 있는 것이 무엇인지 찾아보라.

🌱 진정한 행복은 완벽한 치장을 추구하는 데서 얻는 것이 아니라는 걸 기억할 것이다.

가끔 우리는 행복이 우리가 가지고 있지 않은 무엇인가를 얻는 데 있다는 생각에 사로잡힌다(예를 들면, 함께 저녁을 먹고 싶은 사람들을 초대할 더 멋진 집). "만일 _____만 가질 수 있다면 행복해질 거야"라고 우리는 말한다. 아직도 갖고 있지 못하다고 생각함으로써, 당신은 얼마나 많은 행복을 지금도 잃고 있는가?

02

행복에 감염되라

행복해져야 한다는 의무만큼이나
과소평가되는 의무는 없을 것이다.
– 로버트 루이스 스티븐슨

행복을 계발할 수 있다고 믿는 사람은 거의 없다. 사람들은 대체로 삶을 즐길 수 있는 능력은 유전적이며, 기질은 바뀔 수 없다고 생각한다. 사실 자기 자신이나 다른 사람들의 성격에 대해 말할 때 사람들은 종종 '본성'이라는 단어를 사용한다. 마치 성격이란 본질적이고 불변의 것인 양 말이다.

하지만 우리는 배울 수 있고, 변화할 수 있고, 성장할 수 있다.

오랜 옛날, 인간의 두뇌는 매우 원시적이었다. 겨우 자기 방어와 식량 획득 정도에만 사용되었기 때문이다. 하지만 자신에게 요구

되는 사항이 점점 더 많아지면서 뇌는 더욱 다양하게 발전할 필요가 생겼다. 이제 인간의 뇌는 엄청나게 복잡해졌다. 새로운 문명은 두뇌에 새로운 요구를 했고, 인간의 뇌는 그런 시대의 요구에 맞춰 스스로를 적응시켰다.

우리의 뇌가 적응력이 뛰어나다는 것은 직업에 따른 뇌의 변화에서도 확인할 수 있다. 사람들의 관심사가 다양해지면서 우리의 뇌는 저마다의 관심에 부합하는 능력과 특징을 발전시켰다. 이렇듯 두뇌는 그것에 주어지는 요구를 충족하기 위해 변화한다. 삶에서 어쩔 수 없이 직면하는 갖가지 상황에 따라, 우리가 요청하는 활동과 동기에 따라 두뇌는 변화한다.

용기를 예로 들어보자. 성공한 사람들 가운데는 어렸을 때 매우 소심했던 사람들이 많다. 하지만 그들은 자신감과 용기를 가지라고 자기암시를 하거나 용감한 행동을 떠올리는 등 정신 훈련을 통하여 용기를 계발했다.

그런데도 많은 사람들은 전문직업을 갖기 위해서 수년간의 준비 과정이 필요하고, 용기와 같은 특정 성격은 훈련될 수 있다고 인정하면서도, 삶에서 가장 소중한 행복은 우연히 얻게 되는 것이라고 강하게 믿고 있다. 그들은 삶에서 가치 있는 것들은 끝없는 고통이 필요하다고 생각하는 반면, 행복은 훈련이나 연구 없이도 저절로 찾아온다고 믿는다. 대부분의 불행한 사람들이 점점 불행의 습관에 젖어듦으로써 그렇게 되었다는 사실을 사람들은 잊어버린다. 특히 젊은 시절에 불평하거나 비난하는 습관, 결점을 찾거나 사소한 일에 투덜거리는 습관, 어두운 면을 찾으려는 습관에 젖어드는 것은 가장 불행한 일이다. 얼마 후에는 그 습관의 노예가 되어버리기 때문이다.

나는 과거에 종양 제거 수술을 받은 한 여성을 알고 있다. 그녀의 삶은 모든 것이 수술 당시로 거슬러 올라간다. 어떤 화제를 꺼내든 결국 대화는 '수술'로 끝이 난다. 수술은 그녀가 마치 집안일에 서툰 것에 대한 변명거리와 마찬가지다.

얼마나 많은 사람들이 걱정을 과감하게 털어버리지 못하고 있는가! 그들은 너무도 오랫동안 걱정을 마음에 담고 살아서 그것과 친구가 되어버렸다. 그리고 걱정을 즐겁게 해주고, 기회가 있을 때마다 걱정을 끄집어내어 곱씹는 데에서 병적인 쾌감을 느끼는 듯싶다.

우리가 가장 깨닫지 못하는 교훈 중 하나는 우리가 생각의 산물이라는 사실이다. 즉, 우리의 환경, 교육, 습관적인 생각은 유전보다도 훨씬 더 많은 영향을 미친다. 그런 의미에서 "마음을 새롭게 하면 변화될 것이다"라는 성 바울(그리스도교의 사도·성인-옮긴이)의 가르침은 정말 과학적이다.

우리는 사물의 밝은 면, 영혼을 고양시키는 것에 생각을 집중하는 힘을 기를 수 있다. 그런 행복과 친절의 습관을 형성하는 것은 삶을 풍요롭게 해줄 것이다.

어느 작가는 다음과 같이 말했다.

"행복은 자연의 가장 큰 모순이다. 행복은 어떤 땅에서도 자랄 수 있고, 어떤 상황에서도 살 수 있다. 환경은 문제가 되지 않는다. 행복은 내부에서 나오는 것이기 때문이다. 행복은 소유가 아닌 존재로 이루어져 있다. 소유하는 것이 아니라 즐기는 것이다. 사람은 어떤 것을 가지고 있을 때 다른 사람에게 의존적일 수도 있지만, 그가 누구인가는 스스로에게 달려 있다. 삶에서 획득하는 것은 오직 취득물이지만 사람이 성취하는 것은 성장이다.

행복은 평화로운 마음에서 나오는 따뜻한 불빛이다. 화형당하는 순교자도 왕이 부러워할 수 있는 행복을 가질 수 있다. 인간은 자기 행복의 창조자다. 행복은 높은 이상과 조화를 이루는 삶의 향기다. 행복은 손으로 만질 수 없는 것을 소유한 영혼의 기쁨이다."

행복, 유쾌한 성격, 친절한 눈빛, 빛나는 온정을 계발하는 일은 모든 사람의 의무다. 이는 다른 사람의 삶을 밝게 해줄 뿐만 아니라 최고의 부富라 할 수 있는 훌륭한 성격, 영혼의 균형을 이루어나가는 데 도움이 될 것이다.

"기뻐하세요! 여러분이 슬픔, 실망, 고통, 이기주의, 어두운 그림자처럼 지구를 덮은 죄, 낮의 짧음, 밤의 불확실성에 대해 불평만 하고 있을 때조차, 감사하게도 우주는 여전히 기쁨의 노래로 충만하답니다"라고 어느 작가는 외쳤다.

성공할 수 있는 최선의 방법은 최악이 아닌 최선의 상황이 일어날 거라고 믿는 습관, 자기 자신을 행복의 적에 포위된 불쌍하고 비참한 존재가 아니라, 근심과 걱정, 불길한 예언에서 자유롭고, 걱정하지 않도록 만들어진 존재라고 생각하는 습관을 기르는 것이다. 그리고 그 시기는 더 젊을 때일수록 좋다.

"사고라는 철학의 혈관을 건강하게 유지하라"고 엘러 휠라 윌콕스(1850~1919, 미국의 시인·작가·저널리스트-옮긴이)는 충고했다.

"만일 당신이 좋아하지 않는 것을 가졌다면, 당신의 환경을 변화시킬 수 있을 때까지 당신이 가진 것을 좋아하라. 삶을 증오하느라 정력을 낭비하지 마라. 당신이 원하는 삶을 만들려고 끊임없이 노력하면서, 그동안 삶에서 좋아하고 즐길 수 있는 것을 찾아라. 매일 무엇인가에 행복해하라. 그 이유는 뇌는 습관의 산물이라 여러 해 동안 비참한 태도를 가졌다면 한순간에 행복해지라고 가르칠 수 없기 때문이다."

집안에 도둑을 들이지 않는 것처럼, 마음속에 불쾌하고 어두운 공포, 걱정, 이기주의, 증오, 질투의 그림을 들여서는 안 된다. 그런 생각들은 도둑보다 더 위험하다는 사실을 잊지 마라. 그것들은 우리의 안락함, 행복, 만족을 빼앗아간다. 이런 적들은 우리의 의식 속으로 침입할 권리가 없다. 이 무단침입자들을 즉시 마음에서 쫓아내라. 그리고 그들의 절망적인 이미지를 마음속에 그리지 않도록 노력하라. 왜냐하면 일단 그들이 들어오면 몰아내는 일은 아무나 어렵기 때문이다. 하지만 일단 몰아낼 수 있는 비법을 알게 되면, 그것들을 멀리하는 것은 상대적으로 쉽다.

그 비법이란 무엇인가? 항상 슬프고 우울한 사람들은 그런 생각이 마음속을 차지하고 있다. 반면, 행복하고 유쾌한 생각을 함으로써 정반대의 결과를 얻을 수 있다. 우리의 마음 상태는 변화하는 것이 그리 어렵지 않은 정신적 습관이다.

남편이 남북전쟁에 참전했다가 사망하여 과부가 된 어느 할머니의 얘기가 있다. 하루는 그 할머니가 사진을 찍으려고 사진관에 갔다. 할머니는 카메라 앞에 평소처럼 엄격하고, 냉혹하며, 가까이하기 어려운 표정으로 앉아 있었다. 이웃집 아이들이 본다면 아마 놀라 도망갈 것 같은 표정이었다. 그때 사진사가 갑자기 검은 천 밖으로 머리를 내밀면서 말했다.

"눈을 조금 더 밝게 해보세요."

할머니의 노력에도 침울한 표정은 좀처럼 사라지지 않았다.

"조금 더 기분 좋은 표정을 해보세요."

사진사는 무심하지만 자신감에 찬 말투로 지시하듯 말했다.

대뜸 할머니는 날카로운 목소리로 이렇게 대꾸했다.

"이보슈, 우울한 노인네가 금세 밝은 표정을 짓고, 기분이 언짢은 사람이 금세 유쾌해질 수 있을 것 같소? 사람이 밝아지려면 뭔가 좋은 일이 있어야 하지 않겠소?"

"허허, 아닙니다, 할머니. 그건 마음에 달려 있어요. 다시 한 번 해보세요."

사진사는 친절하게 말했다.

사진사의 상냥한 목소리와 분위기에 믿음을 얻은 할머니는 다시 노력했고, 이번에는 훨씬 더 좋은 결과가 나왔다.

"좋습니다! 바로 그겁니다. 20년은 더 젊어 보이세요."

할머니의 주름진 얼굴에 번쩍 하는 빛을 비추며 사진사가 외쳤다.

할머니는 야릇한 감정을 느끼며 집으로 돌아왔다. 남편이 죽은 후 처음 듣는 칭찬이었고, 기분 좋은 기억이었다. 그러나 자신의 작은 오두막집에 도착했을 때 유리창에 비친 할머니의 얼굴은 여전히 우울해 보였다.

"뭔가가 있을 거야. 어디, 사진이 어떻게 나오는지 기다려보자."

할머니는 중얼거렸다.

마침내 사진을 보았을 때, 할머니는 마치 자신이 부활한 듯한 느낌이 들었다. 얼굴에는 젊었을 때 잃어버린 활기가 되살아 있었다. 오랫동안 사진을 들여다보던 할머니는 분명하고 단호한 목소리로 말했다.

"한번 이런 표정을 지었으니 다시 할 수 있을 거야."

할머니는 장롱에 달린 작은 거울로 다가가서 말했다.

"미소 지어봐, 캐서린."

그러자 또다시 얼굴이 환해졌다.

"더 유쾌하게!"

할머니는 스스로에게 명령했다. 순간 조용하고 환한 미소가 얼굴 가득 퍼졌다.

이웃들은 곧 할머니에게 나타난 변화를 알아차렸다.

"할머니, 어떻게 그렇게 젊어지셨어요? 비결이 뭐죠?"

"이 모두가 마음먹기에 달렸어요. 그저 밝고 유쾌한 생각을 하면 된답니다."

모든 감정은 육체를 아름답게 또는 추하게 만든다. 걱정, 안달, 울화, 성마름, 불만족, 부정직한 행동, 거짓, 부러움, 질투, 공포 등은 마치 독약이나 신체 기형처럼 몸과 마음에 해로운 작용을 한다. 정신학의 대가인 하버드 대학의 헨리 제임스 교수는 이렇게 말한다.

"모든 사소한 선행과 악행은 작은 상처를 남긴다. 분명코 지금까지 한 모든 일은 지워지지 않는다."

아무것도 없이 아름다워지는 방법은 바로 내면이 아름다워지는 것이다.

감정의 주인이 되는 방법을 배우지 못한다면 아무도 진정한 행복과 성공을 얻을 수 없다. 당신이 두뇌를 지배하고, 또한 책임지고 있음을 아는 것은 자제심과 행복을 얻는 데 큰 도움이 될 것이다.

감정을 통제할 수 없는 사람들은 자신이 미처 생각할 겨를도 없이 감정이 폭발하지 않는지 생각해보라. 그럴 때마다 당신의 그런 모습이 진정한 당신의 모습이 아니라고 생각하라. 자신의 두뇌를 완전히 통제할 수 있다고, 자신의 생각과 감정의 주인이 될 수 있다고 생각하라. 그러면 당신의 두뇌는 절대로 엉뚱한 행동을 하지 않을 것이고, 절대로 당신에게서 도망가지 않을 것이다.

두뇌를 조종하는 사람은 바로 당신이다.

누구나 어떤 사람 앞에서는 절대 자제심을 잃지 않는 경우가 있을 것이다. 친구든 직장 상사든, 아무리 약이 오르고 짜증이 나도 그 사람 앞에서는 냉정함을 잃지 않는다.

한편, 부하 직원이나 별 관심도 애정도 없는 사람 앞에서, 혹은 자제할 필요가 없다고 느끼는 가정家庭에서 우리는 아주 작은 분노에도 이성을 잃어버린다. 이 사실은 우리가 생각보다 훨씬 강하게 스스로를 통제할 수 있음을 증명한다.

화를 잘 내는 사람도 유명한 사람과의 저녁식사 자리나 연회장에서는 아무리 심한 모욕을 당해도 절대 화를 내지 않는다. 그런 일은 상상도 못할 것이다. 우리가 모든 사람을 소중히 여긴다면, 지위가 낮은 사람도 존경한다면, 또한 스스로를 충분히 존경한다면 스스로를 통제하는 데 아무런 어려움이 없을 것이다.

"이 사실을 곰곰이 생각하고 자주 떠올린다면, 행복은 습관이 되고 좋은 일을 할 수 있는 힘이 생길 것이다"라고 마거릿 스토는 말했다.

"우리는 항상 사물의 밝은 면만 바라보는 습관을 기를 수 있다. 우리 모두는 행복과 발전을 향해 계산된 방향으로 생각을 바꾸도록, 의지력을 이용할 수 있는 힘을 가지고 있다. 실제로 느끼든 아니든 행복하고 유쾌하게 보이려고 늘 노력한다면 그 노력은 점점 습관이 될 것이다."

우리는 커다란 기쁨을 기다리지 않고 아주 작은 기쁨이라도 최대한 이용하려고 노력함으로써 이런 행복의 습관을 시작할 수 있다. 많은 사람들이 삶의 기쁨을 누리는 시간을 가지지 못한다. 더 큰 꽃을 따려고 아름다운 작은 꽃을 짓밟는다. 너도 나도 큰 것을 얻으려고 애를 쓴다. 하지만 큰 것은 수많은 작은 것, 삶을 행복하게 만드는 작은 기쁨들로 이루어져 있다는 사실을 명심하라.

큰 결과를 얻어야겠다는 긴장감은 일상의 작은 것을 즐길 수 없게 하고, 우리를 기다리는 지금 이 순간의 축복을 10분의 1도 얻을 수 없게 만든다.

누군가는 이렇게 말했다.

"혜성은 가끔가다 번쩍 하고 나타날 뿐이다. 하지만 햇빛은 매일 우리를 비춘다. 꽃이 피기 전에 혜성이 나타나길 기다리는 것은 어리석은 일이다. 오늘 어떤 특별한 기쁨이 당신을 찾아올 가능성은 아주 희박하지만 수많은 작은 기쁨들은 매일 당신을 찾아온다. 작은 기쁨들을 최대한 이용하라. 오전에 도착한 정성 어린 편지, 기분 좋은 작업실, 저녁식사 자리에서 만나는 유쾌한 사람들, 향수병에 걸린 동료를 격려해줄 수 있는 기회를 즐겨라. 행복은 우리가 생각하듯 신비롭지 않으며, 기회의 문제도 아니다. 그것은 세상에서 가장 실용적인 것들 중 하나다. 아주 작은 일상의 축복을 최대한 이용하는 방법을 배우는 것이 행복의 가장 중요한 비밀을 터득하는 것이다."

당신은 자신의 일상이 매우 평범하고, 무미건조하고, 재미없다고 생각할지도 모른다. 하지만 지금의 삶이 어린 시절 꿈꾸던 장밋빛 그림이 아니라는 이유 때문에 실망할 필요는 없다. 당신은 행복을 위한 습관을 만들지 못했고, 삶을 감상하는 방법을 배우지 못했을 뿐이다. 당신 바로 옆에 당신과 비슷한 삶을 살면서도 행복을 발견한 사람이 있을지도 모른다. 직장에서 같은 일을 하면서도 유쾌하게 웃고 있는 동료를 본 적이 있는가? 당신이 슬퍼하는 동안 그들은 환경을 즐기는 방법을 발견했다. 당신이 흥미로운 것을 전혀 찾지 못하고 있을 때, 그들은 그 안에서 기쁨을 찾았는지도 모른다.

그러나 삶에는 별로 얻을 것이 없다고 반박하는 사람들이 얼마나 많은가! 하지만 삶에서 얼마나 얻을 수 있는지 알아보려는 마음 때문에 그들은 아무것도 얻지 못한다. 씨를 뿌리지도, 밭을 갈지도 않고 가만히 앉아서 얼마나 많이 얻을 수 있는지 알아보려는 농부와 다를 바 없다. 삶에서 자신이 얻을 수 있는 모든 것을 얻는 사람은 삶에 모든 것을 쏟아붓는 사람이다. 그런데도 많은 사람들은 삶을 힘써 가꿔야 하는 것이 아니라 착취하는 어떤 것쯤으로 여긴다.

농부가 땅을 가꿔 풍요로운 곡식을 얻듯 당신은 삶에 가능한 한 많은 것을 투입해서 비옥하게 만들어야 한다. 삶에 사랑과 만족을 넣어라. 유쾌함과 남을 배려하는 행동을 넣어라. 그러면 삶에서 얻을 것이 없다거나 세상은 보상을 하지 않는다고 불평하지 않게 될 것이다.

진정한 행복은 우리 내부를 최대한 가꾸고 계발하는 데에서 나온다. 이기심은 절대 행복을 가져올 수 없다. 왜냐하면 그것은 탐욕을 키우기 때문이다. 그것은 행복에서 멀어지도록 만드는 것들에 용기를 주기 때문이다. 인생을 청정한 마음, 명확하고 고상한 목적, 다른 사람들의 행복을 바라는 마음으로 들여다보지 않는다면 당신은 결코 행복을 찾을 수 없다.

행복해지려는 습관은 일하는 습관이나 다른 어떤 습관만큼이나 우리의 건강과 마음의 평화를 위해 필요하다. 일상의 평범한 경험에서 기쁨을 찾을 수 있는 행복의 기술을 연마하는 일은 정말 위대하다. 습관적으로 우리에게 다가오는 모든 그늘에 등을 돌리고, 양이 많든 적든 햇빛을 향할 수 있다면 얼마나 멋진 일인가!

사물의 밝은 면을 보는 습관보다 성공에 더 크게 기여하는 것은 없다. 직업이 무엇이든, 어떤 불행이나 역경이 다가오든, 단호하게 일상에서 진정한 기쁨을 최대한 얻겠다고 결심하라. 하루의 모든 경험에서 밝은 면을 찾으려고 노력함으로써 삶을 즐기는 능력을 늘여가겠다고 결심하라. 사물의 유쾌한 면을 보겠다고 굳게 결심하라. 주변 환경이 아무리 안 좋아도 반드시 밝은 면이 있다. 불행한 환경에서 기쁨을 불러내는 능력은, 그런 능력 없이 행운을 산더미처럼 쌓아놓은 것보다 더 가치 있다. 낙천주의자가 되겠다고 결심하라. 당신에게 회의적인 면은 한 군데도 없고 어디를 가든 당신만의 햇빛을 가져가겠다고 결심하라.

당신을 힘들게 하는 상황을 한번 가정해보자. 빛도 없고, 문도 없다고 생각해보자. 하지만 탈출할 방법이 전혀 없다고 여기지 마라. 단지 잠시 견고한 철조망에 갇혔을 뿐이다. 지금 이 순간 헤쳐나갈 방법이 보이지 않는다는 이유로 갇혀 있는 내 안의 것들을 표현할 방법이 없다고 여기지 마라. 기다리고, 일하고, 믿음을 가져라. 헛된 절망에 시간을 낭비하지 마라. 하나의 문이 닫히면 또 다른 문이 열린다는 것을 항상 기억하라.

기술이나 학문처럼 행복을 계발하라.

씻지 않아 더러운 것만큼이나 행복하지 못한 것을 부끄럽게 여겨라.

오/늘/나/는/

🌱 행복할 수 있는 무엇인가를 찾겠다고 결심하며 하루를 시작할 것이다.
하나하나의 경험 속에서 행복의 씨앗을 찾아라. 그러면 절망적이고
불쾌하게 보였던 것이 교훈적이고 즐거운 면을 많이 가지고 있음을
발견하고 놀라게 될 것이다.

🌱 얼마나 행복해져야 하는지에 관심을 기울일 것이다.
당신의 삶이 아무리 불행하다고 해도 당신 머리 위에는 해와 달과
별이 있고, 그것은 더 행복해 보이는 사람들의 머리 위에 있는 것과
다르지 않다. 아름다움을 즐길 수 있는 기회도 같다. 새로운 누군가
를 만나 우정이나 로맨틱한 관계를 만들 수 있는 기회도 같다. 그들
과 마찬가지로 당신은 머리 위에 지붕이 있고, 편안한 가정이 있고,
아름다운 호수가 있다.

🌱 원하는 만큼 행복하지 않다면 원인이 바로 자신에게 있음을 떠올릴
것이다. 오늘 나는 불행 대신 행복에 둥지를 틀 것이다.
"좋거나 나쁜 것은 없다. 생각이 그렇게 만들 뿐이다"(셰익스피어).
주변 환경이 변변치 않다고 생각할지 모르지만, 세상에는 당신이 가
진 것, 당신이 가진 기회를 부러워하는 사람도 많다. 주변을 둘러보
고 스스로에게 행복해져야 한다고 말하라. 왜냐하면 행복한 사람은
다른 사람들 또한 행복하게 만들기 때문이다.

🌱 행복이 거창한 행사를 통해서만 얻어지는 게 아니라는 사실을 기억할 것이다.

행복해지는 데 요트나 여름 별장, 해외여행이 필요한 것은 아니다. 이런 것들을 한번도 누려보지 못한 사람들 중에 행복한 사람은 수없이 많다. 행복은 애완동물과 즐겁게 놀 때, 가던 길을 멈추고 지나가던 아이와 얘기할 때, 정성 들여 가꾼 화초에 꽃이 핀 것을 보았을 때, 친구와 함께 자전거를 타거나 산책을 하거나 낯선 곳을 드라이브할 때 다가온다.

🌱 행복은 뭔가를 '하는' 데에서 오는 것이 아니라는 사실을 기억할 것이다.

행복은 미뤄두었던 책을 읽는 오후에 온다. 공원에 가서 명상을 할 때 온다. 집에 머물며 차고, 다락, 지하실, 방을 청소할 때 온다. 그것이 무엇이든 스스로에게 약속한 일을 하고 있을 때 온다.

🌱 "마음먹은 만큼 행복해진다"라는 에이브러햄 링컨의 말을 기억하면서 행복해지겠다, 최악이 아닌 최선을 생각하겠다고 결심할 것이다.

03

자신을 먼저 신뢰하라

나는 내가 생각하는 나다.
그러므로 다른 누구도 될 수 없다.

오페라 가수들을 가르치는 뉴욕의 음악계 거장이 음악적 재능은
뛰어나지만 자신감과 자기확신이 부족한 소녀에게 다음과 같이 충
고했다.

"매일 아침 우아한 자세로 거울 앞에 서서 '나는, 나는, 나는'이라
고 강하고 힘차게 외쳐라. 네가 오늘의 주인공이라고 상상하라. 자
신을 굳게 믿고 그 믿음을 지켜나가라. 그러면 무엇보다도 자신감
을 갖는 소중한 습관을 얻을 수 있을 것이다."

"대담하고 두려움 없이 임하라. 인물에 걸맞은 위엄과 힘을 스스

로에게 불어넣어라."

그의 이런 충고는 수십 번의 음악 레슨보다 소녀에게 더 큰 효과를 가져다주었다. 소녀는 그가 가르쳐준 대로 연습했고, 마침내 자신감을 얻어 부끄러움과 소심함을 극복할 수 있었다.

"나는 나다, 나는 내가 바라는 것의 생생한 실체다"라고 주장하는 습관은 엄청난 자기력磁氣力을 가지고 있다. 굳게 확신하면서 입 밖으로 내보낸 말은 무의식에 깊이 각인되어 신비한 힘을 발휘한다. 우리 내부의 조용한 힘은 그 말에 살을 입히고, 우리의 확신을 현실로 만들기 시작한다.

이사야(기원전 8세기에 활동한 이스라엘의 예언자-옮긴이)는 다음과 같이 말했다.

"하늘에서 쏟아지는 비, 내리는 눈이 하늘로 되돌아가지 아니하고 땅을 흠뻑 적시어 싹이 돋아 자라게 하며 씨뿌린 사람에게 씨앗과 먹을 양식을 내주듯이, 내 입에서 나가는 말도 그 받은 사명을 이루어 나의 뜻을 성취하지 아니하고는 그냥 나에게로 돌아오지는 않는다."(「이사야」 55장 10~11절)

"나는 건강하다. 나는 활발하다. 나는 강하다. 나는 정의롭다. 나는 진실하다. 나는 공정하다. 나는 아름답다. 왜냐하면 나는 완벽하고, 조화롭고, 진실하고, 정의롭고, 사라지지 않는 아름다움의 이미지로 만들어졌기 때문이다"라고 끊임없이 굳게 믿고 입 밖에 내어 말하면 우리가 믿는 만큼 우리의 삶에 반영된다.

위대한 업적은 능력에 대한 반복적인 확신으로 마침내 달성된다.

하지만 사람들은 대체로 말을 대수롭지 않게 여긴다. 그들은 입 밖으로 내보낸 생각이 살아 있는 힘이 되고, 살이 붙는다는 사실을 깨닫지 못하고 있다. 하지만 입 밖으로 내보낸 말은 우리의 표정을 만들고 신체에 반영되어 결국 우리의 운명을 바꾼다.

예를 들어 물질적인 것에 몰두하고, 돈을 벌기 위해서 사는 사람들은 어떻게든 돈을 벌겠다고 생각하고, 또 돈을 벌 수 있을 것이라고 확신한다. 그들은 "글쎄, 오늘 내가 어떤 것을 할 수 있을지 모르겠어. 노력은 해볼 거야. 하지만 성공할지는 미지수야"라고 말하지 않는다. 그들은 단순하고 긍정적으로, 그들이 바라는 것을 할 수 있다고 확신한다. 그러고는 실행 계획을 세우고 달성할 수 있도록 열심히 노력한다.

힘차고, 단호하며, 당당한 자기 확신이 담긴 맹세에는, 원하는 것을 얻을 수 있도록 하는 엄청난 창조력이 숨어 있다. 일단 이런 기술을 적절하게 실행해본 사람들은 절대로 그것의 효능을 의심하지 않는다.

하지만 말만 해서는 안 된다. 스스로 말한 것을 믿어야 한다. "나는 건강하다, 나는 잘산다, 나는 이렇다, 저렇다"라고 말하면서도 믿지 않는다면 그 말에서 아무런 도움도 얻지 못할 것이다. 그렇게 느끼든 아니든 그렇게 느껴야 한다고, 그렇게 느낄 것이고, 그렇게 느낀다고 확신하라. 지금 그렇게 하고 있든 아니든, 당신은 최선을 다할 수 있는 능력을 내부에 가지고 있다. 당신의 확신을 말하고, 그것을 굳게 믿어라. 그러면 실현될 것이다.

확신 원칙 가운데 하나인 말로 표현하는 자기암시 또한 자신의 발전을 돕는 데 대단히 유용하다. 힘차게, 정직하게 스스로에게 말하는 것은 생각하는 것보다 훨씬 더 효과적으로 무의식 속에서 잠자고 있는 힘을 깨운다. 또한 더 오래 머릿속에 각인된다. 같은 얘기라도 글로 읽을 때보다 강연이나 설교로 들었을 때 더 인상 깊고 고무되는 것과 마찬가지다. 사물에 대해 듣는 것보다 그것을 직접 보는 것이 더 오래 인상에 남는 것과도 같은 원리다. 특히 정직하고 열렬하게 말한 단어에는 그저 생각만 가지고 있을 때와는 다른 생생함, 어떤 힘이 숨어 있다. 만일 당신이 큰 소리로 힘차게, 열렬하게 단호한 결심을 반복해서 말한다면 조용한 목소리로 결심을 말할 때보다 그것을 이룰 가능성이 훨씬 높아진다.

우리는 다른 사람과 대화하듯 자기 자신과 대화할 수 있다. 사실 우리는 끊임없이 내부의 자신에게 제안과 명령을 보내고 있다. 소리 내어 하진 않지만 조용히, 마음속으로 그렇게 한다. 무의식적으로 우리는 어떤 방향으로 나아가도록 내면에게 충고하고, 제안하고, 영향을 미치려고 노력한다.

자신과의 대화와 자기 확신을 통해 성격을 개선하고, 평화와 행복을 되찾고, 자신감을 높이고, 독창력과 실행 능력을 강화시킨 사람은 우리 주변에 많이 있다.

엄청난 성공을 거둔 한 친구는 자신의 단점에 대해 자신과 대화함으로써 큰 도움을 받았다고 말했다. 그는 이것을 '마음 대 마음의 대화'라고 불렀다. 야망이 부족하다고 생각되면, 그는 야망을 더 높고 크게 세우기 위해 정신을 단련시켰다. 그 야망을 달성하는 데 자신의 능력이 부족하다고 생각될 땐 더 잘할 수 있다고, 더 높이 올라갈 수 있다고 끊임없이 확신시켰다.

빈둥거리는 것, 약속시간에 늦는 것, 화를 참지 못하는 것, 까다로운 것, 직원들에게 불합리하게 대하는 것 등등 단점이 무엇이든 상관없었다. 그는 스스로에게 그렇게 하지 말라고 말했다. 자신과의 대화에서 그는 자신의 이름을 부르고, 머릿속에 더 멋지고 훌륭한 자신을 떠올렸다. 그리고 그 모습을 끊임없이 각인시키고 그렇게 될 수 있음을 확신시켰다. 이런 자신과의 대화 습관이 그 어떤 것보다 큰 도움이 되었다고 친구는 고백했다.

친구는 매일 아침, 그날 저녁에는 더 훌륭한 사람이 되고, 더 큰 의미가 되고, 지역사회에서 더 비중 있는 사람이 되겠노라 결심한다고 했다. 또한 아침에 옷을 갈아입으면서 전날의 실수와 그날의 할 일에 대해 자신에게 말한다고 했다.

"이봐, 존. 너는 어제 화를 참지 못했어. 누군가의 실수에 대해서 노발대발했어. 스스로를 바보로 만들었단 말이야. 이제 직원들은 너를 예전처럼 존경하지 않을 거야. 그것 때문에 더 중요한 일을 놓쳤어. 오늘은 그런 실수하지 마. 사소한 일에 얽매이는 것은 졸장부나 하는 짓이야. 지도자는 하찮은 일에 신경 쓰는 게 아니야."

친구의 가장 큰 단점 중 하나가 우유부단함이었다. 중요한 일을 결정하려고 하면 두려움이 밀려왔다. 그래서 항상 마지막 순간까지 결정을 미뤘다. 뜯지 않은 편지, 서명하지 않은 서류, 공란으로 있는 계약서는 결정해야 할 상황이 올 때까지 그의 곁에 남아 있었다. 자신의 결정을 번복하고 싶어질까 봐 두려웠기 때문이다.

친구는 마침내 이 단점을 극복했다고 말했다. 이런 태도가 얼마나 어리석은지, 망설이는 습관이 자신의 경력에 얼마나 불리하게 작용하는지, 업무 능력이 뛰어난 사람들이 얼마나 빠르고 정확하게 결정하는지 스스로에게 말함으로써 극복했다는 것이다.

뉴욕에 사는 어떤 젊은이는 자기 자신과 대화할 수 있는 혼자만의 시간을 갖기 위해 매일 아침 출근 전에 센트럴 파크를 산책한다고 말했다. 공원을 거닐면서, '오늘 하루 무슨 일이 있더라도 자제심을 잃어서는 안 된다, 모든 상황에서 신사답게 행동해야 한다, 걱정·근심·불행감에 에너지를 낭비하지 말고 효율적으로 일해야 한다'라고 스스로를 타이른다는 것이다.

젊은이에 따르면, 자신이 '재킹업Jacking-up'이라 이름 붙인 이 '자기 조율'이 덜 지치고, 덜 힘들게 업무를 수행할 수 있도록 도와주어 하루 일과에 커다란 효율을 가져다준다고 한다. 그것은 놀라운 강장제로서, 그가 일을 더 잘할 수 있도록 자극했다. 자기 자신과 대화하고, 스스로에게 용기를 주는 습관을 기른 뒤로 그는 직장에서 승승장구하고 있다.

우리 모두는 자기 자신과 대화하는 습관을 통해 도움을 얻을 수 있다. 마치 우리가, 우리에게 관심이 많거나 우리가 진심 어린 충고를 해주고 싶은 다른 사람이 된 것처럼 말이다. 사랑하는 친구에게 하는 것처럼 당신 자신에게 말하라. 능력은 있지만 용기와 담력이 부족한 누군가에게 하는 것처럼 말하라. 당신 자신을 강화하라. 당신의 마음을 다시 활기차게 만들라. 당신 자신을 다시 확신시켜라.

다른 사람의 존재를 의식하지 않아도 되게끔 혼자만의 공간을 찾아라. 그러고 나서 당신의 결심을 말로 표현하라. 필요하다면 열정적으로. 곧 그 결심이 당신의 의식에 얼마나 잘 달라붙고, 실현 가능성을 얼마나 높이는지 아마 놀라게 될 것이다.

만일 당신이 스스로를 붙잡고, 활력을 잃게 만드는 어떤 습관을 가지고 있다면 끊임없이 스스로에게 말함으로써 그런 습관을 극복할 수 있는 힘을 크게 강화할 수 있을 것이다.

"나는 이 습관이 나의 활력을 파괴하고 있음을 안다. 나 자신을 무능력하게 만드는 이 습관 때문에 내 삶은 큰 불이익을 당했다. 나 자신을 우습게 만들었고 다른 사람보다 뒤처지게 만들었다. 큰 일을 성취한 다른 사람들보다 내가 더 뛰어난 능력을 가지고 있음을 나는 안다. 이제 나의 미래와 행복을 파괴하는 이런 습관을 정복하겠다. 무슨 수를 써서라도 내 자신을 자유롭게 만들겠다."

혼자 있을 때마다 이런 식으로 스스로에게 말하라. 그러면 얼마나 빠르게 나쁜 습관이 약해지는지, 아마 당신은 놀라게 될 것이다. 자신과의 대화는 짧은 시간에 의지력을 아주 강하게 만들어 당신의 약점을 뿌리째 뽑아버릴 것이다.

그러기 위해서는 단점을 극복할 수 있는 당신의 능력을 아주 긍정적으로 확신해야 한다. 스스로에게 "이것이 내게 나쁘다는 사실을 알아. 계속 술을 마시고, 담배를 피우고, 부도덕한 행동을 한다면 성공할 수 없을 거야. 하지만 극복할 수 있으리라고는 믿지 않아. 너무 인이 박혀서 절대 포기할 수 없어"라고 말한다면 당신은 절대 전진할 수 없다.

'만일 하늘이 도와주신다면' 또는 '만일 하늘의 뜻이라면' 이것저것을 할 수 있을 거라고 믿는 사람들은 '만일'이라고 표현된 의심이 자신의 긍정적인 마음을 앗아가고, 부정적인 마음을 만들어낸다는 사실을 미처 깨닫지 못한다.

시도하려는 것을 이룰 수 있는 능력을 가졌다는 자신감의 크기는 분명하고 직접적으로 성취 정도와 관련이 있다. 변화무쌍한 삶에 대처하기 위해서 우리에게는 종종 강한 추진력이 필요하다.

원하는 대로 될 것이라고 단호하게, 끊임없이 스스로를 확신시켜라. "나는 언젠가 성공할 것이다"라고 말하지 마라. "나는 성공한 사람이다. 나에게는 성공할 권리가 있다"라고 말하라. 장래에 행복해질 거라고 말하지 마라. "나는 행복해질 것이고, 그렇게 되도록 만들어졌고, 그리고 나는 지금 행복하다"라고 스스로에게 말하라.

승리할 수 있는 당신의 능력을 항상 단호하게 확신하라.

즉시 성과를 얻지 못한다고 실망하지 마라. 계속해서 자신감 있는 태도로 자신과의 대화를 이어나가라. 특히 잠자리에 들 때, 항상 단점을 극복할 수 있는 능력을 확신하고, 단점이 무엇이든 정복할 수 있다고 생각하라. 당신의 의지력은 도움이 될 것이다. 하지만 확신은 의지력보다 천 배 더 강하다. 장애물을 극복할 수 있는 능력에 대해 끊임없이 확신한다면 마침내 장애를 극복할 수 있다.

처음에는 자신과 얘기하는 것이 우습게 보일 수도 있다. 그러나 그런 것에 아예 신경 쓰지 마라. 당신이 되기로 한 것, 하기로 한 것을 확신함으로써 당신의 자신감은 점차 증가할 것이고, 그와 비례하여 그것을 해낼 수 있는 당신의 능력도 증가할 것이다.

다른 사람들이 뭐라고 생각하든, 뭐라고 얘기하든 당신이 하려는 것을 할 수 있다는 사실에 의심을 품지 마라. 세상에는 당신만을 위한 특별한 자리가 있고, 당신만이 할 수 있는 특별한 역할이 있으며, 당신이 그 역할을 할 것이라고 대담하고 자신감 있게 주장하라. 당신만이 할 수 있는 위대한 것을 기대하며 스스로를 훈련시켜라. 절대 당신이 하찮은 존재라고 단정하지 마라. 머지않아 당신은 자기 확신을 통해 엄청나게 많은 이익을 끌어내서 모든 단점을 고칠 수 있는 자원을 갖게 될 것이다. 행복을 가로막는 장애물은 끊임없이 입으로 말하는 확신에 굴복하고 말 것이다.

예를 들어 당신은 태어날 때부터 소심하여 사람들 만나는 일이 부담스러울 수 있다. 그리고 당신의 능력을 믿지 못할 수도 있다. 그렇다면 당신은 소심하지 않으며, 정반대로 용기의 화신이라고 매일 스스로에게 확신시킴으로써 큰 도움을 받을 수 있다. '나에게는 열등하거나 이상한 점이 없기 때문에 소심하게 굴 필요가 전혀 없다, 나는 매력적이다, 사람들 앞에서 어떻게 행동해야 할지 난 잘 안다'라고 스스로에게 확신시켜라. 자기경멸, 소심증, 열등감 같은 생각이 절대 마음속에 발을 붙이지 못하도록 하겠다고 스스로에게 말하라. 엉덩이를 한 대 맞은 똥개처럼 기어다니지 않고 마치 왕이나 정복자처럼 머리를 들고 걸어다닐 것이라고 확신하라.

만일 당신에게 실천력이 부족하다면, 무언가를 새로 시작하여 끝까지 밀어붙이는 능력이 자신에게 있음을 확신시켜라. 스스로에게 정직하고, 확신이 강하고 끈질기다면 당신의 용기, 자신감, 생각을 실행으로 옮기는 능력이 얼마나 높아졌는지를 알아차리고 놀라게 될 것이다.

만일 자의식이나 신경과민 때문에 고통을 겪는다면, 당신이 왕이나 여왕이라고 생각하라. 스스로에게 끊임없이 다음과 같이 말하라.

"나는 왕(여왕)이다. 내가 다른 사람보다 못날 이유는 하나도 없다. 마치 내가 주지사인 양, 시장인 양, 이 땅을 걸을 권리가 있음을 드러내며 당당하게 걸을 것이다."

나는 자의식이 너무 강한 탓으로 안면 있는 사람을 피해 거리를 가로지르곤 했던 젊은이를 안다. 친하지 않은 사람을 우연히 만나 얘기를 나눌 때면 그는 매우 당황했다. 그는 끊임없이 스스로를 비하하고 자신의 능력을 얕보았다. 사실 대단히 능력이 뛰어난 그 젊은이가 왜 그렇게 자신을 비하하는지, 그런 젊은이는 처음 보았다. 하지만 그는 자신과의 대화를 통해 이러한 단점을 완전히 극복해서 아무도 그가 전에 자신감이 부족했고 부끄러움이 심했다는 사실을 믿지 않을 정도다.

그는 교외로 나가서 자신의 단점에 대해 자신과 심각하게 대화했다고 한다. "자, 아서, 네 안에 무엇이 있는지 나는 이제 찾아낼 거야." 그는 이렇게 시작했다고 한다. "바보처럼 굴지 마. 처신만 잘 한다면 너는 다른 사람과 마찬가지로 멋진 놈이 될 거야. 사람들과 마주치는 걸 두려워하지 마. 대단한 사람처럼 사람들 사이를 지나다녀. 끊임없는 자기 비하, 자기 부정을 그만둬. 너는 신의 자식이고, 다른 사람과 마찬가지로 이 아름다운 초록의 지구에서 살 권리를 가지고 있어. 살아 있는 것을 미안해하거나 다른 사람의 방을 차지하고 있는 것처럼 굴지 마."

그는 또한 자신이 특별하게 잘했을 때 또는 사나이처럼 행동했을 때 큰 소리로 스스로를 칭찬하고 인정함으로써 아주 큰 소득을 얻었다고 말했다. 그런 경우 그는 다음과 같이 말했다. "아서, 대단해! 정말 멋지게 해냈어! 난 네가 자랑스러워. 너의 능력을 유감없이 보여준 거야. 이제 항상 그렇게 행동해. 그러면 뛰어난 사람이 될 수 있어."

매일 아침을 성공과 목표 달성, 행복과 조화를 이루겠다는 마음으로 시작한다면 큰 이익이 될 것이다. 그러면 그날 하루는 그 어떤 장애물도 끼어들지 못할 것이다. 만일 당신이 자신의 능력을 의심하는 경향이 있다면, 단호하게 그리고 끈기 있게 자기 신뢰를 훈련하라. 당신 자신에게 힘, 자기 신뢰, 자신감을 부여한다면 마음먹은 일을 흔들림 없이 정열적으로 해낼 수 있게 될 것이다.

또한 이런 태도를 계속 유지한다면 삶을 바라보는 시각이 완전히 바뀌는 것을 깨닫게 될 것이다. 문제를 새로운 관점에서 접근하게 될 것이며, 삶은 새로운 의미를 갖게 될 것이다. 이러한 지속적인 확신은 당신을 환경과 조화를 이룰 수 있도록 해줄 것이다. 또한 당신을 만족스럽고 행복하게 할 것이며, 당신의 건강에 강력한 활력제가 될 것이다. 그리고 당신을 더 개성 있고 매력 있게 만들 것이다.

외부의 자극은 우리의 내면에 용기를 주는 놀라운 힘을 가지고 있다. 그것은 무의식의 정신세계를 일깨워 그 안에 숨어 있는 능력과 가능성을 밖으로 이끌어낸다. 가지고 있다고 한번도 생각하지 않았던 그 힘이 밖으로 나오는 순간 우리에게 놀라움과 더불어 삶에 새로운 활력을 불어넣어준다.

우리 대부분은 우리에게 도움을 주기 위해 숨죽여 기다리고 있는 힘들을 아주 작은 부분만 불러낸다. 쉰 살이 넘어서 어떤 위기에 닥쳤을 때 자신의 가능성을 이용하게 되는 경우도 있다. 그러나 많은 사람들은 그 힘을 한번도 알아차리지 못하고 삶을 마치기도 한다.

문제는 우리가 내면의 위대한 힘을, 우리의 자아가 들을 수 있을 정도로 큰 소리로 불러내지 않는다는 데에 있다. 우리는 스스로에게 요구하는 데 너무 소심하고 무기력하다.

당신이 이제까지의 발전에 만족하지 못한다면, 성격이 더욱 너그럽고 관대해지지 않는다면, 직장에서 능률적이지 못한다면 그것은 무언가가 당신을 방해하여 이상적인 실체를 만들지 못하게 하고 있기 때문이다. 그것이 무엇인지 찾아내라. 그리고 자아치료를 통해 그것을 제거하라. 당신이 무엇을 원하는지 스스로에게 분명하게 말하라. 그러면 그것이 당신의 삶에 나타날 것이다. 한 치의 의심 없이, 최대한의 믿음을 가지고 자신감 있게 그것을 확신하라.

당신 자신의 영혼을 들여다보고 당신이 가지고 있는 것, 성공한 일, 실패한 일을 꼼꼼히 따져보라. 친구를 분석하듯, 그의 장점과 단점을 분석하듯 스스로를 분석하라. 그런 다음 목표를 만들어라. 그리고 꾸준하게, 계속해서 목표를 바라보라. 의심하고 주저하는 부정적인 마음으로는 아무것도 이루지 못한다.

그리고 기회가 왔을 때 결심한 것을 즉각 행동으로 옮겨라.

일단 목표를 달성하겠다고 마음먹으면 주변의 모든 것들을 성공에 맞춰나가라. 예절, 복장, 태도, 대화 등 당신이 하는 모든 것은 성공의 표식이다. 항상 성공에 걸맞은 분위기를 풍겨라.

"나, 즉 내 자체가 행운이다"라고 월트 휘트먼(1819~92, 미국의 시인-옮긴이)은 말했다.

만일 끊임없는 자기 확신을 통해, 우리 자체가 우리가 바라고 추구하는 것의 화신化身이라는 신념을 가질 수만 있다면, 『윈저의 명랑한 아낙네들』(셰익스피어의 희극-옮긴이)에 나오는 피스톨처럼 "세상일은 생각하기에 달려 있어요"라고 말할 수 있을 것이다.

그렇게 한다면 우리가 얻으려고 필사적으로 노력했던 행복은 쉽게, 그리고 매일 우리를 찾아올 것이다.

오/늘/나/는/

🌱 스스로 '마음 대 마음'으로 더 자주 대화하기 시작할 것이다.

그러면 당신의 성격이 완전히 바뀌고, 삶에 큰 변화가 올 것이다.

🌱 행복하고 기쁘고 유쾌했던 순간을 잘 살필 것이다. 그리고 그런 순간을 갖는 것은 나의 권리이며, 더 많이 가져야 한다고 확신할 것이다.

🌱 강인하고, 용기 있고, 성공한 사람의 특징을 적을 것이다. 그리고 큰소리로 외칠 것이다. '믿음' '용기' '자기 확신' '야망' '열정' '끈기' '집중' '주도권' '명랑함' '낙천주의' '철저함' 등을.

약점과 마주하는 것을 두려워하지 말고, 그것들의 이름을 정확하게 불러라. 그것들과 싸우려면 그것들을 파악하라. 그러려면 꼼꼼하게 관찰해야 한다. 단점을 극복하기 위해서 무엇을 할 수 있는지 자신에게 물어라. 장점을 더욱 빛나게 하기 위해서 할 수 있는 것을 조사하라.

그런 다음 스스로에게 다음과 같이 질문하라. 이때 항상 당신의 이름을 불러 스스로를 드러내고, 스스로에게 말을 걸어라.

"나, _____ (빈칸 모두에 당신의 이름을 써라)는 이 땅에 왜 존재하는가?

나, _____ 는 세상에 어떤 의미인가?

내 삶, 내 직업은 세상에 어떤 의미인가?

나, _____ 는 지역사회에 어떤 의미인가?

나, _____ 는 무엇에 찬성하는가?

나, _____ 는 무엇을 대표하는가?

나, _____ 가 인류를 위한 메시지를 전달하기 위해 세상에 보내졌음을 알고 있는가?

나는 신중하게, 끊임없이, 단호하게, 투덜거리거나 징징거리거나 움츠러드는 일 없이 그 메시지를 배달하겠는가?

나, _____ 는 세상에 무엇을 줄 것인가?

나, _____ 는 다른 누구도 아닌 나 자신에게 얼마만큼의 의미를 갖는가?

나는 자신을 위해 명성, 돈, 편안함을 더 많이 갖기 원하는가?

나, _____ 는 내일 큰 인물이 될 거라고 꿈꾸고 있는가? 아니면 오늘 할 수 있는 작은 일을 하고 있는가? 아니면 되는대로 살고 있나? 아니면 다른 것은 줄 것이 없지만 용기, 영감, 도움을 주위 사람들에게 주고 있는가?

내가 만약 낙오된다면 지역사회는 나, _____를 그리워할까?"

이런 식으로 당신에 대해 새로운 정보를 얻고, 제법 자세히 알 수 있을 때까지 스스로를 엄밀하게 조사하라. 당신의 장점과 단점을 알 때까지, 당신을 뒤처지게 만드는 것, 당신을 곤란하게 만드는 부족함, 능력을 잠식하는 약점을 명확하게 볼 때까지 말이다. 그리고 나서 맹렬하게 적군을 공격하라. 성공, 효율성, 행복을 방해하는 적을. 매일 반복하여 당신은 완전히 적군을 점령했고, 이제 그들이 당신의 삶을 지배하거나 당신의 성공, 행복을 파괴할 수 없다고 확신하라.

🌱 **나에 대한 확신 목록을 만들 것이다.**

여기서 확신이란 당신에 관한 확신에 찬 말이다. 항상 현재시제("나는 ……이다")와 긍정적인 표현("나는 ……이 아니다"가 아닌 "나는 ……이다")을 사용하라. 마음속에 선명히 떠오르도록, 그리고 강렬한 마음으로 당신의 특징, 개성, 성격을 확신하라. 그것들은 당신이 자주 드러내지 않거나 살아오는 동안 전혀 보이지 않았던 것일 수도 있다. 그렇다고 망설일 필요는 없다. 예전에는 자신의 단점을 찾는 데 관심이 없어 다른 사람들이 당신에게 그런 단점이 있다고 말해줘 결국 당신이 그렇게 받아들인 것뿐이다("사실 나는 아주 재능이 있거나, 예쁘거나, 섹시한 것은 아니야" 등). 이제, 이와 비슷한 방법으로 당신이 원하는 특징을 스스로 확신시킬 수 있다. 같은 방법, 같은 시간 내에 당신은 과거의 개성을 지우고 새로운 개성을 얻을 수 있다.

⚘ 강하고 긍정적인 확신을 연습할 것이다.

다음은 C. D. 라슨이 고안한 확신이다. 매일매일 연습하면 엄청난 효과가 나타날 것이다.

"매일 나는 점점 지금의 나보다 나아진다."

"나는 더 많은 것을 성취할 수 있다. 왜냐하면 할 수 있음을 알기 때문이다."

"나는 내 안의 좋은 면만을 본다. 내 안의 선한 면만을 본다.

"나는 과거 어느 때보다 역경의 위협에 단호하게 맞서 모든 것을 좋은 쪽으로 바꿀 것이다."

"나는 자유와 진실을 줄 수 있는 것만 바란다. 이 땅과 이 땅에 사는 사람들에게 행복을 더할 수 있는 것만 원한다."

"나는 항상 다른 사람에게 용기, 영감, 기쁨을 줄 수 있는 말만 한다.

"나는 더 많은 사람들에게 봉사할 것이다. 나의 가장 큰 소망은 내

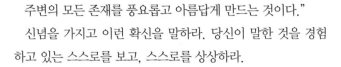

주변의 모든 존재를 풍요롭고 아름답게 만드는 것이다."
　신념을 가지고 이런 확신을 말하라. 당신이 말한 것을 경험하고 있는 스스로를 보고, 스스로를 상상하라.

[많은 사람들은 "나는 ……이다" "나는 ……을 한다" "나는 항상"이란 말을 스스럼없이 하지 못한다. 그런 말들은 왠지 진실하지 못하다고 느낀다. 마치 자신의 소비 습관을 통제하지 못하는 사람이 "나는 알뜰하고 효율적인 소비 습관을 가지고 있습니다"라고 말할 때처럼. 그들의 비판적인 내면은 "아냐, 당신은 그렇지 않아!"라고 노래를 부른다. 그런 비판의 목소리를 잠재우는 한 가지 방법은 "나는 이제 ……를 연습할 거야"라고 하지 않고 "나는 ……을 연습할 수 있어"라고 하는 것이다. 비판적인 마음은 후자의 말에 덜 간섭하는 경향이 있다. 왜냐하면 당신이 지금 알뜰하고 효율적인 소비 습관(당신이 확신하는 것이 무엇이든 상관없다)을 가지고 있지 않더라도, 당신이 할 수 없다고는 말할 수 없기 때문이다. "나는 ……을 할 수 있다"라는 말이 현재보다는 미래의 상태를 표현하는 것처럼 보이겠지만, 자세히 살펴보면 현재 상태를 표현하는 것임을 알게 될 것이다("……해도 된다"라고 말할 수도 있다). 비판적인 내면의 목소리를 잠재우는 또 다른 방법은 다음처럼 당신의 확신을 표현하는 것이다. "알뜰하고 효율적인 소비 습관을 가진다면 얼마나 만족스러울까!" 그러면 당신의 비판적인 마음은 논쟁을 벌일 수 없다. 왜냐하면 당신이 현재 그런 습관을 연습하든 안 하든, 당신이 한 말은 진실이기 때문이다. 그렇게 하겠다는 생각만으로 당신은 만족스러울 수 있다.

04

스스로를 다스려라

나는 자신의 주인이 될 것이다. - 괴테

다른 사람들을 다스리고 싶은 사람은
먼저 자신의 주인이 되어야 한다. - 메신저

냉정을 유지하라.
그러면 당신은 모두를 지배할 수 있을 것이다.
- 세인트 저스트

진정한 영광은 자신을 정복하는 데에서 비롯된다.
그렇지 못하면 세상의 정복자라도 노예일 뿐이다.- 톰슨

훌륭한 성격은 의지력과 자제심, 이 두 가지로 구성된다.
그러므로 그것은 자신의 존재를 위해 두 가지 것,
강인한 감정과 그것을 지배하는 강력한 명령을 요구한다.
- F. W. 로버트슨.

"조금 냉정한 성격이 여자 성격으로 나쁘다고 생각하세요?"라고
래스퍼 여사가 물었다. "절대 그렇지 않소. 좋아요. 그러니 그런 성
격을 잃지 말아요"라고 남편이 대답했다.

리빙스턴(1813~73, 영국의 선교사·탐험가-옮긴이)과 바이런(1788~
1824, 영국의 낭만파 시인-옮긴이)의 어머니는 각각 자연에서 물려받
은 가장 훌륭한 보석 중 하나를 손가락에 끼었다. 그러나 한 명은
평온한 기독교적 기질로 그 보석을 어느 누구의 삶보다도 고귀한
삶으로 만들었고, 다른 한 사람은 자제심이 부족하여 자연에서 물

려받은 소중한 보석을 화려한 파멸로 이끌었다.

태어나면서부터 매우 훌륭하여 관심과 통제가 필요 없는 성격을 가진 사람은 아무도 없다. 또한 너무 악질이라서 교육을 통해서도 좋게 바꿀 수 없는 성격을 가진 사람도 없다.

유명한 스코틀랜드의 애국자 앤드루 플레처(1653~1716)는 아주 화를 잘 내는 성격이었다. 그의 밑에서 일하던 집사가 그만두겠다는 뜻을 내비치자 플레처는 부드러운 말투로 그를 만류했다.

"주인님의 성격을 더 이상 감당할 자신이 없습니다"라고 집사가 말하자 플레처가 이렇게 대답했다.

"내가 좀 화를 잘 내긴 하지. 하지만 금방 풀리지 않는가."

"그렇긴 합니다만 곧 다시 화를 내시지요!"라고 집사가 응수했다.

어느 날, 마르세유 항에서 미라보(1715~89, 프랑스의 중농주의 경제학자-옮긴이)가 대중에게 연설을 하고 있었다. 대중은 모멸적인 말로 그의 연설을 방해했다.

"중상자, 거짓말쟁이, 암살자, 깡패!"

미라보는 말을 멈추고 부드러운 말투로 화를 내는 사람들에게 말했다.

"선생님들, 이 기분 좋은 얘기들이 다 끝날 때까지 저는 기다리겠습니다."

매튜 헨리는 화에 대해 다음과 같이 말했다.

"둘 다 성격이 급한 부부가 한 가지 규칙을 준수하면 백년해로한다고 들었습니다. 절대 동시에 화를 내지 않는 거죠."

어느 날 웰링턴 공작의 서재에 미치광이가 침입하여 이렇게 소리쳤다.

"나는 마왕이오. 당신을 죽이라는 명령을 받았소!"

"나를 죽인다고? 정말 이상하군."

"나는 마왕이오. 반드시 당신을 죽여야 하오."

"꼭 오늘 해야 하나?"

"날짜와 시간은 못 들었지만 그것이 나의 임무요."

"오늘은 상황이 안 좋소. 바쁘고, 답장해야 할 편지도 많소. 다시 연락을 하거나 쪽지를 남기시오. 그러면 내가 준비를 하리다."

공작은 하던 일을 계속 했다. 미치광이는 근엄하고 태연자약한 노공작의 냉정함에 등골이 오싹해져 정신을 차리고 서재에서 나가버렸다.

옥스퍼드 대학교 퀸스 칼리지에 있는 어느 방 창문에 한때 그 방에 묵었던 헨리 5세가 쓴 'VICTOR HOSTIUM SUT(자신과 자신의 적을 정복한 자)'라는 글귀가 있다. 그는 아쟁쿠르 전투에서 적군을 정복했지만 자신을 정복하려면 훨씬 더 필사적인 투쟁이 필요하다는 것을 깨달았던 것이다.

영국의 엘리자베스 여왕 통치 당시, 누군가 비아콘스필드에게 여왕의 총애를 한 몸에 받는 비결을 물었다. 그의 대답은 이랬다.

"절대 여왕님에게 반대하지 않았습니다. 그리고 때때로 무슨 일이 있었는지 잊어버립니다."

수상뿐만 아니라 다른 사람들에게도 도움이 될 만한 규칙이다.

선거를 앞둔 한 정당 후보자가 노련한 정치가에게 성공과 인기의 비결을 물었다. 노련한 정치가는 조건을 달았다.

"내가 시키는 대로 하지 못하면 그때마다 5달러씩 내게."

"좋습니다."

후보자가 대답했다.

"언제부터 시작하겠나?"

"지금부터 하죠."

"좋아. 첫 번째 교훈은 어떤 비난에도 화를 내서는 안 된다는 거네. 항상 조심하게."

"아, 그건 쉽습니다. 사람들이 뭐라고 하든 괘념치 않으니까요. 전혀 신경 쓰지 않습니다."

"아주 좋아. 그것이 내가 주는 첫 번째 교훈이네. 하지만 솔직히 말해서 자네 같은 무례한 사기꾼이 이기는 걸 원치 않네."

"선생님, 어떻게 그런 말씀을……."

"5달러 내게."

"오, 오, 이건 가르침을 주기 위한 것이지요, 안 그렇습니까?"

"허허, 그렇지. 하지만 아까 그 말은 진심이었네."

"이런 뻔뻔스러운……."

"5달러 내게."

후보자는 은근히 화가 났다.

"흠흠, 벌써 10달러나 잃었군요."

"그렇네, 10달러지. 가기 전에 주게나. 그렇지 않으면 내게 빚을

졌다는 소문이 날 테니……."

"이런 악독한 불량배 같으니!"

"또 5달러 주게."

"아! 또 배우는군요. 허허, 이젠 정말 냉정함을 잃지 않겠습니다."

"흠, 내가 한 말을 모두 취소하겠네. 물론 진심이 아니었지. 나는 자네가 존경받아 마땅한 사람이라고 생각하네. 그렇게 별 볼일 없는 집안, 그렇게 평판이 좋지 않은 아버지 밑에서……."

"정말 파렴치한 건달이군요!"

"또 5달러 주게."

자제심에 대한 강의는 이렇게 계속되었고, 그 후보자는 많은 돈을 지불해야 했다. 마침내 늙은 정치가가 요점을 정리했다.

"자, 화를 내거나 모욕에 분개할 때마다 5달러 지폐 대신에 유권자 한 명을 잃게 된다는 사실을 명심하게. 자네에게 유권자는 돈보다 더 중요하니까."

평범한 사람들에게 갑작스러운 분노보다 더 해로운 것은 없다. 한편, 항상 자신을 통제하는 사람은 얼마나 멋있는가! 그렇게 된다면 스스로에게 실망할 일이 얼마나 적어지겠는가! 격정에 휩싸였다고 생각될 때는 분노가 사라지도록 입을 닫아라. 많은 사람들이 화를 내다가 갑작스레 죽었다. 화는 질병을 부르기도 한다.

조지 허버트(1593~1633, 영국의 시인·성공회 신부-옮긴이)는 다음과 같이 말했다.

"논쟁할 때는 냉정을 잃지 마시오. 화가 나면 실수를 하게 되고,

무례하게 되니까 말이오."

소크라테스는 자신이 화가 났다고 생각되면 작은 소리로 말함으로써 화를 참았다. 한 친구가 그에게 물었다.

"자네는 어떻게 싸움을 안 할 수 있지?"

"아주 쉽네. 만일 상대방이 내게 화를 내면, 그 사람이 혼자 말하도록 내버려둔다네."

갑자기 분노가 치밀어오를 때는 말을 하지 않거나 유머로 넘기는 것이 스스로에게 더 편안하지 않은가? 반대로 말이나 표정, 행동을 통해 분노를 표출하면 스스로에게 깊은 굴욕감을 느끼지 않는가? 화를 잘 내는 성격은 가장 큰 약점이다. 갈등을 악화시키고, 신체라는 기계의 축을 모두 절단해버린다.

펜실베이니아 주 체스터란 도시에 사는 한 가게 주인은 참을성이 많기로 유명했다. 어느 날 한 사내가 그를 시험해보기로 작정했다. 사내는 종류를 바꿔가며 대여섯 가지의 천 가격을 물었다. 마침내 사내는 마음에 드는 천을 고른 듯했다.

"저겁니다. 1센트어치만 주세요."

가게 주인은 침착한 태도로 주머니에서 1센트를 꺼내, 그것을 덮을 만큼의 천을 자른 다음, 종이에 싸서 황당해하는 손님에게 건네주었다.

존 헨더슨은 옥스퍼드 대학에 다니는 한 학생과 토론을 하고 있었다. 학생은 화가 나서 와인이 가득 들어 있는 잔을 그의 얼굴에 던졌다. 헨더슨은 아무렇지도 않은 듯 얼굴을 닦고 이렇게 말했다.

"이것은 본론에서 벗어난 일이네. 자, 이제 하던 얘기로 돌아가지."

스파이들은 고도의 자제심을 보인다. 조금만 방심하면 교수형에 처해지기 때문이다. 한 스파이가 적에게 붙잡히자 귀머거리에 벙어리인 척했다. 온갖 교묘한 방법이 동원되었지만 그는 계속 말하지도 듣지도 못하는 것처럼 행동했다. 마침내 그를 체포한 사람이 말했다.

"자, 이제 가도 좋소."

하지만 스파이는 고문이 끝났음을 알았다는 내색을 전혀 하지 않았다. 사람들은 말했다.

"그는 정말 귀머거리에 벙어리거나 아니면 바보일 거야."

완벽한 자제심 덕택에 그는 생명을 유지할 수 있었다.

블레이키 교수는 교실 문에 '학생들, 내일 만납시다Will meet the classes tomorrow'라고 쓴 벽보를 붙였다. 어느 익살맞은 학생이 'c'를 지워 그 내용을 '아가씨들, 내일 만납시다(lass는 아가씨라는 뜻-옮긴이)'로 바꿔놓았다. 퇴근하기 전 우연히 교실을 지나다가 벽보를 본 교수는 미소를 지으며 'l'을 지우고 '바보들, 내일 만납시다(ass는 바보라는 뜻-옮긴이)'로 바꿔버렸다. 자제심과 일상화된 유머로 그는 학생들에게 더 큰 인기를 얻었다.

도널드 매크리는 스코틀랜드 사람으로, 냉정을 잃지 않는 성격 때문에 큰 이득을 본 적이 있다. 그는 시골에서 식료품과 잡화를 파는 작은 가게를 운영했다. 장사가 신통치 않아 가게 안은 먼지와 거미줄로 뒤덮였다. 어느 날 그는 런던에 있는 염료회사에 인디고(남색 염료- 옮긴이) '40파운드'를 주문했다. 하지만 중간에 착오가 생겨 무려 '40톤'에 이르는 인디고가 그에게 배달되었다. 그것은 12년 동안 쓸 분량이었다. 도널드에 대한 평판이 워낙 좋았기에, 회사에서는 그 주문에 대해 의구심을 품지 않았던 것이다.

도널드는 깜짝 놀랐다. 몇날 며칠을 끙끙거리며 인디고를 처리할 방법을 생각해봤지만, 40톤은 너무했다! 그래도 그는 여전히 냉정을 유지했다.

얼마 후 런던에서, 말쑥하게 차려입은 한 상인이 대형 사륜마차를 끌고 도널드를 찾아왔다. 그는 런던 회사에서 실수가 있었고, 자신이 사태를 수습하러 왔다며 물건을 다시 가져가고 운송비도 지불하겠다는 말을 입심 좋게 늘어놓았다.

하지만 도널드는 자신이 40톤을 주문했다며 회사의 실수를 인정하지 않았다. 회사에서 이 상인을 아무런 목적 없이 자신에게 보내지는 않았을 거라고 생각했기 때문이다.

그러자 상인이 말했다.

"자, 우선 술 한잔하면서 얘기합시다."

하지만 도널드는 맑은 정신을 유지해야 한다는 생각에 애써 술 생각을 지웠다.

상인은 모든 수단을 동원해 그에게 실수를 인정하라고 부추겼다. 하지만 도널드는 "스코틀랜드 사람은 반드시 자신이 무슨 일을 하는지 알고 행동합니다"라고 말하며 이리저리 핑계를 둘러댔다. 마침내 상인은 자제심을 잃고 말했다.

"사실 회사 보유 물량보다 더 많은 양의 인디고 주문이 들어왔소. 보너스 500파운드에 운송료도 우리가 부담할 테니 제발 물건 좀 넘겨주시오."

도널드는 고개를 저었다. 가는 데까지 가봐야겠다는 생각이 들었던 것이다. 마침내 상인이 한숨을 푹 쉬며 말했다.

"자, 고집스런 양반, 5천 파운드를 주겠소. 그것이 내가 줄 수 있는 최대치요."

도널드는 못 이기는 척 제안을 받아들였다. 서인도제도에 비록 인디고 흉년이 들었지만, 군대에서는 여전히 군인들 코트를 남색으로 염색해야 했던 것이다. 도널드 매크리는 자제심 덕분에 큰돈을 벌었다.

욕을 하지 않는 것도 자제심의 증표다. 욕설은 누구에게든 도움이 되지 않는다. 욕을 잘 해서 부자가 되거나, 행복해지거나, 현명해진 사람은 없다. 욕설은 사회에서 추방되어야 한다. 품위 있는 사람들에게 욕설은 메스꺼운 것이고, 착한 사람들에게는 혐오스러운 것이다.

군함을 지휘하던 어느 해군 대령이 갑판에서 부하들에게 명령을 전달하면서 다음과 같이 말했다.

"제군들, 내가 자네들에게 부탁할 게 하나 있네. 영국 장교로서 영국 해군에게 하는 부탁이니 당연히 들어줄 거라고 생각하네. 제군들, 내 청을 들어주겠나?"

그러자 부하들이 입을 모아 외쳤다.

"그러겠습니다, 대령님. 부탁이 뭡니까?"

"흠, 제군들, 부탁은 바로 이거네. 배 위에서 욕하는 건 내가 제일 먼저 할 수 있도록 해달라는 거네."

선원들의 능력이 아무리 뛰어나다 해도 자제심이 부족하다면 항상 기분과 분위기에 좌우될 수밖에 없다. 그러면 적에게 쉽게 목숨을 내어주는 꼴이 될 것이다.

클래런던(1609~74, 영국의 정치가·역사가-옮긴이)은 햄던(1594~1643, 영국의 정치가-옮긴이)을 다음과 같이 평가했다.

"그는 자신의 열정을 누구보다 잘 다스렸다. 따라서 다른 사람들을 지배할 수 있는 큰 힘을 가질 수 있었다."

완벽한 자제심은, 잡지 편집자이자 작가인 에인즈워스의 사례에서 알 수 있듯이 스스로를 철저하게 지배하는 것이다. 화가 난 그의 아내가 두꺼운 원고뭉치를 불 속에 던졌을 때 그는 아무 말 없이 책상으로 돌아가 다시 원고를 쓰기 시작했다고 한다.

우리는 사람을 평가할 때 그가 감정을 억누를 수 있는지를 헤아리지, 감정이 그를 억누르는지를 헤아리지는 않는다.

우리에게는 열정이 필요하다. 그것은 우리의 배를 앞으로 나아가게 해주는 바람이다. 이성은 그 배를 조종하는 키잡이다. 우리의 배는 바람이 없으면 앞으로 나아갈 수 없고, 키잡이가 없다면 방향을 잃게 될 것이다. 그러나 진정으로 성공하는 사람은 그런 능력들을 통제할 수 있다. 그런 사람들은 스스로를 완벽하게 통제하여 임무에서 벗어나는 법이 없다. 운이 좋든 나쁘든, 일이 순조롭든 역경이 닥치든 상관없이 말이다.

자제심은 그것을 가진 당사자뿐만 아니라 다른 사람들에게도 자신감을 불어넣는다. 자제심은 사업가에게는 신용을 가져다준다. 은행에서는 스스로를 통제할 수 있는 사람을 믿는 경향이 있다. 더욱 믿음직스러운 제안을 하기 때문이다. 고용주는 스스로를 제어할 수 없는 직원은 자신의 업무뿐만 아니라 다른 직원의 업무도 통제할 수 없음을 잘 안다.

자제심을 가지고 있다면 한 가지 재능만으로도 성공할 수 있다. 반면, 되는대로 사는 사람은 열 가지 재능으로도 실패한다. 교육을 받지 못했거나 건강하지 못해도 성공할 수 있다. 그러나 부정^{否定}과 불행을 딛고 자기인정의 삶으로 나아가게 하는 자제심이 없다면 당신은 성공할 수 없다.

자제심은 자유로운 마음이다. 그리고 자유는 힘이다.

만족이다.

그리고 행복이다.

오/늘/나/는/

🌱 **논쟁에서 이기고 싶어 하는 나의 성격을 다시 생각해볼 것이다.**
우리는 종종 내가 옳고 상대방이 잘못했다는 것을 인정할 때까지 끈질기게 물고 늘어진다. 어떤 때는 이렇게 하는 것이 필요하다. 하지만 스트레스만 늘어날 수도 있다. 어떤 싸움을 할 것인지, 또 어떤 싸움에서 물러날 것인지 결정하라. 어떤 상황에서는 다른 사람들이 이기도록 내버려두는 것이 더 좋을 때가 있다. 언성을 높여 큰 싸움으로 악화시키느니 차라리 패배자가 되라.

🌱 **친절한 말이 불친절한 말보다 더 쉽게 나올 수 있도록 노력할 것이다.**
남을 헐뜯는 말에 귀 기울이기는 쉽다. 때로는 그것을 피하기가 너무 어렵기도 하다. 그런 대화에 끼지 않으면 동료들에게 따돌림당할 위험도 있다. 하지만 "좋은 말이라고는 아무것도 할 수 없다면 아무 말도 하지 마라"라는 지혜의 말을 실천하지 않는다면, 하루가 끝날 무렵에 당신의 양심은 괴롭고, 행복은 날아갈 것이다.

🌱 **혼란, 적대감, 분노의 한가운데에서 냉정해지도록 노력할 것이다.**
사람들에게 가장 존경받는 사람은 지독한 혼란 속에서도 침착한 사람이다. 그런 사람은 사과할 일이 전혀 없다.

화가 날 것 같은 상황이 발생하면 나중에 다시 오겠다고 약속하고 즉시 자리를 떠날 것이다.

우리는 너무 자주 화를 내고, 다른 사람에게 상처 주고, 나중에 후회할 말을 하여 행복을 밀어낸다. 우리가 옳다는 것이 나중에 밝혀져도, 말한 내용이 아닌 그 방법 때문에 후회가 남는다. 그러므로 "나는 지금 화가 나려고 합니다. 그러니 얘기하기에 적당한 때가 아닙니다. 밖에 나가서(자리에 앉아서, 드라이브를 한 후에, 무엇이든 상관없다) 냉정을 되찾고 이 상황에 대해 곰곰이 생각한 후에 다시 돌아와 대화를 나눌 것을 약속합니다"라고 말하는 것이 좋다. 기억하라. 그 자리에서 벗어나는 것이 중요하다. 하지만 나중에 다시 대화를 하겠다고 약속하는 것 또한 중요하다(가능하다면 시간을 분명히 제시하라. 예를 들어 "한 시간 후에 돌아오겠습니다" 또는 "이 문제에 대해서 내일 다시 얘기합시다" 등등).

05

행복과 부^富의 관계를 헤아려라

우리는 너무 세속에 묻혀 있다. 꼭두새벽부터 밤늦게까지
벌고 쓰는 일에 우리 힘을 헛되이 소모한다.
우리에게 주어진 자연도 보지 못하고,
우리의 마음마저 저버렸으니 이 비열한 흥정이여!

– 워즈워스

　물질이 우리의 삶에 얼마만큼 행복과 기쁨을 가져다주는가에
대해 그 평가가 상당히 과장되어 있다. 사실 많은 사람들이 그렇
게 여기듯, 부^富가 행복의 유일한 원천이라면 얼마나 불행한 일인
가! 부자들이 항상 행복한 것도 아니고 가난한 사람들이 항상 불행
한 것도 아니다. 다행스럽게 돈은 그것만으로 사람들을 행복하게
하지도, 축복하지도 못한다. 부자들은 돈으로 행복을 살 수 없음을
발견하고 크게 실망한다. 돈으로 살 수 있는 것들은 우리의 소망
가운데 작은 부분만을 만족시킬 뿐이다.

"돈은 인간을 한번도 행복하게 한 적이 없다. 그리고 본질적으로 돈은 행복을 생산할 수 없다"라고 벤저민 프랭클린은 말했다.

하지만 그런 경고를 알면서도, 물질을 전혀 갖지 못한 사람들이 때로 가장 풍요롭고 가장 행복한 마음을 가졌다는 사실을 알면서도 많은 사람들이 행복을 얻는 수단으로 부를 쌓으려고 힘들게 노력한다. 행복한 사람들이 가진 것은 돈으로도 시기심으로도 구할 수 없는 종류의 부다. 하지만 우리 대부분은 그들을 부러워하는 대신 돈이 많은 사람을 부러워한다.

왜 다른 사람의 성공을 목격하면 내가 가진 것에 대한 감사와 기쁨이 사라지는 것일까? 왜 누군가가 더 많이 가졌다는 이유로 내 것을 덜 즐겨야 하는가? 왜 다른 사람들이 나보다 더 많이 가졌다는 사실이 내가 가진 것의 가치를 앗아가는 것일까? 왜 내가 스스로를 업신여기고 돈을 긁어모은 사람들에게 굽실거려야 하는가? 돈이 과연 가치의 척도인가? 산더미처럼 쌓아놓은 돈이 사람보다 더 위대하단 말인가? 만일 우리가 추구하는 것이 행복이라면, 어떻게 하면 돈을 많이 벌까 하는 생각보다 더 순수하고, 더 풍요롭고, 훨씬 더 위대한 무엇인가가 우리 안에 있는 것이 분명하다.

사실 재물만을 추구하면 적이 많이 생긴다. 별 흥미도 없는 것을 하라고 유혹하고, 영혼을 타락시키고, 인격을 해치는 적들이 생긴다. 예를 들어 부자들 가운데 가치 있는 일을 하는 사람은 많지 않다. 가난한 사람을 돕지 않고, 대의大義를 생각하지 않고, 인류를 돕는 조직에 참가하지 않는다. 돈은 많지만 그 밖의 다른 것이 부족하다면 그 사람은 부자가 아니라 가난뱅이일 뿐이다.

만일 탐욕만 밝힌다면, 만일 돈 버는 일과 자신의 이익에만 정신을 집중한다면 우리를 행복으로 이끄는 생각이 들어설 자리가 없어진다. 게다가 그런 습관은 점점 중독이 되어버린다. 그래서 도덕적 책임감을 잃고, 진실과 의무를 생각할 줄 모르게 되며, 자신의 욕망을 충족시키기 위한 교활함만 늘어난다. 그런 환경에서는 사랑을 만들어내는 것들이 살 수 없다. 그런 환경은 달콤한 향기, 아름다움, 만족, 행복을 발산하는 우리 내부의 여린 식물과 꽃을 죽인다.

부는 종종 복잡하기까지 한, 많은 의무를 새로이 발생시킨다. 진공 상태를 채우는 것이 아니라 오히려 진공 상태를 만든다. 로버트 루이스 스티븐슨(1850~94, 영국의 소설가·시인. 대표작으로 『보물섬』이 있다-옮긴이)은 사람의 영혼이 천국을 향해 비행하는 데 물질이 가장 큰 방해가 된다고 생각했다. 그는 거대하고 고급스러운 저택을 화재로 잃은 친구에게 축하 전보를 보내기도 했다. 사람들은 흔히, 원하는 것을 모두 살 수 있을 만큼 돈이 많으면 더할 나위 없이 행복할 거라고 생각하지만, 막상 돈이 많아지면 오히려 돈을 가진 자를 고문하는 가시를 동반한다는 것을 스티븐슨은 이미 알고 있었다. 사실 그의 친구 아내는 많은 하인과 거대한 저택을 관리하느라 다른 생각을 할 여유가 없었다.

최악의 교리敎理 중 하나가 진정한 행복은 물질을 통해 얻을 수 있다는 것이다. 진정한 행복은 부 또는 재산의 양을 기준으로 하는 것이 아니라 사람의 마음과 정신의 질을 기준으로 한다. 엄청난 액수가 들어 있는 통장은 절대 사람을 행복하게 할 수 없다. 사람을 행복하게 하는 것은 바로 마음이다. 돈과 땅을 제아무리 많이 가졌다 하더라도 마음이 가난하면 행복할 수 없다.

어느 부자에게 그동안 살면서 무엇을 했을 때 가장 큰 행복을 느꼈느냐고 묻자, 그는 피치 못해 집에서 쫓겨나야 했던 가난한 여인의 집값을 지불해주었을 때라고 대답했다. 불쌍한 여인에게 집을 되찾아줌으로써 그는 사업에서도 얻지 못한 기쁨과 만족을 얻었던 것이다.

내가 알고 있는 가장 불행한 사람은 물질을 강조하고, 물질에 가치를 부여함으로써 스스로 화를 자초한 사람들이다.

최근 한 노동자는 내게 다음과 같은 얘기를 들려주었다 .

"나는 평범한 수리공입니다. 사장님은 내가 인생의 실패자인 것처럼 말씀하시죠. 왜냐하면 나는 사업체를 갖고 있지도 않고 돈도 많지 않기 때문입니다. 사장님은 내게 머리와 용기만 좀 있다면 누구라도 큰돈을 벌 수 있다고 입버릇처럼 말씀하십니다.

사장님과 나는 성공이나 행복의 기준이 다릅니다. 그는 나를 무시하고, 하찮은 존재로 여깁니다. 나는 사장님처럼 부자 동네에 살지도 못하고 자동차도 없습니다. 내 가족은 그의 가족처럼 고급 옷을 입지 못합니다. 내 아이들은 그의 아이들과 어울릴 수 없습니다. 우리는 사장님과 같은 사회적 지위를 가지고 있지 못합니다. 나는 위원회, 이사회에 초대받지 못합니다. 하지만 솔직히 말해서 이웃들은 사장님보다 나를 더 좋게 생각합니다. 사장님은 심술궂고, 교활하며, 음모자로 악명 높습니다. 사람들은 그의 돈을 좋아하지, 그를 좋아하는 것이 아닙니다. 사람들은 그의 돈에 굽실거립니다.

나는 소년일 때 1주일에 3달러를 받으며 사장님 밑에서 일을 하기 시작했습니다. 그리고 얼마 되지 않아 작업반장이 되었습니다. 일에서만큼은 내가 사장님보다 더 존경받는다고 확신합니다. 일을 훌륭하게 해냈을 때는 화가가 멋진 작품을 완성했을 때처럼 기쁨으로 가슴이 두근거린답니다. 하지만 사장님은 자신의 직업을 그저 돈을 버는 수단으로만 여기는 것 같습니다."

우리 삶의 가장 큰 목표는 유쾌함, 아름다움 같은 것들을 가능한 한 많이 흡수하는 것이다. 부는 돈으로 이루어지는 것이 아니다. 최고의 만족을 주고, 숭고한 업적을 남기도록 우리를 자극하고, 우리가 자신의 임무를 다하고 있으며, 태어날 때 창조주에게서 받은 봉인된 메시지를 제대로 읽고 있다는 확신을 주는 것은 결코 돈이 아니다. 진정한 부는 돈으로 얻을 수 없고, 돈과는 다르며, 상황에 따라 잃어버릴 수 있는 것이 아니다. 사랑이나 존경을 돈으로 살 수 없는 것처럼 행복도 그렇다.

오직 고상하고 변하지 않는 정의正義를 지키는 일만이 영원한 행복을 가져다준다. 물질적인 것은 항상 변하고, 손에서 빠져나가기 마련이다. 거기에는 영원성도 지속력도 없다. 에머슨(1803~82, 미국의 사상가·시인-옮긴이)이 말한 것처럼 "어느 것도 정의의 승리만큼 마음에 평화를 줄 수는 없다." 토머스 페인(1737~1809, 미국의 작가·정치평론가-옮긴이)은 "화를 절제하는 것은 항상 미덕이지만 도의를 절제하는 것은 항상 악덕이다"라고 말했다. 고상한 생각과 삶의 위대한 목표가 없다면 사람은 진정으로 행복해질 수 없다.

부를 좇는 일은 종종 도의에 어긋나지 않는 소박한 삶의 적이 되며, 복잡하고 스트레스가 많은 긴장된 생활을 야기한다. 그리고 복잡한 삶은 건강이나 행복에 도움이 되지 않는다.

나는 매사추세츠 주 아메스베리에 있는 아주 초라한 집을 먼 거리를 달려 여러 차례 방문했다. 돈으로 따지면 2백~3백 달러 남짓한 집이었지만, 존 그린리프 휘티어(1807~92, 미국의 시인-옮긴이)가 그곳에 살았다는 것만으로도 값으로 매길 수 없는 엄청난 가치가 그 집에 있었다. 미국 사람은 물론 외국인까지 많은 사람들이 그곳을 방문했는데, 휘티어를 열렬히 찬미하는 사람들은 한때 그곳에 살았던 위대한 시인을 기억하기 위해 작은 나뭇가지나 야생화 같은 온갖 기념이 될 만한 것들을 그곳에서 가져갔다.

수천만 미국인들은 소박한 시인 휘티어를 미국이 가진 귀중한 보물 중 하나로 여긴다. 하지만 영리 측면에서 보자면 그가 세상에 남긴 것은 시뿐이다.

휘티어의 사례는 가난한 사람들의 삶과 비슷하다. 그들의 집과 삶에서 우리는 욕심 많은 삶을 버리고 평범하고 숭고하게 살아가도록 이끄는 것들과, 영혼을 더욱 고양시키도록 자극하는 것들을 많이 발견한다. 백만장자의 저택에서 우리는 비싼 카펫과 고급 가구는 볼 수 있지만 정신적인 면을 추구하는 것은 발견할 수 없다.

생전에 휘티어가 부자였는지 아니었는지 따져가면서 그를 모욕하는 사람이 있는가? 유산으로 얼마를 남겼느냐면서 링컨의 이름을 더럽히는 자가 있는가?

그런데도 얼마나 많은 사람들이 여전히 행복을 살 수 있는 것이라고 믿고 있는가!

지금까지 어느 누구도 뇌물을 통해 진정한 행복을 얻지 못했다. 행복에 값이 있다면 아마 부자들뿐만 아니라 가난한 사람들도 얻을 수 있는 가격일 것이다.

돈, 그리고 돈이 가진 위력을 지나치게 강조하는 것은 어리석다. 돈으로 물질적인 쾌락을 살 수는 있지만, 그런 덧없는 것을 위해 모든 삶을 돈 버는 데 바친다면 행복의 기쁨이 과연 무엇인지 알 수 있을까?

돈이나 성공을 얻으려고 애쓰는 것이 잘못이라는 얘기가 아니다. 빈곤이 고상하다거나 부자들은 야비하다고 얘기하는 것은 더더욱 아니다. 그저 당신이 행복을 추구한다면, 영원히 지속되는 행복을 얻고 싶다면 마음속에 고상한 동기가 있어야 한다는 뜻이다. 사람들을 행복하게 만들기 위해서 돈은 사람들의 고차원적 본성, 즉 내면의 선善을 계발하는 데 필요할 뿐이다.

다른 사람의 선, 다른 사람의 성공, 다른 사람의 행복을 추구하는 사람들만이 자신들의 선, 성공, 행복을 발견할 수 있다. 옳은 일을 했다는 만족감을 느낄 때 사람들은 어떤 역경 속에서도 행복해 할 수 있다. 그런 감정을 느끼지 못한다면 세상 그 모든 재물을 가지고 있더라도 비참하다.

영혼의 부유함, 남의 행복을 바라는 마음, 다른 사람에 대한 사랑, 도움의 손길, 동정의 마음만이 진정한 부유함이다. 또한 그것을 소유한 사람들에게 삶의 진정한 목표를 이루었다는 기쁨을 준다.

인간의 마음은 항상 굶주려 있다. 불행한 마음은 끝없이 남의 것을 탐내고, 무언가를 얻으려는 갈망을 느낀다. 행복한 마음은 무엇이든 남에게 주고자 하는 갈망을 느낀다. 진정한 행복을 얻기 위해서 우리는 후자와 같은 갈망을 느끼고 다른 사람들에게 끝없이 베풀어야 한다.

하지만 우리는 사방에서, 지갑에 몇 푼 더 넣기 위해 끝없이 투쟁하는 그런 허기진 사람들을 마주하게 된다. 많은 사람들이 가족, 가정, 우정, 건강, 편안함, 명예를 희생시켜가면서 내면의 그 끔찍한 갈증, 점점 더 많은 것을 원하는 무시무시한 열망을 충족시키려 애쓰고 있다. 그것은 절대 만족시킬 수 없는 허기짐이요 목마름이며, 마음의 모든 고상한 열망을 질식시키고, 훌륭하고 우아하고 민감한 본성을 시들게 한다. 그리하여 결국 그들은 아름답고, 달콤하고, 진정한 모든 것에 무뚝뚝하고 반응할 수 없게 되어버린다.

탐욕스러운 목표를 향하여 몸부림치는 인간은 얼마나 한심한가! 그런 사람은 삶에서 가장 좋은 것들에는 무감각하다. 존재의 기쁨, 장엄함, 숭고함을 느끼지 못한다.

돈이 마음에 평화를 가져다줄 것이라고 기대하며 부자가 되려는 야망을 좇는 사람들에게 화가 있을진저! 왜냐하면 야망은, 만족시키면 만족시킬수록 그 식욕이 더욱 게걸스러워지기 때문이다. 그것은 마치 화주火酒와 같아서 마시면 마실수록 몸속에 더 많은 열이 일어난다.

진정으로 행복해지려면 우리의 마음속에 다른 사람들을 돕고 싶은 마음, 그들의 삶에 행복을 가져다주고 싶은 갈망이 있어야 한다. 마음속에 우리가 가진 것이 아닌 우리 자체에 대한 감사가 있어야 한다. 삶의 모든 상황에서 가장 고귀한 것을 발견하는 능력이 있어야 한다. 이런 높은 목표 없이 돈만 가진 사람들은 이내 행복에서 멀어질 것이다.

만일 이런 능력을 계발하지 못한다면, 스스로의 성장과 행복을 위한 원칙으로 삼지 못한다면 당신은 진정한 행복을 잡을 수 없고, 진정한 삶의 기쁨과 만족을 알 수 없을 것이다. 비록 억만금을 가지고 있다 할지라도 말이다.

오/늘/나/는/

🌱 가장 중요하게 생각하는 것이 무엇인지 다시 한 번 꼼꼼히 따져볼 것이다.
자신보다 돈 버는 일을 더 중요하게 생각하는가? 일이 바쁘다는 이유로 가족과의 약속을 취소하거나 연기하고, 그들의 사랑을 등한시한 적이 있는가? 그렇게 하려고 결혼했는가? 그렇게 하려고 가족을 만들었는가?

🌱 보람 있는 삶을 살고 있는지, 아니면 하루하루 생계를 이어가는 데열중하고 있는지 스스로에게 물어볼 것이다.
만일 후자의 경우라면, 변화를 위해서 당신은 무엇을 할 수 있는가?

🌱 삶에서 가장 소중하게 여기는 원칙들을 적어볼 것이다. 그러고 나서직업상 또는 돈을 벌기 위해 그 어떤 것과 타협한 적이 있는지 생각해본다.
만일 그런 적이 있다면 삶의 균형을 회복하고, 스스로에게 가치를부여하고 영혼을 고양시키는 그 원칙들을 되살리기 위해서 당신은무엇을 할 수 있는가?

🌱 내가 번 돈을 행복을 만드는 데 사용하는지, 아니면 쾌락이나
   욕망을 좇는 데만 사용하는지 돌아볼 것이다.
   비싼 자동차와 최신 전자제품이 판치는 세상에서 당신 역시
   그것이 없으면 안 된다고 생각하는가? 사실 현재 가지고 있는 차와
   전자제품만으로도 충분한데 말이다. 당신의 돈을 주로 그런 것들을
   사들이는 데 사용하는가, 빚을 갚고 가족들과 외식하고 콘서트나
   연극을 보러 가는 데 사용하는가?

🌱 수입 가운데 일부를 기부금으로 떼어놓겠다고 다짐할 것이다.
   우리 사회에는 재정적 도움이 필요한 단체들이 많이 있다. 예술단
   체든 종교단체든 혹은 사회복지시설이든 이들 단체에 기부할 돈을
   일정 금액 따로 떼어놓아라. 큰 액수가 아니어도 좋다. 그 돈은 당
   신에게 행복을 가져다줄 것이다.

06

무소유의 행복이란

정원으로 오지 않겠소?
내 장미에게 당신을 보여주고 싶소.
– 리처드 B. 셰리든

워싱턴 어빙(1783~1859, 미국의 소설가·수필가–옮긴이)은 어느 프
랑스 후작에 대한 얘기를 들려주었다. 성城을 잃은 후작은, 그래도
여전히 베르사유 궁전의 정원은 볼 수 있다며 스스로를 달랬다.

"이 멋진 정원을 거닐 때, '내가 이 정원의 주인이다, 이것은 내
것이다'라고 상상하기만 하면 됩니다. 여기 즐거워하는 군중은 나
를 방문한 사람들이고, 그들을 즐겁게 만드는 것은 내게 그리 어렵
지 않습니다. 내 정원에는 근심 걱정이 없으며, 사람들은 모두 원
하는 대로 행동하고 아무도 주인에게 폐를 끼치지 않습니다. 파리

전체는 나의 극장이고, 언제나 내게 장관壯觀을 보여줍니다. 거리에는 나를 위한 탁자가 놓여 있고, 수천 명의 웨이터들은 내 명령만을 기다리고 있습니다. 하인들이 시중들면 나는 돈을 지불하고 이제 그만 가라고 합니다. 그것이 전부입니다. 내가 등을 돌렸을 때 그들이 나쁜 짓을 하거나 좀도둑질을 할까 봐 염려하지 않아도 됩니다. 지금까지 내가 겪었던 고생을 떠올리고 지금의 기쁨을 생각할 때 나 스스로를 행운아라고 생각하지 않을 수 없습니다."

행복 습관은 손에 닿는 모든 것에서 아름다움을 끄집어내는 능력에서 비롯된다. 그 능력은 진정 값지다. 다른 사람들이 권리증서를 가지고 있다고 해서 내 눈앞에 보이는 모든 것에서 마음의 풍요를 느끼면 안 되는가? 마치 내가 주인인 양 부자들의 그 아름다운 정원을 즐기면 안 되는가? 길을 걸을 때 나는 온갖 다채로운 빛으로 가득 찬 이 세상을 소유한 부자가 된다. 잔디, 꽃, 나무의 아름다움은 모두 내 것이다. 다른 사람의 권리증서도 아름다움을 소유할 내 권리를 앗아가지 못한다.

농장의 경치, 시냇물과 초원의 아름다움, 산골짜기 경사면, 새들의 노랫소리, 저녁놀 진 하늘은 어떤 권리증서로도 내게서 빼앗아갈 수 없다. 그것들은 곧 그것을 보는 눈, 그것을 감상할 수 있는 마음의 소유이기 때문이다.

당신에게 즐길 것이 얼마나 많은지 알고 있는가? 당신은 내 땅도, 내 집도 없다고 말할지도 모른다. 겨우 작은 아파트에서 살고 있으니까.

자기 연민이 우리에게서 얼마나 많은 기쁨을 빼앗아가고 있는가!

소유해야만이 감상할 수 있는 것은 아니다. 누구의 소유이든 즐길 수 있는 모든 것을 즐길 수 있어야 한다. 가질 수 없거나 가질 여유가 없는 것들을 소유한 사람을 부러워하는 것은 얼마나 어리석은 짓인가! 소유할 수 없는 것을 즐기는 방법을 배워라. 새들처럼 되라. 그 땅이 누구의 것인지 상관하지 않고 작은 둥지를 틀고 즐겁게 사는 새들처럼.

길을 가다 멈춰서서 개인이 사회에 속한 부분이 얼마나 보잘것없는지 생각해본 적이 있는가? 그러나 사실 거리, 공원, 공공도서관, 강, 시내, 산, 저녁놀, 하늘의 아름다움은 전부 당신 것이다. 록펠러(1839~1937, 미국의 실업가-옮긴이)조차 태양에서 당신이 얻을 수 있는 것보다 더 많은 햇빛을 얻지 못했고, 달에서 당신이 얻을 수 있는 것보다 더 많은 아름다움을 얻지 못했다. 별과 계절의 변화 역시 그가 가진 것만큼 당신도 많이 가지고 있다. 경치는 그 땅에 대한 세금을 내는 사람과 똑같이 당신 역시 즐길 수 있다.

공원을 관리하기 위해 시에서 얼마나 큰 비용을 지불하는지 생각해보라. 카네기(1835~1919, 미국의 실업가-옮긴이)도 공원을 관리할 여유는 없었다. 그리고 당신은 관리에 전혀 신경 쓰지 않고도 항상 관리가 아주 잘 된 공원을 찾아갈 수 있다. 그것을 관리하는 사람들은 공무원이고, 갑부에게 하는 만큼이나 당신에게도 봉사한다. 당신은 그들을 고용할 필요도, 감독하거나 월급을 줄 필요도 없다. 꽃, 새, 조각품 등 공원에 있는 아름다운 것들은 모두 갑부들의 재산임과 동시에 당신의 재산이다.

로버트 루이스 스티븐슨은 자신이 소장하던 그림과 가구를 포장하여 곧 결혼할 예정인 경쟁상대에게 보냈다. 그러고 나서는, 마침내 주인을 몰아내어 노예생활에서 벗어났다고 친구에게 편지를 써 보냈다.

"절대로 재물의 포로가 되지 말게. 한 달에 한 번 정도 그림을 즐기고 싶은 기분이 들 걸세. 그럴 때면 화랑에 가서 그림을 보게. 그동안 허드레꾼이 그림의 먼지를 털고, 좋은 상태를 유지해줄 걸세."

왜 내가 지구의 그 작은 부분을 소유하기 위해 동분서주하며 애써야 한단 말인가? 이미 세상은 나의 것인데. 왜 내가 다른 사람의 법적인 소유를 부러워해야 한단 말인가? 삶은 그것을 보고 즐기는 사람의 것인데. 세상의 땅 주인들을 부러워할 필요가 없다. 그들은 단지 내 재산을 돌보고, 나를 위해 훌륭한 상태를 유지하는 일을 할 뿐이니까. 연료비나 버스, 기차 또는 비행기 삯만 있으면 언제든 내가 원할 때 세계 최고의 것을 보고 소유할 수 있다. 그것은 아무런 노력 없이 내게 오고, 내게 아무런 관리도 요구하지 않는다.

푸른 풀밭, 수목, 멋진 조각상, 미술관의 조각품과 그림들은 내가 그것들을 보고 싶어 할 때마다 항상 나를 위해 준비되어 있다. 나는 그것들을 집으로 가져가고 싶지 않다. 왜냐하면 지금의 반만큼도 관리할 수 없으니까. 게다가 내 소중한 시간을 너무 많이 낭비해야 한다. 그리고 그것들이 손상되거나 도난당하지 않을까 항상 염려하게 된다. 나는 지금 세상의 부를 대부분 가지고 있으며, 그것들은 나의 노력 없이도 항상 나를 위해 준비되어 있다. 내 주변의 모든 사람은 나를 기쁘게 해줄 일을 열심히 하고 있으며, 가장 값싸게 그것들을 내게 제공하기 위해 서로 경쟁하고 있다.

삶과 경치는 나의 것이다. 별, 꽃, 바다, 공기, 새, 나무도 그렇다. 내가 무엇을 더 원하겠는가? 모두가 나를 위해 일하고 있다. 인류가 전부 나의 하인이다. 나는 오직 나 자신을 먹이고 입히기만 하면 된다. 이런 기회의 땅에서는 더없이 쉬운 일이다.

헨리 워드 비처(1813~87, 미국의 목사-옮긴이)는 밖에 나가 가게 진열창 너머로 물건을 구경하는 일이 커다란 기쁨이라고 말하곤 했다. 특히 크리스마스 시즌에. 그리고 마치 자신의 것인 양 호화로운 건축물과 으리으리한 저택의 조각품을 올려다보고, 권리증서가 누구에게 있든 상관없이 건물 안을 돌아다니며 즐거운 마음으로 구경한다고 했다.

벌이 이 꽃에서 저 꽃으로 왔다갔다하는 모습을 본 적이 있는가? 벌이 꽃에서 꿀을 얻듯 우리도 초원, 새, 시냇물, 숲에서 직접 생명의 기운을 얻을 수는 없을까?

"기쁨은 부자들에게만 찾아가는 것이 아니다"라고 호라티우스(BC 65~AD 8, 로마 시인-옮긴이)는 말했다. 우리 모두는 꽃의 광휘光輝, 초원의 영광, 흐르는 시냇물의 교훈, 돌의 설교 등 모든 것에서 선행을 볼 수 있다.

그렇다면 어떤 사람들은 삶을 풍요롭게 하는 것들을 많이 발견하고 또 어떤 사람들은 거의 발견하지 못하는 것일까? 그것은 순전히 마음의 수준 문제다. 어떤 사람들은 아름다움을 보지 못한다. 그들은 가장 멋지고 인상적인 풍광 한가운데에서도 극단적인 무관심을 보인다. 그들의 영혼은 감동을 받지 못한다. 다른 사람들을 환희의 절정으로 몰아가는 영감을 느끼지 못한다.

"느껴주길 갈망하는 기쁨들이 있다. ……그 기쁨들은 깃들일 곳을 찾는 새처럼 우리 주변을 맴돈다. 하지만 우리는 마음의 문을 닫고 있다. 그래서 그 기쁨들은 우리에게 아무것도 가져다주지 못한다. 그저 지붕 위에 잠시 앉아 노래를 부르다가 멀리 날아가버린다"라고 어느 작가는 말했다.

이미 체제가 완벽하게 갖추어져 있기 때문에 당신은 그것들을 즐기기 위해서 소유할 필요는 없다. 부러워할 필요도 없다. 그렇게 된다면 당신은 행복을 소유하게 될 것이다.

오/늘/나/는/

🌱 **내가 '소유'하지 않았다는 이유로 주변의 아름다움을 놓치지 않을 것이다.**

마을에서 가장 멋진 곳으로 가라. 그곳의 아름다움을 감상하라. 풀밭, 집, 나무, 꽃밭. 그것을 소유한 사람들과 똑같이 당신도 즐길 수 있다. 게다가 당신은 유지보수비나 세금을 낼 필요도 없고 그것을 '가지기' 위해 오랜 기간 일할 필요도 없다. 그것들은 당신이 원하면 언제든 즐길 수 있도록 당신을 위해 항상 그곳에 있다. 그리고 집으로 돌아와서는 당신이 즐길 수 있도록 그곳을 유지하느라 애쓰는 그곳 사람들에게 감사하라.

🌱 **세상의 아름다움을 모두 소유한 사람은 아무도 없다는 사실을 기억할 것이다.**

아름다움을 소유한 사람들을 부러워하지 마라. 아무도 세상의 모든 성城, 별장, 해변, 호숫가를 가지지 못했다. 다른 사람들이 이 지구상의 또 다른 장소를 아름답게 만들 수 있는 재산을 가졌다는 사실을 늘 감사하게 여겨라. 또한 그들만큼이나 당신도 그 아름다움을 즐기고 '소유'할 수 있음을 감사하라.

🌱 **낙담했을 때, 용기를 잃었을 때, 당황했을 때, 학대받았을 때, 슬플 때 동네에 있는 공원에 갈 것이다.**

그리고 연못가에 앉아서 거위와 오리에게 먹이를 주거나 산책로를 따라 걸어라. 그러면서 누군가 당신을 위해 이 공원과 산, 이 아름다움, 이 고독과 미美를 누릴 기회를 주었다는 사실을 상기하라. 그렇게 한다면 절대 스스로를 가난하다거나, 비참하다거나, 불쌍하다고 생각할 수 없을 것이다.

박물관이나 미술관에 가볼 것이다.

무엇인가를 구입할 필요는 없다. 미술관이라면 안으로 들어가서 그저 "작품 감상하러 왔습니다, 감사합니다"라고 말하기만 하면 된다. 다른 사람들이 창조한 예술 작품을 보라. 그리고 그들이 당신의 마음을 풍요롭게 하고, 당신에게 성취감을 주기 위해 그렇게 했음을 기억하라. 예술가는 누군가가 즐길 수 있으리란 희망 없이 작품을 만들거나 전시하지는 않는다. 당신은 그들에게 기쁨이라는 당신의 선물을 줄 수 있고, 당신이 즐기기를 원하는 그들에게 선물을 받을 수 있다. 그것은 당신이 예술 작품을 소유하지 않고도 예술가들에게 줄 수 있는 것이고, 예술가들이 당신에게 줄 수 있는 것이다. 사실 예술가는 작품 감상이 '소유'한 사람에게만 제한되는 것을 원하지 않는다. "미美는 '소유주'의 눈이 아닌 '보는 사람'의 눈 안에 있다"라는 속담이 있다. 그러니자, 오늘 주변의 모든 아름다움을 보라!

2부

생활의
여유를
가져라

행복은 함께 나누는 것이다

받는 것보다 주는 것이 복이 있느니라.

– 「사도행전」 20장 35절

어느 날, 유명한 프랑스 화가 들라크루아는 바론 제임스 로스차일드 남작과 저녁식사를 하고 있었다. 얼마 전부터 들라크루아는 거지 모델을 찾고 있었지만 번번이 실패했다. 그런데 문득 자신이 찾던 모델이 바로 눈앞에 있다는 생각이 들었다. 예술을 사랑하는 로스차일드는 기꺼이 거지 모델이 되어주겠다고 했다.

다음 날 작업실에서 들라크루아는 남작에게 튜닉을 입히고, 손에 굵은 막대기를 쥐어주고는 마치 옛 로마 사원 계단에 서 있는 듯한 자세를 취하도록 했다. 남작이 이런 자세로 서 있을 때 들라크루아의 젊은 수제자가 작업실로 들어왔다. 남작을 당연히 거지라고 생각한 젊은이는 동정 어린 표정으로 남작을 바라보더니 남작의 손에 동전 한 닢을 쥐어주었다. 남작은 젊은이에게 감사 인사를 한 후 호주머니에 돈을 넣었다. 제자는 곧 방을 떠났다. 그 후 남작은 들라크루아에게 젊은이에 대해 물었고, 젊은이가 재능은 있지만 아주 가난하다는 사실을 알게 되었다. 얼마 지나지 않아 젊은이는 편지 한 통을 받았다. 편지에는 거지에게 준 자선금에 만 프랑의 이자가 붙었으니 로스차일드 사무실에서 찾아가라는 내용이 적혀 있었다.

우리 가운데 어느 누구도 사는 동안 매일매일 다른 사람에게 무엇인가를 줄 수 없을 정도로 가난하지는 않다.

"가장 민감하고 가장 쉽게 느낄 수 있는 기쁨은 다른 사람에게 기쁨을 주는 데서 얻는 기쁨이다"라고 라브뤼예르(1645~96, 프랑스의 도덕가-옮긴이)는 말했다.

대니얼 호손(1804~64, 미국의 소설가-옮긴이)은 기쁨을 나누는 마음의 기쁨은 최고의 선택이라고 말했다.

그리고 토머스 칼라일(1795~1881, 영국의 사상가·역사가-옮긴이)은 "만물을 더욱 많이 열매 맺게 하고, 더욱 좋게 하고, 더욱 가치 있게 만드는 일, 인간의 마음을 더욱 현명하고, 행복하고, 축복하게 하고 덜 저주받게 하는 일보다 위대한 일은 없다!"라고 말했다.

함께하는 기쁨, 이보다 더 좋은 것이 무엇이 있단 말인가?

모두와 기쁨을 나누는 일은 정말 천사 같은 행위이며 이보다 더 아름다운 것은 없다.

"모든 이의 행복을 간절히 바라는 사람은 천국에 갈 것이다."

햇살이 비치지 않는 삶의 화랑에 믿음과 신뢰라는 매혹적인 그림을 걸어놓고 삶을 보낸 사람들은 결코 지구상에서 잊혀지지 않을 것이다.

돈으로 선행을 베푼 사람 역시 기쁨의 삶을 얻는다. 시집 10만 권과 산문집 5만 권의 판매수익 대부분을 자선금으로 기부한 진 인젤로우의 삶은 얼마나 행복한가! 그녀는 독특한 자선사업을 했는데, 1주일에 세 번 이웃 병원에서 막 퇴원한 열두 명의 가난한 사람들과 '저작료'로 저녁식사를 하곤 했다.

존 러스킨(1819~1900, 영국의 평론가·사회사상가—옮긴이)은 100만 달러를 유산으로 받았다.

"이 돈으로 그는 선행을 시작했다. 교육받고 싶어 하는 가난한 젊은이를 도와주고, 노동자들을 위한 안식처인 공동주택 모델을 세웠다. 그는 또한 런던 외곽에 있는 불모지를 간척하는 일을 지원했다"라고 어느 작가는 〈아레나〉지에서 밝히고 있다.

러스킨은 또한 가난한 예술가를 돕는 데 앞장섰고, 젊은이들의 예술가적 재능을 발굴하는 데도 큰 몫을 했다. 한번은 홀먼 헌트의 멋진 수채화 열 점을 3,750달러에 사들여 런던에 있는 한 사립중학교에 걸어놓기도 했다. 1877년 그는 책에서 나온 수입 전부와 유산의 4분의 3을 처분했다. 빈민구제, 교육, 노동자 생활 개선 같은 일들에서 큰 행복과 기쁨을 느꼈기 때문에, 생활비로 1년에 1,500프랑의 이자가 나올 정도만 남기고 전 재산을 처분했던 것이다.

만일 우울하다면, 세계 지도와 인구조사표를 꺼내놓고 당신과 운명을 바꾸고 싶어 하는 사람들이 수백만은 될 것임을 떠올려라. 그러고 나서 가능한 한 많은 사람들을 위해 당신이 현실적으로 할 수 있는 일들을 계획하라. 그러면 언제 우울했나 싶어질 것이다.

태평천국의 난을 진압하는 데 큰 공을 세워 청나라 조정에서 제독 등의 관직을 받고 영국으로 돌아온 찰스 고든(1833~85, 영국 군인. 중국 이름은 과등戈登—옮긴이) 장군은 자신에게 쏟아지는 찬사와 영광에 전혀 관심을 두지 않았다. 그는 그레이브젠드에 정착하여, 거리의 소년들을 데려다가 성인이 될 때까지 먹이고 교육시켰다. 그리고 선원으로 취직시켰고, 세계 곳곳에 나가 있는 그들에게 충고와 격려의 편지를 보냈다.

삶에서 가장 큰 것을 얻는 사람들은 다른 사람들의 발전을 위해 가장 많은 것을 투자한 사람들이다!

프랑스 투르에 있는 경로수녀회敬老修女會 수녀들은 얼마나 행복한가! 그들은 한밤중에 찾아온 불쌍한 할머니를 위해 마지막 남은 침구를 가위로 둘로 잘랐다.

우리 중 얼마나 많은 사람들이, 위대한 희생을 할 준비가 되어 있다고 말하면서도 다른 사람들의 삶을 더 밝고 행복하게 해주는 아주 작은 친절을 소홀히 하는가? 삶에서 위대한 일은 우리가 만나는 모든 사람에게 작은 선행을 베푸는 것이다. 약간의 동정심과 섬세한 관찰력, 그리고 약간의 재치만 있으면 된다.

삶에서 저지르기 쉬운 실수 중의 하나는 지금 우리와 함께 있지 않은 사람, 혹은 현재가 아닌 다른 때를 위해 미소와 기분 좋은 말을 아끼는 것이다.

"한두 마디의 말이 다른 사람을 행복하게 해줄 수도 있는데도 그것을 주지 않으려는 사람은 비열한 자다. 다른 사람에게 무엇인가를 주는 것, 그것은 마치 당신의 촛불로 다른 사람의 촛불을 켜는 것과 같다. 다른 사람에게 이익이 되는 일을 해준다고 해서 자신의 밝음을 잃는 것은 아니다"라고 어느 프랑스 사람은 말했다.

시드니 스미스는 하루에 적어도 한 사람을 행복하게 해주라고 충고한다.

"10년이면 3,650명을 행복하게 해줄 것이다. 이는 작은 마을 하나에 기쁨이라는 돈을 기부하는 것과 마찬가지다."

래플 박사는 언젠가 다음과 같이 말했다.

"상대방을 행복하게 해주려고 노력하지 않는 사람과 10분 이상 함께 있지 않는 것을 나는 규칙으로 삼고 있습니다."

드와이트 박사는 이렇게 말했다.

"어린아이를 30분 동안 행복하게 해줄 수 있다면 그 사람은 하느님의 동료다."

한 어린 소년이 어머니에게 말했다.

"동생을 즐겁게 해줄 수 없었어요. 아무리 해도 안 돼요. 하지만 그 아이를 기쁘게 해주려고 노력하는 동안 내가 즐거워졌어요."

또 어떤 소년은 허약한 남동생에 대해 이렇게 얘기했다.

"나는 짐을 즐겁게 해줬어요. 그랬더니 그애가 웃었어요. 그 모습을 보니 즐거웠어요. 그래서 나도 웃었어요."

옛날에 어린 아들을 끔찍이 사랑하는 왕이 살았다. 그는 아들을 기쁘게 해주려고 무던히 노력했다. 조랑말과 멋진 방, 셀 수도 없이 많은 책과 그림, 장난감 그리고 선생님과 친구까지, 돈으로 살 수 있는 것이나 생각해낼 수 있는 것 모든 것을 주었지만 어린 왕자는 항상 슬펐다. 왕을 볼 때마다 왕자는 언제나 찌푸린 얼굴로 자기가 가지지 않은 무엇인가를 원했다.

생각다 못해 왕은 한 마법사를 궁전으로 불러들였다. 마법사는 왕자의 짜증난 얼굴을 보고 왕에게 말했다.

"아드님을 행복하게 해드리겠습니다. 찌푸린 얼굴을 미소로 바꿔놓겠습니다. 대신 큰돈을 주십시오."

"좋소. 무엇이든 주겠소."

왕이 허락하자 마법사는 왕자를 아무도 없는 방으로 데려갔다. 그리고 흰 물질로 종이에 무엇인가를 적었다. 마법사는 왕자에게 촛불을 주고 종이 뒷면을 비추라고 말했다. 그러면 글씨가 보인다는 것이다. 그리고 나서 마법사는 궁전을 떠났다. 마법사가 시킨 대로 하자 흰 글자는 아름다운 푸른색으로 변했다.

"매일 한 차례씩 누군가에게 친절을 베풀어라."

왕자는 그 충고를 따랐고, 마침내 왕국에서 가장 행복한 소년이 되었다.

"행복이란 수많은 조약돌로 이루어진 모자이크다"라고 어느 작가는 말했다.

　작은 친절과 호의, 부탁을 들어주려는 마음, 도움을 주려는 자세, 이기적이지 않으며 동정적인 마음, 남에게 상처를 주지 않고 오히려 상처를 감싸주려는 배려, 다른 사람의 약점에 관대한 자세, 넓은 이해심, 이런 것들이 하나하나 모이고 모여 어두운 밤이 찬란하고 행복한 낮으로 변하는 것이다. 1년에 딱 한 번 베푸는 훌륭한 행동보다 이 모든 사소한 선행들이 얼마나 더 위대한가!

　우리의 삶은 사소한 일들로 이루어져 있다. 위급한 상황은 거의 발생하지 않는다. 작은 것, 중요하지 않은 사건, 거의 기억할 수 없는 작은 경험들이 모여 전체 인생을 만든다.

　"자신도 알지 못하는 사이에 많은 사람들을 더 행복하게 만드는 것은 얼마나 훌륭한 재능인가! 꽃들은 자신들이 얼마나 아름다운지 알지 못한다. 장미와 카네이션은 하루 종일 나를 행복하게 한다. 그렇지만 그 꽃들은 나의 생각을 모르고, 자신들이 하고 있는 친절한 행위를 모른 채 그저 꽃병 안에 다소곳이 모여 있다. 사람들도 마찬가지다. 천성적으로 다른 사람의 마음을 기쁘게 하는 사람, 관대하고 밝은 성격을 가진 사람, 무의식적으로 다른 사람의 노여움을 가라앉히고, 유쾌하게 만들고, 어려움을 극복하도록 돕는 사람들. 주여, 이들을 축복하소서. 그들은 모든 사람을 축복하기 때문입니다"라고 비처 목사는 말했다.

　이런 사실을 자신의 삶에서 얘기하는 존 B. 고우는 얼마나 행복한가!

"나는 기차역에서 6마일 떨어진 영국의 한 시골 마을에서 설교를 하기로 되어 있었습니다. 한 남자가 역에서 마을까지 마차로 나를 데려다주었습니다. 마차 안에서 나는 남자가 얼굴을 창유리에 가까이 대고 불편한 자세로 몸을 앞으로 숙이고 있음을 알아차렸습니다. 나는 그에게 춥냐고 물었습니다. '아닙니다, 목사님.' 그러고 나서 그는 얼굴을 손수건으로 가렸습니다. 나는 그에게 치통이 있냐고 물었습니다. '아닙니다, 목사님.' 그는 대답했습니다. 하지만 그는 여전히 몸을 앞으로 숙이고 있었습니다. 또다시 내가 물었습니다. '춥지도 않고 치통도 없다면서 왜 그렇게 이상한 자세로 있는지 솔직히 말해보시오.' 그는 아주 조용한 목소리로 말했습니다. '마차 창문이 고장 났습니다. 바람이 매섭습니다. 그래서 목사님에게 바람이 가지 않도록 제가 막고 있었습니다.' 나는 놀라서 말했습니다. '내게 바람이 오지 않도록 부서진 창유리에 얼굴을 대고 있었단 말이오?' '그렇습니다, 목사님.' '이유가 뭐요?' '목사님께 큰 빚을 졌기 때문입니다.' '나는 당신을 본 적이 없는데?' '그러실 겁니다. 하지만 저는 목사님의 설교를 들었습니다. 저는 한때 떠돌이 가수였습니다. 굶주린 아이와 항상 눈에 멍이 든 아내를 데리고 여기저기 구걸을 하러 다녔습니다. 그러다가 에든버러에서 목사님의 설교를 듣게 되었습니다. 목사님은 제게 대장부라고 말했습니다. 그곳에서 나왔을 때 저는 하나님의 도움으로 진정한 대장부가 되겠다고 말했습니다. 그리고 지금 저는 아내와 함께 행복하고 안락한 가정을 꾸려가게 되었습니다. 정말 감사드립니다, 목사님. 목사님을 위해서라면 하늘 아래 어느 구멍에라도 제 머리를 집어넣을 겁니다.'"

"무엇인가를 위해서 살아라. 좋은 일을 하라. 그리고 시간의 폭풍이 절대 파괴할 수 없는 선행의 순간을 남겨라. 만나는 사람의 가슴에 친절, 사랑, 자비로 당신의 이름을 써라. 그러면 절대 잊혀지지 않을 것이다. 선행은 하늘의 별처럼 지구를 밝게 비출 것이다"라고 찰머스 박사는 말했다.

"만일 스스로를 위한 것이라면 전혀 세상을 살 필요가 없다. 돈을 벌 필요도 없다. 하지만 어디를 가든지 선행과 명랑함을 발산하며 축복받은 삶을 살면서, 공정하고 명예롭고 유용한 인간이 될 필요는 분명히 있다."

그러나 우리 가운데 얼마나 많은 사람들이 남에게 주어야 할 선물을 마냥 간직하고만 있는가? 슬프게도 항상 시선을 먼 목표에만 고정하고, 거기에 도달하기 위해 모든 노력을 다하면서 살고 있는가? 다른 사람을 도울 수 있고, 일상의 평범한 삶을 밝고 아름답게 만들 수 있는 수많은 기회를 지나치면서 우리는 살고 있다. 우리는 그런 기회를 보지 못한다. 야망을 이루는 데 도움이 되지 않는 것들을 모두 지나쳐버린다면, 인생의 목적지에 도착했을 때 과연 우리는 무엇을 찾을 수 있을까? 갈망했던 것은 얻었을 것이다. 하지만 그것은 삶을 고상하고 풍부하게, 달콤하고 아름답게 만드는 모든 것을 희생한 대가다.

왜 훌륭한 일을 내일 하겠다고 생각하는가? 오늘은 희망이 안 보이는데, 왜 내일은 그리도 장밋빛이고 낭만적으로 보일까?

왜 오늘은 남을 위해 한 푼도 쓰지 않으면서 언젠가는 당신이 행복하고 화목해질 거라고, 또 남을 도울 수 있을 거라고 믿는가? 왜 오늘은 그럴 시간을 갖지 못하면서 언젠가는 오랫동안 만나지 못한 친구나 아프고 낙담한 사람에게 편지 쓸 시간이 생기고, 자기 수양을 하고 마음이 풍요롭게 할 시간이 생길 거라고 기대하는가?

내일에는 무엇이 있기에 그런 마술 같은 발전을 이룰 수 있는가?

왜 언젠가는 당신에게 거의 쓸모없지만, 당신보다 더 가난한 사람들에게 아주 소중하게 쓰일, 집안에 널려 있는 것들을 정리할 거라고 생각하는가? 왜 다음 주, 다음 달에 헌 옷이나 책, 그림 등으로 가득 찬 상자를 그것들이 정말로 필요한 사람들에게 보낼 거라고 생각하는가? 과거에도 그렇게 하지 않았고, 지금도 그렇게 하지 않고 있는데, 왜 미래에는 그렇게 할 거라고 스스로에게 약속하는가?

아마도 그것은 당신이 인색해서가 아닐 것이다. 다른 사람들에게 지금 이 순간 무엇이 필요한지 생각해보지 않아 잘 모르고 있기 때문이리라.

오늘 다락으로 올라가라. 트렁크와 집안 곳곳을 둘러보라. 그러면 집안을 치울 수 있을 뿐만 아니라 당신보다 불쌍한 사람들에게 행복과 평안을 가져다줄 수 있는 물건들이 얼마나 많은지 알게 될 것이다.

옷장 속을 들여다보고, 앞으로 절대 입지 않을 옷들을 끄집어내

라. 그것은 해고당해 어려운 사람 또는 가족을 돌보느라 자신에게 필요한 옷을 살 여유가 없는 사람에게 뜻밖의 횡재가 될 것이다. 언젠가는 그 옷이 필요할 거라고 생각하면서 유행이 지날 때까지 보관하지 마라. 지금 좋은 일을 하라. 오늘 그 옷들을 나눠주라. 그 옷들은 이미 당신을 만족시켰다. 이제 그 물건들이 당신의 사랑, 다른 사람들에 대한 당신의 배려를 보여주는 증거이자 행복의 전령이 될 수 있도록 하자.

아마 서재에 몇 년 동안 아무도 보지 않았고 앞으로도 보지 않을 책들이 있을 것이다. 그 책들은 어려운 환경에서 독학을 하는 소년 소녀들에게 더할 나위 없이 귀한 책이 될 것이다. 오늘 그것들을 처분하라. 당신이 더 많이 주면 줄수록 당신은 더 많이 갖고, 더욱 행복해질 것이다. 인색한 습관은 행복의 목을 조른다. 남에게 주는 습관은 행복을 배로 만든다. 당신의 마음을 부드럽게 하고, 더욱 관대하게 만든다.

얼마 전 매우 교양 있고 세련된 여성이 어렸을 때 얼마나 힘들게 음악 공부를 했는지에 대해 얘기한 적이 있다. 그녀는 너무 가난해서 악기를 사거나 빌릴 수가 없었다. 그래서 종이에 피아노 건반을 그려 매일 몇 시간씩 연습하곤 했다. 그러던 어느 날, 그녀는 어느 부잣집 저녁식사에 초대받았다. 식사 후 여주인은 부엌에서 다락까지 집안 곳곳을 구경시켜주었다.

"그곳, 다락방에서 나는 보았어요. 먼지로 덮인 낡은 피아노를. 그것을 얻기 위해서라면 내가 가진 모든 것을 주었을 거예요. 그

피아노로 연습할 수만 있다면 매일 기쁜 마음으로 몇 시간이고 걸어 그 집을 찾아갔을 텐데. 맛있는 저녁식사, 멋진 가구, 아름다운 그림, 그런 것들은 전혀 부럽지 않았어요. 하지만 그 피아노, 다락 한구석에서 먼지가 쌓인 채 버려져 있는 그 피아노는 오랫동안 내 머릿속에서 떠나지 않았어요. 그것은 내게 천국으로 가는 문을 열어주었을 테지만 감히 달라고 말할 수가 없었지요."

서부를 여행하는 혼잡한 기차 안에 어느 할머니가 타고 있었다. 할머니는 자꾸만 손가방에서 작은 병을 꺼내 창 밖으로 내밀며 병에서 소금 비슷한 것을 털어버리고 있었다. 옆에 앉아 있던 한 남자가 더 이상 호기심을 참지 못하고 할머니에게 물었다.

"아, 이건 꽃씨랍니다. 여러 해 동안 여행을 다닐 때마다 철로 옆에 꽃씨를 뿌리고 있어요. 특히 사막을 지날 때나 경치가 별로 아름답지 못한 곳에요. 저 철로 옆에 있는 예쁜 꽃들 보이슈? 호호호, 내가 여러 해 전 이 길에 뿌린 씨앗에서 핀 꽃이라오."

어느 위대한 박애주의자는 자신은 다른 사람에게 준 것만 저축했고, 나머지 재산은 모두 잃어버린 것 같다고 말했다.

다른 사람에게 준 것은 놀라운 힘을 가지고 있어 돌아올 때는 두 배, 세 배가 된다. 그러니 남에게 주는 것은 세상에서 가장 수지맞는 투자다. 기하급수적으로 늘어서 되돌아오니까.

줘라! 줘라! 줘라! 그것은 다 써버리는 것을 막는 유일한 방법이다.

"내가 다른 사람에게 무엇인가를 줄 때, 그것은 내 자신에게 주는 것이다"라고 휘트먼은 말했다.

　이기심은 스스로를 파멸시킨다. 다른 사람을 돕지 않는 사람, 지갑을 절대 열지 않는 사람, 자신의 일만으로도 충분히 힘들다는 사람, 이웃을 절대 생각하지 않는 사람, 모든 것을 얻기 원하지만 그 대가로 아무것도 주고 싶어 하지 않는 사람은 장미꽃 봉오리가 언젠가 그리 되듯 움츠러들고 말라버릴 것이다. 하찮고 초라해져서 남에게 멸시를 받게 될 것이다.

　절대 남에게 주지 않는 불쌍하고 초라한 영혼들, 도움의 손길이라는 꽃잎을 닫아버리는 사람들, 사랑과 동정이라는 향기를 아끼는 사람들은 결국 스스로를 위해 저장하려고 했던 것을 모두 잃게 된다는 사실을 우리는 알고 있다. 그들은 냉정하고, 활기 없고, 무감각하다. 그들의 동정심은 모두 말라붙었다. 그들은 삶에서 더욱 고귀한 감정을 느낄 수 없다. 그들의 영혼은 이기심과 탐욕에 얼어붙었다. 너무나 마음이 좁고 인색하여 무엇인가 빼앗길까 봐 단 한 번의 친절한 행위나 미소도 남에게 주길 두려워한다. 그리하여 햇빛이나 행복을 발산할 수 없게 되고, 만고불변의 법칙대로 아무것도 얻을 수 없게 된다.

　체육관에서 운동을 하고 있는 젊은이를 보면서 어느 건장한 남자가 말을 건넸다.

　"이봐, 젊은이, 평행봉과 아령에 에너지를 낭비하다니 정말 어리석군. 자네는 약해 보이니 일을 위해 힘을 아껴야 하지 않겠나? 체력을 그렇게 낭비하면 안 되네."

젊은이가 대답했다.

"아, 그렇군요. 하지만 이 운동에 숨겨진 철학을 이해하지 못하시는 것 같습니다. 내 힘을 증가시킬 수 있는 유일한 방법은 내가 가진 것을 버리는 겁니다. 이 도구에 힘을 쓰면 이자가 붙어 돌아옵니다. 내 근육은 열심히 운동함으로써 성장하는 것이니까요."

줘라, 그러면 성장할 것이다. 저장하라, 그러면 잃게 될 것이다. 그것이 성장에 관한 우주의 법칙이다.

이기적인 장미꽃 봉오리가 말했다.

"나는 아름다운 나의 꽃잎을 말아올릴 거야. 이 소중한 향기를 보존할 거야. 이 태양과 이슬의 사랑을 나만 가질 거야. 무심한 행인들에게 그것을 주는 것은 낭비야, 낭비."

그러나 보라. 장미꽃 봉오리가 자신이 가진 것을 저장하는 순간, 그것들은 사라지고, 장미꽃은 시들어 결국에는 죽고 만다.

관대한 장미가 말했다.

"나 자신을 다 줄 거야. 나의 아름다움과 향기를 지나가는 모든 사람들에게 줄 거야."

오, 보라. 그 장미는 결코 상상하지 못했던 달콤한 향기를 내뿜으며 아름다운 자태로 피어난다. 세상에 주려고 했던 것은 아주 작은 향기였다. 그런데 놀랍게도 장미꽃 주변은 햇빛의 광합성 작용, 공기 중의 습기, 흙 속의 화학적 에너지에서 이끌어낸 달콤한 향기로 가득 찼다.

주변을 돌아보면 우리의 도움이 필요한 사람들이 많이 있다. 용기를 주는 말 한마디나 친절한 행동만으로도 슬픈 영혼들에게 용기와 희망을 되찾아줄 수 있다. 항상 아무 대가없이 그것을 주려고 노력하라. 많이 주면 줄수록 당신은 더욱 크게 성장할 것이다.

쥐라! 쥐라! 지금 쥐라. 오늘! 더 크고, 더 넓고, 더욱 행복하고, 더욱 쓸모 있는 사람이 되도록 노력하라. 자신의 행복보다는 다른 어떤 목적에 전념하는 사람만이 행복해질 수 있다.

쥐라, 쥐라, 당신이 가진 모든 것을 쥐라. 선물과 함께 당신을 쥐라. 세상은 사랑에 목마르다.

"가는 동안 계속 꽃씨를 뿌리세요. 다시는 이 길을 지나가지 못할 테니까요."

오/늘/나/는/

🌱 내 집을 둘러볼 것이다. 앞날을 위해 준비해두었던 것이 있을 것이다. 우환이 지나갔는데도 당신은 여전히 그런 물건들을 지니고 있다. 이제 그런 물건을 상자에 담아 자선단체나 어려운 사람들을 돕는 기구, 혹은 그런 물건이 필요한 사람에게 줘라.

🌱 가난한 사람들에 대한 지원이나 지구 보호 같은 의미 있는 일에 참가하라는 내용의 우편물을 다시 한 번 생각해볼 것이다.
그중 좀 더 관심이 가는 내용의 우편물을 하나 집어들라. 만일 당신의 기부금이 원하는 대로 좋은 일에 쓰일지 살펴보고 싶다면 그 조직에 대해 연구하라. 찾을 수 있는 자료를 모두 찾아 자금이 어떻게 사용되는지 알아보라. 결과가 만족스럽지 못하다면 다른 우편물을 골라서 그 조직에 대해 알아보라. 도움을 주어도 되겠다고 생각되는 조직을 찾을 때까지 포기하지 말고 계속 노력하라.

🌱 꼭 돈과 물건만 줄 수 있는 것이 아님을 기억할 것이다.
당신 자신을 줄 수 있다. 가치 있는 조직을 위해 자원봉사를 하라. 양로원, 동물보호소에 도움을 줘라. 장애인올림픽에 봉사를 자청하라. 맹인들에게 책 읽어주는 일을 하는 조직이 당신이 사는 지역에 있는지 알아보라. 고아들의 후견인 노릇을 하라.

🌱 다른 사람을 돕는 것에만 전념하다 보면 '자선은 가정에서 시작한다'라는 사실을 가끔 잊을 수도 있다는 것을 기억할 것이다.

때때로 아이들과 외식을 하라. 가족들이 좋아한다면 '멋지게 차려 입어야 하는' 장소에도 데리고 가라. 아이들이 즐기는 스포츠의 코치 노릇을 하라. 아니면 함께 게임을 즐겨라. 학교 연극, 연주회, 스포츠 행사 등등 아이들이 참가하는 행사에 참석할 수 있도록 스케줄을 비워놓아라.

08

행복을 유지하는 비결은
돈독한 우정이다

우정은 날개 없는 사랑이다.

– 프랑스 속담

많은 사람들이 삶에 실망하는 이유는 우정을 쌓는 능력을 계발하지 못했기 때문이다. 그들은 친구란 살다 보면 저절로 얻어지는 것이기 때문에 우정을 얻기 위해 애써 노력할 필요가 없다고 생각하는 것 같다. 그런 사람들의 삶은 당연히 척박하고, 가난하며, 만족스럽지 못하다.

우정이 깊어지면 우리는 마음속 깊이 숨겨놓은 비밀을 보여준다.

이 세상에 이기적이지 않고 헌신적인 우정보다 더 신성한 것이 또 있을까? 우정보다 더, 키우고 유지하는 데 노력을 기울이지 않는 것이 또 있을까? 우정보다 더, 소홀히 여겨 가치를 깨닫지 못하는 것이 또 있을까?

흔히 진정한 친구가 없는 이유는, 줄 것은 없으면서 기대하는 것은 많기 때문이다. 만일 당신이 매력적이고 사랑스러운 성격을 기른다면 친구들이 당신 주변에 몰려들 것이다.

우리 대부분은 우정이 아닌 다른 것에 먼저 신경을 쓴다. 그리고 혹시 자투리 시간이 남는다면 그제야 우정을 나누려고 친구를 만난다. 우정이 그토록 가치 없는 것일까?

명랑하고, 충실하고, 도움이 되는 친구들이 있다는 뿌듯함보다 세상에서 더 멋진 것이 있는가? 좋을 때나 나쁠 때나 한결같이, 오히려 좋을 때보다는 나쁠 때 더 우리를 사랑하는 그런 친구들 말이다.

친구들의 믿음은 항상 우리에게 용기를 준다. 사람들이 모두 오해하고 비난할 때 몇몇 친구들이 진심으로 나를 믿을 거라고 느낀다면 얼마나 용기가 샘솟는가!

아, 진정한 친구만큼 자극과 기쁨을 주는 사람이 어디 있겠는가! 키케로(BC 106~BC 43, 로마의 정치가·철학자·저술가―옮긴이)가 다음과 같이 말한 것은 당연하다.

"삶에서 친구들을 빼앗아가는 것은 세상에서 태양을 빼앗아가는 것과 같다. 왜냐하면 그 불멸의 신보다 더 좋고 더 기쁜 것을 얻을 수는 없을 테니까."

항상 우리에게 이익이 될 만한 것을 찾아주고, 우리를 위해 일하고, 기회가 있을 때마다 좋은 말을 해주고, 우리를 지지해주고, 없는 자리에서 우리를 대변하고, 민감하고 약한 면을 보호해주고, 욕설을 막아주고, 우리에게 상처를 줄 수 있는 거짓말을 잠재우고, 잘못된 인상을 바로잡아주고, 우리가 올바르게 되도록 도와주고, 잠깐의 실수로 생긴 나쁜 첫인상이나 편견을 극복하도록 도와주고, 항상 우리를 위해 무엇인가를 하려는 열정적인 친구를 갖는다는 것은 얼마나 소중한가!

친구들을 버리는 우리는 얼마나 불쌍한 존재인가!

우리의 약점이나 단점, 별스러운 행동, 실패 등을 극복하는 데 친구들이 얼마나 큰 도움이 되는가! 그들은 우리의 잘못 위에 사랑이라는 천을 덮어 단점을 가려준다.

친구가 없다면 세상은 얼마나 냉랭하고 박정하겠는가? 모두가 비난할 때 우리를 믿어주는 사람들, 우리가 가진 것 때문이 아니라 우리 모습 자체를 사랑하는 사람들, 우리를 제대로 알아주고, 자신감을 갖도록 도와주고, 성취력을 배로 높여주는 사람들, 열등감이나 약점을 부끄러워하지 않도록 용기를 주는 사람들.

그런 우정의 가치를 누가 계산할 수 있단 말인가?

강하고 충성스러운 우정을 가진 사람들이 자포자기에서 벗어나 성공을 향해 다시 뛰게 된 사례는 무수히 많다. 자신을 사랑하고 믿는 누군가를 생각하여 자살을 포기한 사례도 무수히 많다. 친구를 욕되게 하거나 실망시키느니 차라리 모진 고문을 견디는 쪽을 택한 사람들도 많다. 호의적인 자극, 용기를 주는 한마디 말은 많은 삶에서 전환점이 되었다.

우리가 스스로의 친구가 되지 못할 때, 우리가 자존심과 자제심과 덕을 잃었을 때 곁에 남아 있는 친구보다 세상에서 더 성스러운 것은 없다. 우리가 스스로를 지키지 못할 때 우리를 지켜주는 것이 바로 우정이다.

나는 한 사람을 알고 있다. 그는 술과 모든 악덕의 노예가 되어 가족조차 등을 돌린 친구 곁에 끝까지 남아 있었다. 친구의 아버지, 어머니, 아내, 아이들이 친구를 버렸을 때, 그는 충성스럽게 남아 있었다. 매일 밤 방탕한 친구의 뒤를 따라다니면서 너무 술에 취해 혼자 서지도 못하는 친구가 동사凍死할 뻔한 것을 여러 번 구해주었다. 자신의 가정을 돌보지 않고 친구를 찾아 빈민가를 헤매고, 경찰서에서 데리고 나오고, 추위를 막아준 것도 수 십번이 넘었다. 이런 위대한 사랑과 헌신 덕분에 마침내 방탕한 친구는 정신을 차리고 가정으로 돌아갔다. 돈으로 그런 우정의 가치를 과연 측정할 수 있을까?

"우정의 목적은 나에게 나 자신보다 더 소중하고, 그 사람의 생명을 위해서라면 기꺼이 내 것을 내놓을 수 있는 누군가를 가지는 것이다. 현명한 사람들만이 친구가 될 수 있다. 나머지 사람들은 단지 동료일 뿐이다"라고 세네카(BC 55?~AD 39, 고대 로마의 수사가 修辭家 -옮긴이)는 말했다.

사업을 시작하는 사람에게 많은 친구보다 더 큰 자본은 없다. 큰 위기를 만나 사업을 그만두려고 했다가 용기를 주는 친구의 말 한마디에 힘든 시기를 무사히 넘기고 성공한 사람들이 많이 있다. 재정상태는 안 좋았지만 고객과 일거리를 마련해주는 많은 친구들 덕택에 하는 일마다 성공한 사람들이 많이 있다.

그와 반대로 힘든 우리네 삶에서 가장 슬픈 순간들 중 하나는 돈만 좇는 친구에게 배신당했을 때일 것이다. 돈은 많지만 친구는 한 명도 없는 것보다 세상에서 더 삭막한 일이 또 있을까? 돈을 얻기 위해 우정을 희생한다면, 삶에서 가장 신성한 것들을 희생한다면 우리가 성공이라 부르는 것이 어떤 가치가 있을까? 부를 좇는 동안 우리는 많은 사람들을 알게 될 것이다. 하지만 그들은 친구가 아니다. 돈이나 영향력이 있으면 우리를 따르지만, 실패하고 무일푼이 되면 이 사실을 가장 명확하게 깨달을 수 있다.

진정한 우정은 햇빛 아래에서뿐만 아니라 그늘과 어둠에서까지도 우리를 따라온다. 진정한 우정은 가장 가능하기 힘든 인격이다. 충성심이 부족한 사람은 진정한 우정을 소유할 능력이 없다.

셰익스피어는 진정한 친구와 가짜 친구를 구별할 수 있는 방법을 알려주었다. 다음과 같은 사람은 진정한 친구다.

필요할 때 곁에 있어주는 사람
슬플 때 같이 울어주는 사람
당신이 잠에서 깨어나면 자신도 잠들 수 없는 사람
마음의 모든 슬픔을 함께 나눌 수 있는 사람
이것이 신의가 두터운 친구와
아첨하는 적을 구별할 수 있는 분명한 표시다.

우정은 일방적인 것이 아니다. 영혼의 교환이다. 상호작용이 없는 우정은 있을 수 없다. 모든 것을 받고 아무것도 주지 않거나, 모든 것을 주고 아무것도 받지 않을 수는 없다. 그렇게 한다면 진정한 우정의 기쁨과 만족을 경험할 수 없다.

우리가 주는 것만을 우리는 받는다. 친구는 우정이라는 씨앗의 수확물이다. 만일 씨앗의 질이 좋지 못하다면 수확도 충분하지 못할 것이다. 우정을 많이 수확한 사람은 동정, 관심, 존경, 도움, 사랑이라는 씨앗을 많이 뿌린 사람들이다. 이렇게 해야 풍년이 될 수 있다. 다른 사람들에게서 모든 것을 받지만 아무것도 주지 않는 사람은 우정도, 진정한 부富도 알지 못한다.

진정한 우정은 쉽게 얻을 수 있는 것이 아니다. 가식이나 속임수가 통하지 않는다. 성실함이 곧 우정의 핵심이다. 진실을 말하는 데 주저하고, 정의가 필요할 때 고통을 감수할 수 없는 우정은 절대로, 정의롭고 솔직하고 성실한 우정만큼 찬양의 대상이 되지 못한다.

우리가 스스로를 속이고 타락했을 때 친구의 우정은, 세상살이가 힘에 부칠 때 친구의 도움은, 우리가 스스로를 지탱하지 못할 때 친구의 강한 어깨는 소중한 우정을 굳히고, 사람들과의 관계를 더욱 깊이 이끌어간다. 진실하고 영원한 행복의 원천은, 사실 수많은 사람들이 진정한 우정을 얻는 바로 그 순간부터 고귀하게 되었다.

"우정에 행복으로 가는 모든 길이 있다. 이것이 내가 항상 주장해왔던 이론이다"라고 엘러 휠러 윌콕스는 말했다.

회의주의자는 이렇게 반박할 것이다.

"하지만 우정이라는 이름을 가진 거짓 우정을 발견할 수도 있습니다. 당신은 환멸감에 괴로워하게 될 것입니다. 그것은 어떤 우정이 주는 달콤함보다 더 씁쓸할 것입니다. 그러니 우정이라는 쓸모없는 꿈은 꾸지도 마십시오."

회의주의자와는 달리 세상을 긍정적으로 사는 사람은 이렇게 말할 것이다.

"그래도 나는 여전히 우정을 찾을 겁니다. 나는 많은 우정을 키워왔습니다. 어떤 것은 깨졌고, 그 때문에 나는 고통을 받기도 했습니다. 하지만 진정한 우정 하나가 내 마음에 집을 짓고 항상 그곳에서 쉬고 있습니다. 진정한 친구가 되는 것, 진정한 우정을 얻는 것은 진실하고 영원한 행복을 위한 길입니다."

오/늘/나/는/

🌱 **멀리 있는 친구에게 전화를 하거나 편지를 쓸 것이다.**
사랑하는 사람과 멀리 떨어져 있는 사람은 늘 영혼이 허기지고 가련하다. 우정은 천 가지 질병을 고칠 수 있는 향유香油다. 친구의 동정어린 눈길에는 힘이 있다. 절망의 어둠을 쫓아버리고, 다시 한 번 삶이라는 저택에 희망과 용기라는 햇빛이 가득하게 만들 수 있는 그런 힘이 있다.

🌱 **친구들에게 사랑한다고 말할 것이다.**
존경하는 친구에게 그 친구의 장점을 말해줘라. 친구에게서 너무 많은 것을 기대하지 마라. 피치 못할 사정으로 오랫동안 연락을 못했거나 만나지 못한 친구를 탓하거나 부담 주지 마라.

🌱 **내 생일에 보여준 우정에 대해 친구들에게 감사 카드를 보낼 것이다.**
생일날 우리는 가족이나 친구들에게서 편지나 카드를 받는다. 다음 해 생일에는 친구에게 카드를 보내라. 당신의 인생에서 그들을 가질 수 있어서 감사하다는 내용을 적어라. 왜냐하면 그들의 존재가 바로 당신을 특별하게 만드니까.

🌱 **친구라는 이유만으로 점심이나 저녁식사를 대접할 것이다. 그러면 그 사실을 축하하고 싶어질 것이다.**

09

일을 통해서 기쁨을 얻어라

우리를 건강하고, 만족하고, 번영하게 하는 것은
바로 일에서 얻는 성취감이다.

대부분의 사람들은 일에서 벗어나길 원하고, 그 방법을 찾는다. 그러나 역사와 경험으로 볼 때 바쁜 사람들, 계속해서 일을 하는 사람들이 가장 행복한 사람들이다. 일을 단조로운 고역으로 여기느냐, 아니면 기쁜 마음으로 하느냐가 세상의 모든 차이를 만들어낸다. 건강과 행복은 그런 태도에서 결정된다. 일은 활력소여야지 고역이어서는 안 된다. 삶은 기쁨이어야지 투쟁이어서는 안 된다.

찰스 A. 다나는 늘 일의 기쁨을 노래했던 사람으로서 사망하기 전, 건강할 때까지 매일 사무실에 나왔다. 내각 관리가 그에게 물었다.

"다나 씨, 이 지독하게 힘든 일을 어떻게 참는지 대단하십니다."

"힘든 일이라뇨? 대단히 오해하고 있군요. 저는 일이 너무너무 재미있습니다."

"우리는 행복과 불행을 너무 의식하며 살고 있다. 하지만 자신의 임무를 꼼꼼하고 철두철미하게 하다 보면 행복은 저절로 굴러 들어온다"라고 빌헬름 폰 훔볼트(1767~1835, 독일의 철학자·언어학자─옮긴이)는 주장했다. 그리고 "자신의 행복이 아닌 다른 목적에 전념하는 사람들만이 행복할 수 있다"라고 말했다.

우리는 매일매일 순간의 특권을 즐길 수 있는 의무를 다하면서 당당하게 살아야 한다. 그것이 우리를 행복하게 할지 불행하게 할지 생각하지 말아야 한다. 이는 조지 허버트의 명언과도 일맥상통한다.

"제대로 임무를 수행했다는 뿌듯함은 한밤중의 음악과 같다."

더없이 훌륭하게 행한 일, 완벽하게 끝마친 일, 스스로가 인정하는 일은 얼마나 큰 기쁨이 되는가! 그 때문에 스스로를 더욱 존경하게 될 것이다. 업무를 끝마쳤다는 느낌보다 더 만족스러운 것은 없다.

"사람들을 죽이는 것은 일이 아니다. 걱정이다. 일은 건강한 것이다. 일은 그 사람이 감당할 수 있을 만큼만 주어진다. 하지만 걱정은 칼날에 슨 녹과 같다. 기계를 망가뜨리는 원인은 운동이 아니라 마찰이다"라고 헤리엇 비처 스토(1811~1896, 미국의 소설가. 주요 작품으로로 『톰 아저씨의 오두막』이 있다─옮긴이)는 말했다.

"삶의 불행은 일이 아니라 그것에 대한 불안감과 걱정에서 온다. 능숙하고 잘 짜여진 일은 결코 사람을 죽이지 않는다. 하지만 일에 대한 걱정, 두 시간에 할 수 있는 일을 한 시간 안에 해야 한다는 부담감, 지나치게 많은 저녁 약속, 쾌락과 기쁨에 대한 탐욕 등이 우리를 불행하게 만든다. 편하게 다룰 수 없고 쉽게 도달할 수 없다면 기쁨은 더 이상 기쁨이 될 수 없다"라고 토머스 R. 슬라이서 박사는 말한다.

일은 우리에게 가장 큰 축복임에 틀림없다. 왜냐하면 일을 하지 않으면 자연의 법칙에 따라 쇠퇴하고 소멸하기 때문이다. 엔진이든 인간의 두뇌든 마찬가지다. 활동을 하지 않으면 퇴보하는 것이 생명의 법칙이다. 세상에서 가장 불행한 사람은 직업이 없는 사람이다. 아무리 많은 돈도 일을 대신할 수는 없다.

"우리는 일해야 한다. 이는 분명한 사실이다. 그런데 불평하면서 일할 수도 있고 감사하면서 일할 수도 있다. 항상 일을 선택할 수 있는 것은 아니다. 하지만 항상 기분 좋게, 밝은 태도로 일할 수는 있다. 이 세상에 숨을 쉴 수 없을 만큼 더러운 직업은 없다. 활기를 빼앗아갈 만큼 지루한 직업도 없다."

당신이 경영자라면 어떤 사업을 하든 직원들을 따뜻하게 배려하는 것보다 더 큰 이익을 거두는 투자가 없다는 사실을 발견하게 될 것이다. 잔소리를 늘어놓거나 흠을 잡거나 노예처럼 혹사하는 식의 방법은 이제까지 어떤 분야에서도 성공한 적이 없다. 그런 방법은 희망을 짓밟고, 열정을 목 조르고, 자발성을 죽이고, 직원들을 기쁨이 아닌 고역 속으로 밀어넣는다. 항상 잘못을 지적하고, 칭찬에 인색하고, 회사 분위기를 밝게 만들지 못하는 사장은 직원들뿐만 아니라 자신에게도 결코 좋은 결과를 가져올 수 없다.

만일 당신이 경영자라면 삶은 비참하고 힘들다는 듯한 태도로 직원들을 대하지 마라. 당신이 상황의 주인이지 노예가 아님을 보여줘라. 평화와 조화를 깨는 사소한 일에 흥분하지 마라. 하찮은 일에 신경 쓰기에는 당신이 너무 배포가 크다고 생각하라. 사업을 번창시키겠다고, 당신의 인격과 명랑함을 밑천으로 성공하겠다고 결심하라.

게다가 당신을 돕는 직원들의 삶을 가능한 한 유쾌하고 행복하게 만드는 것이 당신의 임무 아닌가? 그것이 당신이 추구할 수 있는 최상의 정책이지 않은가? 채찍과 박차, 고삐로 길들여진 말도 부드럽고 친절하게 대접받은 말만큼 멀리 갈 수 있다는 사실을 우리는 잘 알고 있다. 그러나 친절에 대해 인간은 동물과는 전혀 다른 반응을 보인다. 성난 얼굴과 험한 말투로 자극하는 상황에서 직원들이 명랑하고, 기민하고, 피로하지 않게 될 거라고 기대할 수 없다. 에너지는 열정의 또 다른 이름이다. 경영자가 지나갈 때마다 욕설과 비판이 쏟아지는 상황에서, 낙담하고 우울한 분위기에서 어떻게 직원들이 정열적이고 활기차길 바랄 수 있겠는가?

당신이 직원인 경우에도 마찬가지다. 지위가 마음에 들지 않는다고 해서, 혹은 다른 불만이 있다고 해서 다른 사람들에게 불평을 늘어놓는다면 어떻게 될까? 직장을 전에 없던 활기로 채워라. 활기가 넘쳐흐를 때까지 채워라. 그러면 더욱 직장에 만족하게 될 것이다. 당신이 훨씬 명랑하고 친절한 사람임을 보여줘라. 가능한 한 자주, 자연스럽게 이런 방식으로 당신 자신을 표현하라. 그것만이 유일하게 가치 있기 방법이기 때문이다.

"나는 노동에서 가장 큰 행복을 발견했다. 나는 어린 시절에 근면을 몸에 익혔다. 그리고 그에 대해 보답을 받은 것이다"라고 글래드스턴(1809~98, 영국의 정치가-옮긴이)은 말했다.

어쩔 수 없이 묶여버린, 단조롭고 지루한 일에서 어떻게 행복을 얻느냐 하는 것은 우리에게 어려운 문제다. 무미건조하고 따분한 일상의 일과 기쁨이 되는 삶 사이에 어떤 연관성이 있는지 알 수 없다. 힘든 일 또는 불쾌한 의무와 기쁨이 대체 어떤 관계가 있단 말인가! 꿀벌과는 달리 우리는 쓴 꽃에서 꿀을 추출해낼 수 없다. 노동과 고역으로 여겨지는 모든 것은 저주나 다름없기 때문이다.

우리는 꿀벌을 연구함으로써 훌륭한 교훈을 얻을 수 있다. 꿀벌은 매 순간 잡초에서도, 독이 있는 꽃에서도 달콤함을 찾는다. 우리라면 좋은 것을 찾을 수 있으리라고 절대 기대할 수 없는 것에서도 꿀벌은 꿀을 찾아낸다.

기억하라. 어느 누구도 세상을 좋아할 만하다고 생각하는 사람은 없다. 분명히 당신은 다른 사람의 짐이 자신의 어깨에 놓여 있다고 생각할 것이다. 하지만 불평하지 마라. 만일 그 일을 해야 하고, 또 할 수만 있다면 다른 사람이 해야 한다거나 하지 않았다는 사실에 대해 신경 쓰지 마라. 당신 스스로 하라. 공백을 메우고, 어려운 상황을 좋게 만들고, 다른 사람들이 내버려둔 일을 끝내 해낸 사람은 불평하는 사람들의 일개 연대보다 더 가치가 있다.

우리 몸 속의 신경이나 근육, 세포에는 운동, 곧 일이 절실하게 필요하다. 눈과 귀도 일을 원하고 뇌도 일을 원한다. 정신 기능에는 모두 건강한 운동이 필요하다.

과거에 신학자들을 비롯해 많은 사람들이 그렸던 천국은 사실 몸을 움직이고 머리를 쓰는 우리 인간에게는 지옥이다. 도로는 금으로 포장되어 있고, 벽은 유리로 만들어졌고, 영원한 휴식만이 존재하는 곳에서 우리는 무엇을 할 수 있을까? 우리 뇌의 모든 세포에는 활동이 필요하다. 영원히 능력을 잠재워놓아야 하는 곳에서 사는 것은 보통 사람들에게는 고문과 같을 것이다. 우리는 가장 활동적으로 일을 할 때 가장 행복하다.

우리는 일에서 우리의 영혼과 기쁨을 찾아야 한다. 직업은 스스로에 대한 의식적인 자기표현이어야 한다. 일을 통해 힘과 능력을 발휘한다면 우리는 늘 만족감을 느끼며 살 수 있을 것이다.

우리는 결혼식을 앞둔 신랑 신부처럼 기쁨과 기대감을 가지고 매일 아침 일터로 향해야 한다. 작품을 마무리하는 예술가처럼 열정과 기대감을 가지고 일에 임해야 한다.

그러나 우리 대부분은 그저 존재할 뿐이다. 진정으로 살아가는 것이 아니다. 이는 직업에서 진정한 기쁨을 느끼지 못하기 때문이다. 그것이 문제의 핵심이다. 기쁨은 우리가 우리 내부의 능력 가운데 어떤 능력을 사용하는가에 따라 얻을 수 있는 크기가 달라진다. 만일 친절과 남을 배려하는 마음을 이용한다면, 탐욕스럽고 이기적인 마음과 생계비를 벌겠다는 자세를 가졌을 때보다 훨씬 더 많은 기쁨을 누릴 수 있다.

최고의 것을 주는 것뿐만 아니라 최고가 되는 일에 우리의 영혼을 쏟아붓고 기쁨을 찾아야 할 것이다. 의무감 때문에 일을 하는 것, 압박감을 느끼며 일하는 것은 삶이 아니다.

'행복이란 무엇인가?'라는 강의에서 알마 타데마는 행복의 정의를 적는 데 꼬박 5개월이 걸렸다고 말했다. 그녀는 행복은 열심히 일하고, 자신의 능력을 한계지점까지 계발하는 데 있다고 말했다. 능력의 일부분만을 사용해서 일하고 있다고 생각될 때에는 결코 행복을 느낄 수 없다고 그녀는 믿었다. 최선을 다해 일하지 않는다면, 마음속에서 계속 자신을 질책하는 소리가 들려와 행복과 멀어질 것이라고 말했다.

아이들에게 직업에 대해 말할 때, 마음에 들지 않아도 반드시 해야 하는 일이라고 가르치지 말고, 직업에서 생계 유지가 차지하는 면은 아주 작은 부분에 지나지 않는다고 가르쳐야 한다.

직업을 가져야 하는 가장 큰 이유는 기쁨을 얻기 위해서여야 한다. 우리는 직업에서 만족이라는 에덴동산을 찾아야 하고, 또 찾을 것이라고 배워야 한다.

만일 그에 적당한 직업을 찾는다면, 그 직업은 최상의 기쁨을 가져오는 엄청난 특권이 될 것이라고 생각하도록 배워야 한다. 좋아서 하는 일에는 고달픔이 없고, 영원한 기쁨과 영광스러운 특권만이 존재한다고 배워야 한다. 그래서 매일 아침 가장 좋아하는 오락을 하러 가는 것처럼 큰 기대를 품고 직장으로 출근해야 한다.

삶은 목적이 없다면 아무런 의미가 없다. 목표를 잃었다면 우리는 그저 존재할 뿐이다. 진정으로 살아가는 것이 아니다. 해야 하기 때문에 하루의 일을 묵묵히 하는 것, 해야 한다는 압박감 때문에 일하는 것은 사는 것이 아니다.

일에서, 그리고 삶에서 행복을 찾는 길은, 될 수 있으면 젊은 나이에 일을 통해 돈을 벌거나 바쁜 것이 아니라 진정한 직업, 문자 그대로 천직임을 깨닫는 것이다. 왜냐하면 재능을 적극적으로 활용할 때 비참함을 느끼는 사람은 아무도 없기 때문이다.

오/늘/나/는/

🌱 **일을 하는 동안 불평하기보다 감사할 수 있는 이유를 찾을 것이다.**

직업이 무엇이든, 어떤 업무를 맡든, 일 때문에 사람들에게 어떤 고통을 받든 당신은 여전히 감사할 수 있다. 중요한 것은 환경이 아니다. 당신의 위치에서, 그 속에서 표현하는 바로 당신 자신이다. 게다가 감사를 표현함으로써 당신은 존엄성, 건강, 자기 인정을 얻을 수 있다.

🌱 **능력 이상으로 일을 밀어붙여서는 안 된다는 사실을 기억할 것이다.**

문제는 너무 많은 사람들이 과로하는 경향이 있다는 점이다. 우리는 할 수 있는 것 이상을 하려고 노력한다. 우리가 주는 것보다 훨씬 더 많이 받아야 - 만족감, 흡족함, 성취감 등 - 한다는 강박감으로 스스로를 닳고 지치게 한다.

🌱 **일에서의 진정한 기쁨은 돈이 아니라 만족감에서 나온다는 사실을 기억할 것이다.**

오늘 당신이 성취한 일에 행복해하라. 내일 얼마나 많은 일이 쌓여 있든, 오늘 당신은 충분히 일했고 최선을 다했다. 오늘 훌륭하게 완수한 일에 대해 스스로를 칭찬하라.

🌿 만일 나의 일이 사람들을 상대로 하는 일이라면, 그들에게 봉사하는 것이 아니라 그들을 돕는 것이며, 아무도 나보다 더 잘할 수 없다는 사실을 기억할 것이다.

묻는 말에 모두 대답할 수는 없겠지만, 기꺼이 도우려는 자세는 보여줄 수 있다. 모든 것을 알아야 남을 도울 수 있는 것은 아니다. 그저 고객이 원하는 것을 찾아주겠다는 의지만 있으면 된다.

🌿 일을 가졌다, 일할 곳이 있다, 원하는 것을 얻기 위해 돈을 벌 수 있다는 사실만으로 도 나의 일에 기뻐할 것이다.

10

힘들고 지칠 때는 집으로

마을 지붕 너머로 연기가 피어오르는 것처럼
연한 푸른색 연기 기둥이 수많은 벽난로 위에서 피어오른다,
평화와 만족이 가득한 가정에서.
......
그곳에서 가장 부유한 사람들은 가난했고,
가장 가난한 사람들은 풍족하게 살았다.
- 롱펠로

가정도 행복과 마찬가지다. 만족을 얻는 데 돈이 필요하지는 않
다. 금으로 집을 사고 가구를 갖출 수는 있다. 하지만 가정을 만들거
나 살 수는 없다. 벽돌이나 회반죽 구조물인 집을 마음의 보고寶庫인
주거지, 즉 가정으로 변화시키는 것은 바로 넘쳐나는 애정, 자기희
생, 친절, 평화다.

행복한 가정은 지혜, 평화, 조화가 숨쉬는 가정이다. 내가 아는
아주 행복한 가정 중 몇몇은 가난한 가정이었다. 바닥에는 카펫도
깔려 있지 않았고, 벽에 그림도 걸려 있지 않았으며, 피아노, 서재,

예술 작품도 없었다. 그러나 그곳에는 만족할 줄 아는 마음, 헌신적이고 남을 배려하는 삶이 있었다. 가족들 각자는 가능한 한 모두의 행복에 헌신하고, 지성과 친절로 가난을 상쇄하려고 노력했다.

집을 가정으로 바꾸는 중요한 일은 외부가 아니라 내부에서 행해진다. 깔끔하게 정리된 잔디밭, 우아한 건축물, 정성 어린 페인트칠, 사치스러운 자동차 같은 외부 조건으로 집이 진정한 가정이 되는 것은 아니다. 이것들은 오직 겉으로 보이는 재산일 뿐, 화목한 가정생활의 필수조건은 아니다. 멋진 건물을 집으로 바꾸는 일은 바로 벽돌 안에서 행해진다. 하지만 유감스럽게도 그 안에는 많은 것이 부족하여, 화려한 외관은 그저 겉치장이 되고 마는 경우가 많다.

어느 나이 많은 판사의 말에 따르면, 이혼을 하겠다고 찾아오는 아내들은 남편이 집안일에 무관심하다는 것을 가장 큰 불만으로 여긴다고 한다. 사업에 몰두하느라 자신과 가정을 소홀히 대해 아무리 착한 천사라도 결혼생활을 원만하게 할 수 없다는 것이다.

일하는 남편과 아내들이여, 직장 문제를 집으로 가져오지 마라!

직장에서는 상냥하고 명랑하지만 집에 들어서기만 하면 시무룩하고 불쾌해지는 사람들이 있다. 그들은 집에서 화풀이해도 된다는 허가증을 가지고 있다고 착각하는 것 같다. 일터에서 상한 기분을 가족 구성원을 학대함으로써 풀려는 것처럼 보인다. 외부 사람들에게는 밝게 보일지 모르지만, 가족에게는 슬픔과 우울함을 가져다준다. 가족들은 그가 집에 오면 불안해진다.

사회생활에서는 미소 띤 얼굴을 하지만 가정에서는 불쾌하고 불만스러운 표정으로 가정생활을 불행하게 만드는 사람들이 얼마나 많은가? 그들은 낮에는 점잖게 행동한다. 지켜보는 눈들이 많기 때문이다. 그러나 집에 도착하면 이내 자제심을 내던지고 마음대로 행동해도 된다고 생각한다. 가정이 마음대로 걷어차도 되는 기둥이라도 된단 말인가?

　집에 돌아와서 사랑하는 가족에게 으르렁거리는 사람들에 대해 한번 생각해보자. 그들은 현관에 들어서자마자 투덜거리고, 배우자나 아이들에게 방해하지 말라고 호통 치고, 이내 책이나 신문 또는 다른 형태의 오락에 빠져버린다. 그러고는 어째서 자신의 가정이 행복하지 않고, 왜 배우자가 무관심하고, 아이들이 왜 부모를 따르지 않는지 의아해한다.

　만일 가정이 화목하길 바란다면 당신이 먼저 행복을 줘야 한다. 가정의 기쁨은 주고받기에서 나온다. 항상 일방적일 수는 없다. 우울함, 낙담, 짜증, 괴팍함으로는 쾌활함을 기대할 수 없다. 가정은 투자다. 당신이 투자한 금액에, 많은 이자를 덧붙여 되찾을 수 있다. 투자 금액이 적으면 기쁨, 평온, 행복을 많이 배당받을 수 없다. 이와 마찬가지로 가정에 행복의 재료를 넣지 않고 행복을 얻을 수 있는 방법은 그 어디에도 없다.

　당신의 가정뿐만 아니라 자신을 위해서도 당신은 항상 일만 생각해서는 안 된다. 늘 구부러져 있는 활은 결국 탄력성을 잃게 되어 필요할 때 화살을 멀리 쏠 수 없게 된다. 밤낮으로 일만 생각하는 사람들은 역량이 줄어들고 낙천적인 성격을 잃고 만다. 그리고 새롭게 힘을 얻고 활력을 되찾을 기회를 얻지 못해 지친다. 밤낮으로 노력하여 돈은 많이 벌었지만, 우리가 반드시 추구해야 하는 자아 성장이나 사랑하는 사람들과 함께 나누는 행복을 완전히 무시한 사람을 바라보는 일은 얼마나 가슴 아픈가!

앞에서 묘사한 사람이 바로 당신이라면, 친구여, 지금 당장 당신이 바라는 가정의 조화, 사랑, 격려를 얻기 위해 얼마나 많은 일을 했는지 자문해보라. 언제나 집에 일거리를 가지고 들어왔다면 아이들은 어떤 반응을 보일까? 아마 당신의 기분에 민감한 아이들이 자신들에게 애정을 보이지도 않고, 함께 놀아줄 것 같지도 않은 당신보다는 차라리 혼자서, 또는 다른 아이들과 노는 것을 더 좋아하는 것은 당연하다. 잠자리에 들 무렵 서둘러 "잘 자라"라고 말하는 것 외에 아이들이 당신에 대해 알고 있는 것이 무엇인가?

사업이 원하는 방향으로 잘되지 않더라도 집으로 일을 가져오지 마라. 가족들이 도와줄 수 없는 일로 그들을 걱정시키고, 애타게 함으로써 되레 당신의 에너지와 정신력을 낭비하고 말 뿐이다. 이런 불행한 상황을 극복하게 하는 에너지와 정신력 말이다.

그렇다고 배우자에게 직장에서 있었던 일을 얘기하지 말라는 뜻은 아니다. 문제가 발생할 경우 우리는 누군가와 얘기해야 한다. 배우자에게 사업의 현재 상황을 정확하게 알릴 필요가 있다. 많은 사람들이 아내나 남편에게 사업이 나빠지고 있다는 것, 재정 상태가 좋지 않다는 것을 알리지 않아, 당분간 돈이 부족해 원하는 용품을 살 수 없다는 사실을 알리지 않아 곤경에 빠지곤 한다. 배우자가 사태를 정확하게 파악하고, 당신에게 의지가 되기 위해서 무엇을 해야 하는지 알고 있다면, 당신의 걱정을 해소하는 데 큰 도움이 될 수 있다. 배우자 또는 가족 전체의 금전적인 도움이나 계획은 당신에게 커다란 의지가 될 수 있고, 걱정을 덜어줄 수도 있다. 게다가 힘든 시기에 보여주는 배우자의 애정과 관심은 당신이 다음 날 아침에 시련을 견딜 수 있도록 마음의 고통을 녹여줄 것이다. 이렇게 서로를 믿고 의지하는 태도는, 일에서 오는 스트레스를 이유로 사랑하는 사람에게 잘못된 행동을 하고, 죄도 없는 사람의 인생을 비참하게 만드는 태도와는 전혀 다르다.

가정을 이루는 데 실패하는 것보다 차라리 돈을 버는 데 실패하는 편이 더 낫다. 가정을 당신과 당신이 사랑하는 가족들이 항상 머물고 싶어 하고 떠나기 싫어하는 장소로 만들기 위해 모든 힘을 쏟아라.

행복한 가정을 이루는 비법은 진정한 애정을 표현하는 것이다.

삶에서 공유하는 부분을 만들고, 사랑을 유지할 뿐만 아니라 수백 가지의 우아하고 매력적인 방법으로 그 사랑을 표현하는 일이 결혼한 사람들의 주요 목표가 되어야 한다.

어느 날 저녁, 파티에서 만일 다른 사람이 될 수 있다면 누가 되고 싶으냐는 질문을 받자, 조셉 H.초트 미국 대사는 잠시 생각에 잠겼다. 그러고는 궁금한 표정으로 자신을 바라보고 있던 초트 여사를 응시하면서 이렇게 대답했다.

"내 자신이 될 수 없다면 내 아내의 두 번째 남편이 되고 싶소."

그러나 대부분의 경우 그 뜨겁던 열정은 결혼과 더불어 끝이 난다. 마치 사냥꾼이 사냥감을 총으로 쏘아 죽이는 순간, 그것에 대한 관심이 사라지는 것처럼. 나는 한쪽이 다른 한쪽을 동료라기보다 하인이나 부하 직원처럼 대하는 부부를 본 적이 있다. 한쪽이 두통이 있다거나 몸이 좋지 않다고 말해도 다른 쪽은 절대 관심과 배려를 보이지 않고 오히려 짜증을 내며, 신랄한 말을 한다.

이런 변화는 종종 결혼생활이 생각했던 것과는 다르다는 사실을 발견했기 때문에 일어난다. 연인들은 앞으로 결코 싸우지 않을 거라는 어리석은 상상을 한다. 하지만 사실 대부분의 부부는 서로 다른 점이 많다. 단, 이런 차이는, 두 사람이 서로의 차이를 존중하는 법을 배우려 하고, 사랑에 빠진 이유를 기억하려 하고, 적응하고 화해하려 할 때에는 문제가 되지 않는다. 만일 가정에서 부부가 한 가지 규칙만 지킨다면 이 목적을 달성할 수 있다. 즉, 잠자리에 들기 전에 반드시 화해하라는 것이다. 가정의 평화를 방해하는 사건이 발생했다면 잠들기 전에 해결하라. 한 사람이 다른 사람에게 상처 입히는 말이나 행동을 했다면, 베개에 머리를 대기 전에 고백하고 용서를 빌어라. 절대로 내일 해가 다시 뜰 때까지 화를 품지 않겠다고 결심하라.

"오늘부터 1년 뒤에 배우자가 죽는다면, 당신은 남은 열두 달 동안 어떻게 행동하겠는가?"하면서 엘라 휠러 윌콕스는 날카롭게 다음과 같이 지적했다.

"식사 준비가 늦었다거나 약속 장소나 시간을 착각했다는 등의 사소한 일에 마구 화를 내겠는가? 배우자에게 바가지를 긁어 짜증 나게 하고, 화나게 할 것인가?

분명히 그렇게 하지 않을 것이다. 지금 눈앞에 있는 얼굴은 조만간 못 보게 될 것이고, 지금 듣는 목소리가 이내 조용해지리라는 사실을 알기 때문에 상대방을 아주 사려 깊고, 인내심 있고, 친절하게 대할 것이다. 아내나 남편의 장점만을 생각하게 될 것이다. 청혼했을 때를 회상하고, 연애할 때처럼 상대방의 단점을 보지 못하게 될 것이다.

왜 앞으로 40년도 더 함께 살 수 있는 배우자에게 곧 죽을 사람을 대할 때처럼 인내, 애정, 예의를 보이지 않는가? 만일 제대로 된 짝을 찾았다면 진정한 연애는 결혼과 함께 시작될 것이다."

사회에서, 그리고 가정에서 대체로 여성들이 일방적으로 남성들을 위해 끝없이 희생하고 있다는 것은 참으로 슬픈 일이다. 얼마나 많은 여성들이 언젠가 남편이 자신의 사랑을 알아줄 것이라고 희망하며 왜곡된 관계 속에서 살아가고 있는가!

남자들은 종종 돈을 번다는 이유로 자신이 아내보다 우월하다고 생각한다. 능력이 뛰어나서 돈을 많이 버는 것으로 착각하는 듯하다. 사실 따지고 보면 남자들의 성공은 대부분 아내 덕이다. 가정이나 사교 모임에서 재치 있는 말과 행동으로 화기애애한 분위기를 만들고, 남편의 외모를 깔끔하게 가꿔주려고 노력하며, 집안일에 신경 쓰지 않고 일에 몰두할 수 있도록 남편을 배려하고, 남편이 걱정과 좌절감으로 우울할 때 격려하는 등, 아내의 지원이 없다면 남편의 돈 버는 능력은 무력해지고, 능률은 떨어질 것이다.

대부분의 남성들은 아내 덕분에 훨씬 더 정상적이고 분별 있고 경제적이고 신중해진다. 아내는 남편의 자애로운 면을 계발하고, 남편의 성격을 더욱 강인하고 균형 잡히게 해준다. 남성들은 조화와 애정이 존재할 때 훨씬 더 많은 것을 생산할 수 있음을 깨닫고, 결혼생활에서 아내가 실망하지 않도록 처음부터 노력해야 한다.

바라는 것도 없고 명예도 얻지 못하지만 남편을 성공으로 이끈 여성들이 너무나 많다. 또한 남편조차 도움을 받고 있다는 것을 모를 정도로 은밀하게 내조하는 여성들도 많다.

누군가가 "결혼은 남자의 인생에서는 보통의 사건에 불과하지만 여자의 인생에서는 중요한 사건이다"라고 말했다. 대개 남편들의 애정은 아내들의 애정만 못하다. 남성들은 종종 더 이기적이고, 애정을 소유하려 든다. 한편, 아내의 사랑은 일반적으로 덜 이기적이며, 아내의 헌신은 남편의 매력에 좌우되지 않는다.

사실 기혼 여성들은 결혼하기 전처럼 필사적으로 아름다워지려고 노력하지 않는, 치명적인 실수를 저지르기도 한다. 하지만 이는 남편들에게도 책임이 있다. 남편은 종종 아내의 존재를 당연하게 여기고 아내에게 무관심한 태도를 보인다. 비난하는 말은 해도 아내의 바뀐 머리 모양새에 대해서는 언급조차 하지 않는다. 그런 남편의 태도를 보며 아내는 더 이상 가꿀 마음이 생기지 않는다.

남편과 진실한 대화를 할 수 없다고 불평하는 아내들이 많지 않은가? 항상 툴툴거리고 못마땅한 표정을 짓는 남편에게 아내가 항상 밝고 유쾌한 표정을 짓기란 쉽지 않다. 직장 여직원에게는 사근사근하게 말하면서 왜 아내에게는 그렇게 하지 못하는가? 이렇듯 아내 혼자서는 가정을 행복하게 만들 수 없다.

당신은 진정한 행복을 느끼는 사람을 몇 명이나 알고 있는가? 인간은 모두 행복해지려고 노력하고, 진심으로 행복해지길 원한다. 특히 결혼 상대자를 선택함으로써 말이다. 하지만 너무도 자주 우리는 가정의 조화보다는 불화와 관련된 소식을 듣는다.

많은 사람들이 불화 때문에 얼마나 많은 고통을 받고, 굴욕감과 혼란을 느끼는가? 우리는 가정의 평화가 깨지는 것을 원치 않는다. 배우자에게 상처를 주고 싶어 하지 않는다. 배우자를 헐뜯고 비난하고 학대하는 것도 원치 않는다. 그러나 종종 우리는 남편이나 아내를 비난하고 상처 입힌다. "알았어. 그렇게 할게요"라고 말하던 시절은 이미 오래전에 지나가버렸다.

감정을 통제하는 능력을 잃어버리면 마음속에 숨어 있는 야수의 성질이 드러난다. 소중한 친구와 동료들에게는 비열하고, 치사하고, 역겨운 성격을 애써 감춘다. 그러나 가족들에게는 어떠한가?

말투에 조금만 주의를 기울인다면 가정생활에 얼마나 큰 변화가 올지 한번 생각해보라.

강아지에게 아주 달콤하고 사랑스런 표현을 큰 소리로 무섭고, 호통치는 투로 말해보라. 강아지는 몇 시간 동안이나 불안해하며 당신 근처에 가려 하지 않을 것이다. 이번에는 아주 좋지 않은 표현을 부드럽고 달래는 듯한 목소리로 말해보라. 강아지는 꼬리를 흔들며 당신에게 다가올 것이다.

살아가는 동안 우리가 겪는 갈등은 대부분 말투에서 비롯된다. 목소리에는 상대방에 대한 감정이나 생각이 담겨 있다. 적개심과 불쾌함이 담긴, 귀에 거슬리는 말투는 듣는 사람을 화나게 만든다.

화가 나서 뜨거운 피가 솟구치는 느낌이 들 때는 목소리를 낮추는 것만으로도 감정을 어느 정도 누그러뜨릴 수 있다. 아이들은 무엇인가 마음에 들지 않을 때 소리를 질러 분노를 표현한다. 더 크게 소리 지를수록 분노는 더욱 커져 아이들은 결국 히스테리를 일으킨다. 분노에 찬 목소리 때문에 감정이 더욱 격해지는 것이다. 반대로 낮은 목소리, 부드러운 목소리는 분노를 누그러뜨리는 데 도움이 된다.

만일 가족 구성원들이 목소리를 높이지 않겠다고 약속한다면 얼마나 많은 불행을 피할 수 있겠는가! 배우자의 결점을 찾고 비난하기보다 애정을 듬뿍 담은 언어를 사용한다면, 연애 시절과 마찬가지로 서로의 애정을 얻기 위해 노력한다면 얼마나 좋을까?

빈정대고, 신랄하고, 분노로 가득 차고, 귀에 거슬리는 말투는 가정뿐만 아니라 직장과 사회에서 불행을 초래한다. 가정에 불화와 불행을 야기하는 것은 바로 사소한 언쟁, 상대방 결점 찾기, 불평, 신경질, 조급함, 불친절, 비꼼, 무례한 언행 등이다. "그는 매일 아침, 방금 많은 재산을 물려받은 사람 같은 표정으로 식탁에 앉는다"라고 어느 작가가 묘사한 홀랜드 경처럼 명랑한 얼굴로 서로를 대한다면 가정에 얼마나 큰 기쁨이 넘쳐나겠는가!

사소한 일에도 참을성을 잃고 쉽게 분노하는 사람들은, 만일 그런 태도를 고치지 않는다면 신경세포가 누전을 일으켜 섬세하고 훌륭한 뇌 구조에 해를 입힌다는 것을 모른다. 게다가 영원히 자제심을 잃어 스스로를 통제할 수 없게 된다는 사실을 전혀 알지 못한다. 그들은 나중에 일촉즉발의 위기상황을 맞게 되고, 자신도 모르게 폭발하게 될 것이다.

특히 사랑하는 사람에게 아주 비열하고 한심하고 잔인한 성격을 보이는 것보다 더 큰 굴욕은 없을 것이다. 그럴 때 이성은 질식사하고, 지혜는 부끄러워 숨는다. 분별과 양식은 왕좌에서 내려온다. 그리고 야수성野獸性이 왕좌로 뛰어올라 그 자리를 차지하고 무질서가 정신 왕국을 지배한다.

그런 격정의 순간이 지나고 나면, 부부는 소중한 무엇인가가 불타 없어져버렸다는 기분을 느낄 것이다. 자존심, 존엄성은 연기에 그을려 엉망진창이 되었을 것이다.

한 아이가 화가 나서 엉엉 울다가 거울에 비친 자신의 모습을 보게 되었다. 아이는 자신의 끔찍한 모습에 너무 놀라 울음을 멈춰버렸다. 만일 어른들이 거울을 통해 분노로 이글거리는 자신의 모습을 본다면, 신경계를 갈가리 찢는 분노, 두 눈에서 뿜어져 나오는 야수성을 본다면 다시는 그렇게 끔찍한 모습을 보이지 않겠다고 굳게 결심할 것이다.

우리에게 가장 소중한 것은 바로 조화이며, 육체와 정신의 안락함이다. 그리고 그것의 원천으로 우리가 가장 마음속에 그리는 곳은 바로 가정이다. 사소한 일에 화를 폭발시키는 행동은 이 소중한 가정의 평화와 안전을 위협하는 위험한 짓이다.

남편과 아내는 칭찬하고 감사하는 태도를 가지려고 노력해야 한다. 단점을 찾는 태도를 버려라.

"칭찬은 마음의 흥분제다. 비난은 마음의 진정제다"라고 도로시 딕스는 말했다.

〈지온스 헤럴드Zion's Herald〉 지에서 앤트 제루사는 매일매일 유쾌한 말을 건네는 것이 얼마나 큰 가치가 있는지 다음의 글에서 보여주었다.

"사람들이 건강하게 살아 있을 때 장례식을 치른다면 얼마나 도움이 될까!" 장례식에서 돌아오는 길에 앤트 제루사는 한숨을 내쉬며 말했다. 그리고 불쌍하게 죽은 브라운 여사가 "가여운 영혼이여, 고故 브라운 여사는 자신이 얼마나 많은 일을 했는지 짐작조차 못했습니다"라는 목사님의 말을 들을 수 있었다면 기분이 어땠을까 궁금해했다.

"브라운 여사는 늘 풀이 죽어 있었어요. 디콘 브라운 씨는 항상 브라운 여사를 탓했죠. 디콘 씨가 진심으로 그렇게 말했으리라곤 생각하지 않아요. 그러나 정말 나쁜 버릇이었어요. 물건이 닳아 해지거나 고장이 나면 그는 마치 브라운 여사가 일부러 그렇게 했다는 듯 브라운 여사를 들볶았지요.

목사님은 이곳이 황무지였던 시절 디콘 씨가 젊은 아내를 데려왔을 때를 얘기했어요. 그리고 브라운 여사가 얼마나 큰 인내심으로 그 역경을 참아냈고, 얼마나 훌륭한 아내였는지 얘기했어요. 디콘 씨가 목사님에게 얘기하지 않았다면 목사님은 그 사실을 알지 못했겠죠. 오, 이런, 이런. 만일 디콘 씨가 진작 자신의 생각을 아내에게 솔직하게 얘기했다면 이렇게 일찍 장례식을 치르지 않아도 됐을 텐데.

목사님께서 아이들이 엄마를 얼마나 그리워하는지 말했을 때, 아이들은 눈물을 참지 못했어요. 오, 불쌍한 것들!

흠, 정말 목사님 말씀이 맞아요. 브라운 여사는 항상 가족들을 위해 일했어요. 천국에서 편히 쉬라는 찬송가를 부를 때 브라운 여사가 그렇게 하는 데 익숙지 않으리란 생각이 들었어요. 왜냐하면 브라운 여사는 이승에서 한번도 편히 쉰 적이 없으니까 말이에요.

오늘 그 꽃을 보았다면 여사는 얼마나 기뻐했을까! 정말 여사가 좋아하는 꽃으로 관을 장식했더군요. 그거 아세요? 디콘 씨는 화단을 못 만들게 했어요. 양배추 밭이 훨씬 더 보기 좋다면서요. 하지만 브라운 여사는 항상 장미 같은 달콤한 향의 꽃들을 너무너무 좋아했어요.

여보, 저녁식사 시간에 당신은 주로 무슨 얘기를 하죠? 제발 부탁 하나만 들어줘요. 내가 죽으면 목사님에게 나에 관해서 어떤 얘기도 할 필요 없어요. 그저 팬케이크나 호박파이가 맛있다면 내가 살아 있는 동안 말해주세요. 장례식 때까지 마음에 품고 있지 말고."

마거릿 생스터의 다음 시는 정말 공감이 간다.

아침에 당신이 출근할 무렵 내가 내뱉은 불친절한 말 때문에
당신이 하루 종일 지치고, 그래서
내 마음이 아플 거란 사실을 알았다면
조심했을 텐데.
쓸데없는 고통도 주지 않았을 텐데.
하지만 우리는 결코 되돌릴 수 없는 표정과 말투로
사랑하는 사람들을 괴롭힌다.

조용한 저녁 때 당신은
내게 평화의 키스를 하더라도
키스는 전과 같지 않다.
마음의 고통을 멈춰야 한다.
얼마나 많은 사람들이 아침에 나가
저녁에 돌아오지 못하는가!
잔인한 말에 상처 입은 영혼
슬픈 영혼은 절대 원래의 상태로 돌아갈 수 없다.

우리는 낯선 사람에게 신중하게 대한다.
이따금 오는 손님에게 미소를 짓는다.
하지만 종종 우리 자신을 가장 사랑함에도

'우리 자신'에게 인상을 찌푸린다.

아! 조급해하는 입술

아! 눈살 찌푸리는 이마

운명은 너무도 잔인하다.

원래 상태로 돌리기에는 너무 늦었다.

대부분의 사람들은 다른 사람을 행복하게 하는 데에 특별한 노력이 필요하지 않다는 사실을 모른다. 가난과 역경을 견뎌내는 것은 누구라도 할 수 있을 것이다. 그러나 마음이 채워지지 않는다면, 값비싼 물건들로 가득 찬 호화로운 저택에서 산다 할지라도 왠지 위축되고 능력을 제대로 발휘할 수 없을 것이다.

프랭클린은 자신이 알고 있는 자동차 수리공에 대해 말했다.

"내 사무실 이웃 건물에서 일하는 자동차 수리공 중에 유달리 눈에 띄는 사람이 있었다. 그는 항상 유쾌하고 농담도 잘했다. 손님들에게도 항상 친절하고 미소를 잃지 않았다. 아무리 힘든 상황에서도 그의 얼굴에서는 미소가 떠나지 않았다. 어느 날 아침 우연히 그를 만난 나는 그 비밀을 물었다.

'비밀도 아닌걸요, 박사님.' 수리공이 말을 이었다. '저는 세상에서 최고로 훌륭한 아내를 얻었습니다. 출근할 때면 아내는 항상 친절한 말로 제게 용기를 줍니다. 퇴근해서 집에 돌아가면 아내는 미소로 맞이하며 키스를 합니다. 그리고 항상 따뜻한 차를 내놓습니다. 소소한 일까지도 신경 써서 하루 종일 나를 기쁘게 해주기 때문에, 어떤 사람에게도 불친절한 말이 나오지 않습니다.'"

그러나 감정과 활기만으로 가정에 조화를 가져올 수는 없다. 실제적인 조정이 있어야 한다. 돈 관리 부분에서는 더욱 그렇다. 마찰의 소지를 모두 없애야 한다. 가장 좋은 방법은 서로 진실한 협력을 하는 것이다.

"남편과 아내가 하나 된 마음으로 가정을 돌보는 것보다 좋은 일은 없다"라고 고대 그리스의 시인 호메로스는 말했다.

가족간의 마찰은 대부분 금전적인 문제 때문이다. 다른 곳뿐만 아니라 가정에서도 절약만큼 잘못 이해되고, 너무 쉽게 강요하는 문제는 없을 것이다. 잘못된 절약은 낭비만큼이나 가정의 행복에 치명적이다.

많은 사람들이 절약과 일의 노예가 되어 즐거움을 소홀히 한다. 그들은 저축을 맹목적으로 숭배한다. 집에서조차 마음이 좁고 인색하다. 가족 구성원 모두에게 이것저것을 너무 많이 사용하지 말라고 주의를 준다. 어떤 때는 동전 하나 사용한 것에 대해서도 꾸짖어 가족들을 비참하게 만든다.

빈곤과 절제의 분위기가 가득한 어느 가정이 떠오른다. 그 가족은 즐거운 삶을 누리지 못했다. 잘못된 절약이 곳곳에서 배어 있어 그 집을 방문하는 것이 정말 고통스러웠다. 얼마 전 그 집에서 저녁식사를 할 때, 여섯 살 된 그 집 아이는 고등어가 생선 중에 제일 싸기 때문에 그 요리를 하게 되었다고 내게 말했다. 그 아이는 손님이 있는데도 자기 부모에게 이것저것 물건값을 물었다.

잘못된 절약을 신봉하는 사람이 또 있었다. 그는 버터나 고기를 너무 많이 먹는다고 늘 잔소리를 하는 탓에 가족들은 식사시간을 두려워했다. 가족들은 새 신발이나 새 옷을 입고 싶어 하지 않았다. 왜 필요하지 않은 것을 구입했느냐고 그가 야단법석을 떨 것이 분명했기 때문이다.

가장 비열한 행위 중 하나가 남편이 아내의 소비를 감시하는 것이다. 그러다 보면 아내는 살림에 관심과 흥미를 잃게 된다. 아내가 어쩌다 물건을 비싼 값에 사오면, 남편은 화를 내어 아내를 비참하게 만든다. 자기도 아내가 보기에 전혀 쓸모없는 물건을 사들여 돈을 낭비하면서 말이다.

또 어떤 남편은 무엇이 필요한지 아내에게 묻지도 않고 자기 마음대로 물건을 산다. 아내가 전업주부인데도 말이다. 필요한 것을 스스로 살 수 있도록 아내에게 생활비를 주지도 않는다. 되레 남편은 경매와 바겐세일 매장에서 가구와 골동품, 온갖 종류의 물건을 산다. 그것들은 집에 있는 물건과 어울리지도 않고 전혀 쓸모없지만 아내는 감히 남편의 행동을 비난하지 못한다. 남편은 어떤 작가의 책을 전집으로 구입한다. 싸기 때문이다. 하지만 가족들은 그중 단 한 권도 읽고 싶어 하지 않는다. 아내는 좋아하는 작가의 책 서너 권이 남편이 사온 쓸모없는 전집 백 권보다 더 가치가 있음을 잘 안다.

남편이 사업을 하고 아내가 집안을 돌본다면 남편은 아내에게 매주 또는 매달 수입에서 일정한 금액을 떼어주어 아내가 원하는 방식으로 가정을 꾸릴 수 있도록 해주어야 한다. 돈을 어디에 사용했는지 물어서는 안 된다. 아내는 식료품을 사고, 가족들 옷을 사고, 개인적인 일에도 사용한다. 스스로 알아서 할 때 아내는 기쁨을 느낄 것이다. 게다가 사실 아내만큼 현명하게 소비할 줄 아는 남편은 드물다.

결혼 초기에 아내들은 조금이라도 돈을 아끼려고, 좀 더 잘살아 보려고 지칠 때까지 일한다. 그리고 남편은 그런 아내를 그냥 내버려둔다. 하지만 형편이 나아진 뒤에 이들 남편들 중 많은 수가 아내를 부끄럽게 여긴다. 힘들게 일할 뿐만 아니라, 돈을 아끼려고 자신을 가꾸지 않아 여성으로서의 매력을 잃었기 때문이다. 남편은 아내와 함께 살 수 없다며 이혼을 하고, 젊고 매력적인 여성과 결혼한다.

얼마 전 어느 초대연에서 나는 젊은 시절 찢어지게 가난했다가 지금은 수백만 달러의 재산가가 된 사람을 만났다. 그의 아내는 남편을 돕기 위해 자신의 젊음과 매력을 희생했다. 그녀는 상냥하지만 슬퍼 보였다. 인격은 훌륭했지만, 이지적인 남성들에게 호감을 줄 만한 매력은 전혀 없었다.

남편은 나무랄 데 없이 멋지게 차려입고 당당하게 행동했다. 남편은 아름다운 여인들과 웃고 떠드느라 불쌍한 아내를 소개할 시간조차 내지 못했다. 아내는 수수한 옷차림으로 그저 한쪽 구석에 서 있었다. 힘들게 일하고 돈에 쪼들려 사는 동안 남편을 처음 만났을 때의 매력을 잃었음을 실감하면서…… 초대연 내내 남편이 아내를 손님들에게 소개한 것은 오직 두 번뿐이었다. 그것도 매우 형식적으로.

젊은 시절, 아내는 돈을 모으고 남편을 성공시키기 위해 헌신하느라 자신의 아름다움을 지킬 시간을 갖지 못했다. 그녀는 남편을 돕기 위해 기꺼이 자신의 모든 것을 주었다. 남편은 아내가 희생하도록 내버려두었다. 하지만 지금 남편은 아내에게 고마워하지 않는다. 아내는 늙고 추하게 변해 집에 홀로 남겨졌다.

아내가 자신을 위해 돈을 쓰는 것은 가족을 위한 것만큼이나 중요하다. 아내 스스로 지출을 결정할 수 있도록 남편은 충분히 자율성을 보장해주어야 한다. 이렇게 재정 문제에 대해 부부가 서로 이해하고 타협한다면 불화를 피하고 기쁨을 가져올 수 있을 것이다.

부부가 자유롭고 기뻐하면 자녀들도 그렇게 된다. 행복한 유년기는 행복한 성년을 맞이하기 위한 필수조건이다.

대부분의 가정은 너무 심각하다. 아버지도 어머니도 너무 진지해 아이들이나 가족들에게 웃는 모습을 보이지 않는다. 이런 엄숙한 부모들은 다음 성경 구절을 마음에 새겨라. "아이들에게 분노를 야기하지 마라." 이 말은 "아이들을 화나게 하지 마라" "아이들의 기분을 좋게 해주어라"라는 뜻이다.

아이들은 절대 희망 없고 우울하고 냉랭한 세상에서 산다는 느낌을 받아서는 안 된다. 명랑한 가정은 아이들의 삶을 밝게 변화시키고, 작은 일에도 기뻐하도록 만들 것이다.

밤에 침대에 누웠을 때 작은아이가 큰아이에게 '오늘 정말 재미

있었어'라고 말할 수 있는 가정은 얼마나 행복한가.

"사랑하고 사랑받는 일은 인생에서 가장 큰 행복이다"라고 시드니 스미스는 말했다.

당신의 자녀들은 원래 새끼고양이처럼 발랄하다. 아이들은 당신의 직장 문제에 대해 전혀 알지 못한다. 당신이 퇴근해서 집에 돌아왔을 때, 아이들은 신비로운 '도심'에서 방금 돌아온, 새로운 놀이친구로 당신을 맞이하는 것으로 생각할 수 있어야 한다. 아이들은 재미있게 노는 것만 생각할 수 있어야 한다. 가능한 한 인생의 심각한 면은 감추고, 행복한 유년 시절을 늘리도록 노력해야 한다. 그래야 아이들은 정상적으로 클 수 있고, 넉넉한 마음을 가진 훌륭한 사람이 될 것이다.

얼마나 많은 부모들이 어린아이를 성인으로 만들려고 애쓰며 아이들의 삶에서 자발적이고 명랑한 기운을 짓밟는가! 엄마나 아빠가 더 이상 놀이친구가 아니라는 느낌을 받고, 부모를 기다리지 않는 아이들은 얼마나 불쌍한가.

아이들은 "하지 마" "나가"라는 말을 반복해서 들으면 실망하고 낙담한다. 자발성과 열정이 점차 사라진다. 어린아이가 슬픈 표정을 짓고, 잔뜩 찌푸리고, 안색이 장밋빛이 아닌 창백하다면 이 얼마나 가련한가? 어린아이가 왜 미래를 걱정해야 하는가? 부모들이여, 아이들에게서 기쁨을 빼앗지 마라. 그것은 잔인하다.

어릴 때 낙천적이었던 아이가 성인이 되어서 비관론자가 될 가능성은 거의 없다. 훌륭한 부모는 아이의 삶에 공포, 걱정, 두려움의 이미지를 새기지 않는다. 햇빛, 달콤함, 아름다움, 명랑함, 사랑을 집안에 가득 채워주어 어둠, 불화, 그 밖의 행복의 수천 가지 적들이 발을 디딜 틈을 주지 않는다.

왜 아이들이 마음껏 춤추고 놀 수 있도록 내버려두지 않는가? 나중에 충분히 삶에 부대낄 텐데 말이다. 아이들은 성인이 되어서 수많은 고난을 겪게 될 것이다. 적어도 가정에서만큼은 아이들이 행복할 수 있도록 만들겠다고 결심하라. 아이들이 자라서 나중에 불행한 일을 겪게 되었을 때, 어린 시절 가장 행복했던 장소를 떠올릴 수 있도록 해줘라. 그 달콤하고, 아름답고, 멋진 오아시스를…….

가정에서 유쾌하게 지내는 일은 참으로 중요하다. 기쁨으로 가득 찬 가정만큼 소중한 것은 없다. 그것은 곧 아이들의 방황이나 탈선, 그리고 모든 무시무시한 죄악을 예방할 것이다.

가정은 극장과 같은 곳이 되어야 한다. 그곳에서는 온갖 놀이와 스포츠가 행해진다. 아이들이 주역을 맡고, 이따금 부모도 참여한다. 저녁에 아이들과 재미있게 뛰어논 뒤에는 단잠을 잘 수 있을 것이다. 정신적 피로와 고민도 사라질 것이다. 다음 날 당신은 더욱 상쾌하고 맑은 정신으로 출근할 수 있게 될 것이다. 순진하고 맑은 아이들과 신나게 논 뒤에 얼마나 일의 능률이 오르고 자신감이 생기는지 아마 놀라게 될 것이다.

집안에 좋은 음악을 틀어놓아라.

음악은 정신의 조화를 회복해주고 유지해주는 경향이 있다. 신경과민 증상에는 멋진 음악이 도움이 된다. 음악은 걱정을 몰아내고, 마음의 병을 치유할 기회를 제공한다.

"음악은 우주에 영혼을, 마음에 날개를, 상상력에 비행을, 기쁨과 쾌활함에 매력을, 모든 것에 유쾌함과 생명을 준다. 음악은 질서의 본질이며, 모든 것을 선하고 정당하고 아름다운 것으로 이끈다"라고 플라톤은 말했다.

행복은 가정에서부터 시작되어야 한다.

만일 사람들이 쾌락을 좇아 사방으로 돌아다니지 않고 가정에서 즐거움을 찾는다면 세상의 불행은 절반으로 줄어들 것이다.

아이들은 즐겁고 흥겹게 뛰어놀고 싶은, 억누를 수 없는 열망을 느낀다. 만일 청소년들의 열망이 가정에서 완전히 충족될 수 있다면 그들을 가정에 머물게 하는 일은 그리 어렵지 않다. 아버지나 어머니 또는 아이들이 밤에 집을 떠나 '어디'로 가고 싶어 안달한다면 무엇인가 잘못된 것이다. 행복하고 즐거운 가정은 구성원 모두에게 강력한 자석이 아니던가.

식사시간에 즐거움을 잔뜩 먹어라. 그것은 훌륭한 습관이다. 건강을 위해서 아주 좋다. 한 입 가득 먹으면 소화제를 복용하는 것보다 효과가 더욱 뛰어날 것이다. 가족들이 식탁에 둘러앉으면 유쾌한 분위기를 만들려고 노력하라. 식사시간은 유쾌한 시간이 되어야 한다. 크게 웃고 즐겁게 대화할 수 있는, 가족 모두가 고대하는 시간이 되어야 한다. 아이들은 밝은 표정으로 식탁에 앉아 기분 좋은 이야기만 하도록 교육받아야 한다. 만일 이런 습관이 형성된다면 가정에 큰 변화가 찾아오고, 아마 의사들은 병원 문을 닫아야 할지도 모른다.

'집'은 가장 달콤한 단어다. 그것은 시인, 소설가 등의 예술가들이 항상 다루고 싶어 하는 주제다.

"가정보다 더 기분 좋은 곳이 있는가?"라고 키케로는 물었다.

"가정은 우리가 사랑하는 곳이다. 몸은 떠날지 모르지만 마음은 떠나지 않는다"라고 올리버 웬들 홈스는 말했다.

우리 모두는 '나의 집'을 떠올릴 때 가장 기운이 난다. 생명보다 더 소중한, 사랑하는 배우자와 아이들로 가득 찬 가정을 생각하면서 사람들은 아무 희망도 없는 상황에서 힘든 일을 묵묵히 해낸다.

가정은 사막과도 같은 인생에서 오직 하나뿐인 오아시스다.

"쾌락과 영화 속에서도 우리는 방랑할 것이다. 비록 누추할지라도 집만 한 곳은 없다."

가정은 세상에서 선을 실행할 수 있는 가장 위대한 힘을 가진 곳이다. 또한 모두에게 가장 안전한 피난처다.

가정을 이런 소중한 장소로 만들기 위해 현관에 다음과 같은 좌우명을 걸어두고, 항상 지키려고 노력하라.

"이제부터 휴식과 행복을 위한 시간이다. 이곳에는 어떤 불화도 존재해서는 안 된다."

오/늘/나/는/

🌱 가족들과 친밀하게 지내기 위해 따로 시간을 낸 적이 있는지 스스로에게 물을 것이다.
자녀가 10대인 경우, 아이들과 함께한 시간이 아이들의 친구들보다 더 적었을지도 모른다. 또 이웃들보다 자녀들에 대해 알고 있는 것이 더 적을지도 모른다. 만일 그렇다면 더 많이 알도록 노력하자. 자녀들과 어울릴 수 있는 시간을 매일 따로 떼어놓겠다고 결심하라. 일과 동료만이 아니라 가족에게도 관심을 보이겠다고 결심하라.

🌱 밤이 되면 사무실이나 일터에 걱정과 근심을 두고 나오는 습관을 기를 것이다. 그리고 사업이 성공하든 실패하든, 내 가정을 성공으로 이끌겠다고 결심할 것이다. 나와 내 가족을 위해 집을 세상에서 가장 행복하고 달콤한 장소로 만들 것이다.
이런 투자는 어떤 사업보다도 더 이윤이 많이 남는다.

내가 관심을 갖지 않는다면 내 가정은 그저 집이 되어버릴 것임을 기억하겠다.

시간은 계속 흘러간다. 오늘이 배우자에게 사랑한다고 말해야 할 순간이다. 아이들에게 사랑한다고 말해야 한다. 아이들과 놀아주어야 한다. 아이들과 대화를 하고, 그들의 생활에 대해서 깊은 관심을 가지고 들어주어야 한다. 배우자와 깊은 대화를 나누고 서로의 인생 이야기를 들어야 한다. 직장 문제뿐만 아니라 꿈, 목표, 걱정, 관심사까지도. 시간이 지나가듯 가족 역시 언젠가는 당신의 손안에서 미끄러져 빠져나간다.

11

아름다움을 감상하라

모든 것에서 아름다움을 찾을 수 있다.

- 키츠

아름다움을 감상할 수 있는 능력을 가진 것만으로도 인간은 행복을 백 배로 키울 수 있다. 아름다운 것을 사랑하는 사람에게 그 아름다움을 볼 수 있도록 문을 열어주는 것은 누구도 알 수 없을 만큼 커다란 의미를 지닌다. 아름다움에 대한 사랑이 일찍 생길 수 있다면 세상에 아름다운 것들이 얼마나 많아질 것인가!

그러나 우리는 우리가 인정할 수 있는 것만을 즐길 뿐이다. 훈련, 경험, 유전적 경향에 따라 미美를 느낄 수 있을 뿐이다. 그러므로 애석하게도 많은 사람들이 아름다움을 보지 못한 채 삶을 살아간다. 아름다움을 볼 수 있는 안목이 아직 발달하지 않았기 때문이다. 마음은 훈련받지 못한 상태로 남아 있다. 교육이나 훈련, 문화적 접촉을 통해 열릴 수만 있다면 삶을 풍요롭게 하고 어마어마한 행복을 가져다줄 그 많은 것들이 그저 닫힌 상태로 남아 있다.

아름다움을 감상하는 능력을 계발함으로써 물질에서 얻는 쾌락을 뛰어넘는, 커다란 기쁨을 얻을 수 있다. 삶의 모든 것은 특별한 의미를 지니고 있지만 그것에 응답하는 사람에게만 그 비밀스런 의미를 알려준다. 그것은 호감을 가진 영혼에게만 모습을 드러낸다. 주변의 많은 것들은 그것들의 신성한 의미를 해석할 수 있는 능력을 가진 사람들과 아름다움을 통해 대화하고 싶어 한다. 따라서 그런 능력만 가지고 있다면 아무리 가난하다고 해도, 불행하고 절망스러운 환경에 처해 있다고 해도 분연히 일어나 말로 표현할 수 없는 기쁨의 천국으로 올라갈 수 있다.

심지어 감옥조차 그런 마음을 가진 사람이 행복과 아름다움의 기쁨을 느끼지 못하게 막을 수 없다. 유명한 영국 시인 러블레이스(1618~58)가 감옥에서 애인 알데아에게 쓴 편지를 보면 그것을 알 수 있다.

돌벽은 감옥을 만들지 못하오.
철창도 감옥을 만들지 못하오.
순결하고 조용한 영혼은
감옥을 외딴집으로 여긴다오.

내 사랑 안에 자유가 있다면

내 영혼도 자유롭소.

하늘에 사는 천사들만이

그런 자유를 즐길 수 있다오.

벤저민 웨스트는 자신의 스케치를 보고 감탄한 어머니가 자신에게 한 입맞춤 때문에 화가가 되었다고 말했다. 새로운 세상, 미의 세상에 눈뜨게 된 계기가 바로 그 입맞춤이었다는 것이다.

많은 경우, 예술가들의 영혼은 다른 거장의 작품을 보았을 때 불이 붙었다. 그 작품은 예술가의 미적 재능에 꺼지지 않는 불을 지펴놓았다(한 예로, 코레조[1494~1534, 이탈리아 르네상스 최전성기를 대표하는 화가-옮긴이는 라파엘의 「성聖 세실리아」를 바라보다가 "나도 화가요"라고 외쳤다). 예술은 분명히 인간을 행복하게 하는 가장 순수하고 가장 고상한 요소 중 하나다.

"예술은 눈을 통해 마음을 훈련시키고, 마음을 통해 눈을 훈련시킨다. 태양이 꽃에 색을 넣어주듯, 예술은 삶에 색을 입힌다."

꽃이나 나무, 석양을 바라보면서 러스킨은 미적 영혼에 불을 붙였고, 자신 안에 있는 새로운 세계에 눈을 뜨게 되었다. 이는 그의 삶을 행복하게 만들었을 뿐만 아니라 많은 다른 사람들에게 행복의 문을 열어주었다. 한번 인간 영혼에 자리잡은 이런 미적 감상력의 문이 열리면, 하늘과 땅의 어떤 힘도 다시 닫을 수 없고 아름다움의 발견을 막을 수 없다.

미는 순수하고 고상하며, 인간을 구제하는 힘이다. 아름다움에 대한 사랑은 그것을 가진 사람이 삶의 높은 단계에 올라 있음을 보여준다.

우리의 영혼은 갇혀서도 안 되고, 불행한 상황으로 짓눌려서도 안 된다. 우리의 지성과 미를 창조하는 능력은 때로 가장 비참하고 절망스러운 환경에서 탈출하기 위한 수단으로 쓰인다. 어떤 어려움도, 화재나 홍수 같은 어떤 재난도 조화와 아름다움의 낙원으로 가는 우리를 막을 수 없다. 그곳에서 우리의 영혼은 스스로 만든 세상, 스스로의 창조적인 상상력으로 장식한 세상에서 한껏 즐길 것이다.

삶에서 무엇을 얻어낼 수 있는가는 어떻게 마음을 훈련시키고, 어떻게 생각의 습관을 형성하는가에 달려 있다. 그것은 당신이 매우 평범하고 무미건조하고 아름답지 못하다고 생각하는 환경에서 아름다움, 유용성, 기쁨을 추출해내는 능력이 과연 있는지에 대한 문제다. 마르틴 루터(1483~1546, 독일의 종교개혁가—옮긴이)가 말했듯이 전 세계가 낙원일 수 있다. 왜 그렇지 않은가? 세상 어느 곳을 가든, 자연은 인간이 장식해놓은 그 어떤 것보다 훨씬 더 놀라운 아름다움으로 세상을 장식해놓았다. 인간의 발걸음이 한번도 미치지 않은 오지에 나무, 꽃, 돌, 새, 짐승 들이 이루어놓은 아름다움이 있다. 이것은 자연의 위대한 창조자가 '불멸의 미'를 사랑한다는 사실을 보여준다. 아이들이 자연의 모든 것에서 '하느님의 아름다운 필적'을 읽는 방법을 배우지 않는다는 사실이 정말 유감스럽다.

"인간이 알아차릴 수 있는 것보다 더 많은 하인들이 인간을 시중들고 있다"라고 영국 형이상파 시인이자 성공회 신부인 조지 허버트는 말했다.

만일 당신의 삶이 초라하다고 생각한다면, 당신은 아직 삶에서 기쁨, 아름다움, 진실, 고독을 뽑아내는 비법을 배우지 못한 것이다. 아름다움을 사랑하는 영혼은 어디에서든 아름다움을 즐길 수 있다. 세상에 아름다움이 존재하지 않는 곳은 단 한 군데도 없다.

"골짜기와 언덕 위를 하늘 높이 떠도는 외로운 구름처럼 헤매다가 문득 나는 보았네, 수없이 많은 황금빛 수선화를."

우리 주변에는 잠깐의 여유시간을 미적 감상으로 이끄는 황금빛 기회들이 얼마나 많이 존재하는가! 어떤 재난도 파괴할 수 없는 인격의 성장, 힘, 풍부함을 가져다주는 미적 감상 말이다.

심지어 가장 가난한 동네에도 하늘에는 별과 달이 있고, 아이들의 웃음소리, 연인들의 눈동자에 어린 아름다움이 있다. 한 송이의 꽃, 또는 금이 간 포장도로 틈새에서 꿋꿋하게 뻗어 나오는 초록색 잡초마저도 칙칙한 환경을 아름답게 만드는 경우가 얼마나 많은가!

어느 곳을 보든 우리는 평생을 가도 완성하지 못할 놀라운 디자인, 유용성, 아름다움을 발견한다.

"옥수수가 자라는 모습, 꽃이 피는 모습, 쟁기질을 하며 가쁜 숨을 내쉬는 모습, 읽고 생각하고 사랑하고 기도하는 모습을 보는 것만으로도 사람들을 행복하게 한다"라고 러스킨은 말했다.

최고의 인간에게 전지전능의 힘과 지혜를 주었다고 가정해보자. 구석구석이 천국이고 모든 면에서 완벽한 세상, 인간에게 가장 큰 기쁨과 만족을 줄 수 있는 식물을 진화시키고, 인간의 미각을 최고로 즐겁게 해줄 과일과 야채를 만들 수 있는 능력을 주었다고 가정해보자. 다시 말해, 그 사람은 영혼의 모든 소망을 만족시킬 수 있는, 세상을 창조하는 신과 같은 능력을 받았다. 이와 같은 인간은 바로 이 순간 우리의 상상 속에, 우리 각각의 마음속에 이미 존재하고 있지 않은가? 부디 모든 걱정을 떨쳐버리고 가장 근사한 세상을 마음에 그려보지 않겠는가?

언젠가 동물학자이자 지질학자인 아가시(1807~73)에게 그의 열렬한 팬이 해외를 여행하며 소중한 자료를 구하는 데 써달라며 천 달러짜리 수표를 보냈다. 하지만 아가시는 뒤뜰에서 휴가를 보낼 예정이라고 답장을 써 보냈다. 그곳에서 이미 소중한 연구자료가 될 화석과 다른 것들을 발견했다는 것이다. 물고기 뼈 하나를 가지고 며칠을 연구하고, 해안의 모래 한 줌, 바닷가의 조약돌 하나의 역사에 대해 여러 시간 공부하다 보니 가장 보잘것없는 환경에서도 평생을 연구할 가치가 있는 충분한 자료를 찾을 수 있었던 것이다.

이 놀라운 창조 안에서 충족되지 못한 인간의 욕망, 인간의 소망은 하나도 없다. 그렇다면 왜 우리의 삶은 위대하고 장엄하고 아름다운 대신 너무도 자주 메마르고 곤궁하고 한계에 부딪치고 지긋지긋하단 말인가?

미에 대한 사랑은 인간의 마음이 가진 기본적인 특성이다. 그런 특성은 원시 부족들의 화려한 장식에서 목격할 수 있으며, 문명이 발달함에 따라 점점 미에 대한 우리의 열정도 커졌다. 단지 존재하는 것은 인간의 삶의 목적이 아니다. 고귀하게 위대하게, 난쟁이가 아니라 왕처럼 사는 것, 궁핍하고 왜소하고 우스꽝스럽게 살지 않는 것이 가능하다.

두 사람이 있다고 가정해보자. 한 사람은 나뭇잎 하나에 경탄하고, 꽃 한 송이에서 신성한 의미를 찾으며, 아름다운 경치만 보면 기쁨으로 영혼이 울렁거리고, 저녁놀이 질 때면 그의 영혼까지 붉게 타오른다. 다른 한 사람은 그것들을 그저 무심하게 바라볼 뿐이다. 이런 사람은 절대 행복을 찾을 수 없다. 아름다움을 감상하고 그것에 빠져드는 기쁨을 얻을 기회가 없기 때문이다.

우리 주변에는 진정한 행복을 만드는 재료가 널려 있다. 그 재료들은 무료이고 무한정이다. 그런데도 많은 사람들은 예민한 감각을 위축시키고, 돈이나 물질을 행복의 주요 원천으로 생각한다. 자연에서 장엄한 것, 최고의 것을 개발하여 아름다움을 인생에 포함시키는 것에 비하면 지갑에 돈을 채워넣는 일은 그다지 유익한 일이 아니다.

삶의 기쁨은 우리와 함께 있는 것이 아니라 우리 안에 있다. 그것은 감상할 수 있는 능력, 곧 공짜일 뿐만 아니라 모든 곳에 널려 있는 미적 기쁨을 얻는 우리의 능력에서 비롯된다.

하지만 너무나 자주 우리는 쾌락과 행복을 혼동한다. 쾌락은 일시적인 기쁨이다. 좋은 책을 읽었을 때의 지속적인 만족이 아니라, 쏜살같이 지나가는 기쁨이다. 식욕이나 열정을 만족시켰을 때의 쾌락은 아름다움을 감상할 때의 기쁨과 비교하면 찌꺼기나 다름없다. 영혼의 기쁨은 모든 쾌락을 능가한다.

모든 재료에서 인생의 꿀을 추출할 수 있는 사람, 주변에서 예술의 최고급 재료를 알아보는 감각을 얻은 사람에게 재산의 많고 적음은 중요하지 않다. 무엇도 그에게서 그런 능력을 빼앗아갈 수 없다. 그는 명랑함, 유용함, 고상한 인격으로 억만장자가 될 수 있고, 절대 행복이 부족하지 않기 때문이다. 영국의 시인 키츠는 다음과 같이 노래했다.

미를 생각하는 것은 영원한 기쁨이다.
미의 사랑스러움은 더욱 커져만 간다.
절대 무가치한 것이 되지 않는다.
미는 우리를 위해 조용한 휴식처를 준비하고 있다.
우리는 그곳에서 달콤한 꿈을 꾸며, 고른 숨을 내쉬며
잠을 잘 수 있다.

오/늘/나/는/

🌱 우리가 살아가는 동안 주변에는 새로운 기쁨을 얻을 수 있는 새로운 문이 계속 열리고 있다. 오늘 나는 주변의 비밀스런 아름다움으로 나를 인도할 문을 찾기 위해 영혼의 눈을 뜨고 있을 것이다.

🌱 문학 작품을 감상하기 위해 지역 도서관에서 도서대출증을 발급받을 것이다.
위대한 시인의 아름다운 시를 읽고, 역경과 운명을 극복한 위인들의 일대기를 읽다 보면 아름다움을 감상할 수 있는 능력이 계발되고, 최선을 다하는 자세를 배울 수 있을 것이다. 그러면 우리의 삶은 더욱 풍부해질 것이다.

🌱 카메라에 필름을 넣고 주변의 모든 것을 담을 것이다. 석양, 꽃, 가을 낙엽, 구름, 나무, 아이들의 웃는 얼굴을 담을 것이다.
사진은 추억을 보존할 수 있고, 추억은 곧 미적 경험이다.

🌱 발표회나 전시회, 혹은 특별행사에 대한 정보를 얻기 위해 지역 미술관, 오케스트라, 댄스 그룹 등의 메일 수신자 목록에 내 이름을 올릴 것이다. 항상 참석할 수는 없겠지만 바쁜 일상에서 잊기 쉬운 심미적인 것들을 내게 상기시켜줄 것이다.

🌱 삶의 달콤한 향기와 자연의 아름다움을 느끼기 위해 사무실에 화분을, 부엌 창가에 꽃을, 식탁에 촛불을, 집 안에 방향제를 준비할 것이다.

휴가는 최상의 활력소다

내가 비둘기처럼 날개가 있으면
날아가서 편히 쉬리로다.
– 「시편」 55장 6절

사람은 누구나 삶의 변화 없이는 살 수 없다. 틀에 박힌 삶은 사람의 능력을 마비시키고, 심지어 병들거나 죽게 만들기도 한다.

특히 도시에 사는 사람들은 실패를 겪거나 건강을 잃은 후에야 진작 자신을 돌보는 방법을 알았더라면, 가고 싶을 때 과감하게 휴가를 떠나는 현명한 행동을 했더라면 하고 후회를 한다. 그들은 야망, 부, 권력, 명성의 꾐에 빠져 초조하고 지치고 기진맥진할 때까지 일한다. 온갖 종류의 영양제나 마사지, 그 밖의 인공적인 요법으로 건강과 힘을 유지하느라 애쓰면서 말이다. 그들은 변화의 필요성을 느끼지 못한다. 그들은 휴가를 가야 한다는 것을 믿지 않는다. 그들의 표현을 빌리자면, 일을 포기하고 '쓸데없이 빈둥거리기 위해' 멀리 떠나는 것을 비웃는다. 너무 늦을 때까지…….

만일 어떤 의사가 신경과민에다 피로에 지친 당신의 육체를 안정적이고, 건강한 육체로 바꿔준다면 얼마를 지불할 생각인가? 당신의 느린 발걸음에 활력을 되찾아준다면, 약하고 축 처진 근육을 단단하고 탄력적으로 만들어준다면, 당신의 삶에 새로운 용기와 희망을 불어넣어준다면, 마법을 써서 종종 당신을 짜증나게 만드는 신경질을 없애준다면, 그리고 냉정하고 침착하고 명랑한 태도를 회복시켜준다면 그 의사에게 얼마를 지불하겠는가? 아마 얼마든 상관없을 것이다. 하지만 이런 모든 일은 당신 스스로 할 수 있다. 만일 휴식과 변화를 위해, 일에서 완전히 해방되기 위해 모든 것을 집어치우고 일터를 떠난다면 말이다.

특히 사업가나 전문직 종사자들은 일의 노예가 되어 있다. 그들은 조직의 일부분이다. 그들은 틀에 박힌 일상의 희생자가 되었다. 어제 그 일을 했기 때문에 오늘도 그 일을 한다. 아무리 변화가 절실해도, 그들은 변화하기보다 익숙해진 임무로 되돌아가는 편이 더 쉽다.

이웃에 휴가를 갈 여유가 없다고 말하는 사람이 있었다. 여러 차례 그의 사무실로 전화를 했지만 한번도 한가한 때를 발견하지 못했다. 그는 항상 일을 하고 있었다. 해가 지나도 그 맹렬한 기세는 식을 줄 몰랐다. 그 사람은 자신이나 주위 사람들 모두 열심히, 쉬지 않고 일해야 한다고 굳게 믿고 있었다. 휴가나 휴식은 터무니없는 소리고, 일이 아닌 다른 데 시간을 소비하는 것은 낭비라고 말했다. 시골에 처박혀 있거나 아무 일도 하지 않고 빈둥거리며 보내기에는 인생이 너무 짧다는 것이 그의 지론이었다.

결국 그는 건강을 해쳤다. 손이 너무 떨려서 수표에 서명하는 것조차 힘들었다. 한때 활기차고 당당하던 발걸음은 느리고 불안정한 모습으로 변했다. 너무도 약해 금방이라도 쓰러질 것처럼 보였다. 그래도 그는 휴가를 떠나거나 일을 포기하기를 거부했다. 돈은 벌었을지 모르지만, 그는 실패자임에 틀림없다. 직원들 중 그를 동정하는 사람은 아무도 없었다. 너무나 비열하고 인색했기 때문이다. 직원들뿐만 아니라 가족도 그를 피했다. 너무 괴팍하고 까다로웠기 때문이다. 그는 일하는 기계에 지나지 않았다. 냉정하고 일밖에 모르며 인간의 감정에 반응할 줄 모르는 기계 말이다. 만일 누군가가 그의 모습을 그대로 보여준다면, 수년 동안 일만 하느라 변해버린 그의 모습을 보여준다면 그는 믿으려 하지 않았을 것이다. 스스로를 젊었을 때와 똑같이 여전히 자유롭고 친절하고 관대한 사람이라 착각하고 있기 때문이다.

어디에서나 우리는 이 사람과 마찬가지로 휴가를 떠날 여유를 갖지 못하는 사람들을 쉽게 만날 수 있다.

결국 그들은 엉망이 된 삶을 회복하기 위해 유황 온천에 가게 된다. 건강을 찾으려고 여객선이나 요트를 타기도 할 것이다. 휴식이나 변화 없이 여러 해 동안 일해서 모은 돈으로 정력과 활력을 되찾으려고 전문가와 상담을 하기도 하고, 이곳저곳을 여행하기도 할 것이다.

두뇌는 휴식이나 변화가 필요하면 즉시 당신에게 말한다. 아주 둔감한 사람이라도 분명하게 느낄 수 있는 신호를 보낸다. 종종 굴욕감을 느끼고, 삶을 제대로 살고 있는가 하는 의문이 들고, 별것도 아닌 일에 자제심을 잃거나 크게 화를 내게 된다. 과거에는 즐거웠던 일이지만 지금은 억지로 해야 한다. 매사가 지루하고 나른하고 짜증이 난다. 머리가 아프고 야망과 열정이 줄어들기 시작한다. 눈에서 빛이, 걸음걸이에서 활력이 사라진다.

이런 증상은 자연이 당신에게 일을 그만하든가 그 결과를 감수하라고 경고하는 것이다. 자연의 경고에 따르지 않으면 당신은 벌을 받게 된다. 어쩌면 생명까지 빼앗길 수도 있다. 감히 자연이 금지하는 것을 하겠단 말인가? 왕이든 거지든 자연 앞에서는 모두 똑같다. 자연은 당신에게 한 번, 두 번, 세 번, 어쩌면 더 자주 경고를 보냈을 것이다. 그러나 자연이 내리는 최종 판결에 대해서는 아무도 항소할 수 없다.

많은 사람들이 '시간이 날 때'까지 휴가를 미루다가 수명을 다 채우지도 못하고 영원한 휴식에 들어가게 된다. 1년에 몇 주의 휴가도 가질 여유가 없다고 생각하기 때문이다.

휴가를 갖는 것이 이롭지 않은가?

예전의 명랑한 성격을 되찾는 것이 좋지 않은가?

창조력과 독창성을 높이는 것이 좋지 않은가?

일에 더욱 자신 있게 임하는 것이 좋지 않은가?

건강을 회복하여 자신감을 되찾는 것이 좋지 않은가?

선거운동에서 받은 상처와 긴장을 잊고 싶지 않은가?

피곤하고 지친 두뇌보다 상쾌하고 활기찬 두뇌가 일에 도움이 되지 않는가?

처지고 뻣뻣해진 근육을 강하고 탄력 있는 근육으로 변화시키는 것이 좋지 않은가?

새로운 자신감으로 삶에 활력이 넘치는 것이 좋지 않은가?

주사바늘을 혈관에 꽂기보다는 영원한 안식을 주는 언덕에서 화강암의 기운을 빨아들이는 것이 좋지 않은가?

젊음의 쾌활함, 명랑함, 자발성, 열정을 회복하고 싶지 않은가?

신경질적이고 거친 성격을 고쳐 사람들에게 호감을 주는 것이 좋지 않은가?

힘든 도시생활에서 오는 편견, 증오, 질투심을 없애는 것이 이롭지 않은가?

더욱 밝고 명랑한 성격으로 자기 자신과 주변 사람들을 더욱 편안하고 행복하게 만드는 것이 좋지 않은가?

최상의 건강과 활력으로 신이 당신에게 준 능력을 최대한 이용하는 것이 좋지 않은가?

'흐르는 시냇물에서 지혜를, 바위에서 인생의 교훈을, 모든 것에서 선善'을 깨달을 수 있도록 관찰력을 기르는 것이 좋지 않은가?

생의 아름다움을 발견하는 것이, 자연이 내는 목소리에서 평온함과 균형을 얻는 것이 좋지 않은가?

똑같은 일을 반복하는 기계가 되기보다 너그러운 태도와 넓은 시야를 가진 원만한 사람이 되는 것이 더 낫지 않은가?

아주 적은 비용으로 건강과 행복을 얻을 수 있다면 좋은 투자가 아닌가?

아주 적은 비용으로 우리 존재가 의지하는 원천을 아낄 수 있다면 좋은 투자가 아닌가?

잠시 초조하고 불안하고 화나게 만드는 사소한 두통거리에서 벗어난다면, 틀에 박힌 일상에서 벗어나 아주 새로운 생각을 할 수 있다면 좋지 않은가?

도시의 뜨거운 콘크리트와 모르타르를 떠나, 아직도 더럽혀지지 않은 시골의 상쾌한 공기를 들이마시고 원기를 회복한다면 좋지 않은가?

희망찬 미래를 품고 일터로 가는 것이 좋은가, 노예처럼 끌려가는 것이 좋은가? 나약하고 맥 빠지고 비효율적이고 회의적인 삶이 좋은가, 강하고 활력 있고 독립적이고 낙천적인 삶이 좋은가?

소득의 5퍼센트를 아끼느라 휴가를 떠나지 않았다가 계속된 긴장으로 건강을 해쳐 병원에 입원하고, 결국 소득의 50퍼센트를 병원비로 지불하는 것이 좋은가?

늘 일에 매여 살았다면 걱정과 고민을 사무실이나 가게에 묶어두고 홀가분한 기분으로 자유로움을 만끽하는 것이 큰 이익이 되지 않겠는가? 지치고 짜증난 마음을 건강하고 건전한 마음으로 바꾸는 것이, 신경을 자극하기보다는 유쾌하게 웃는 것이 좋지 않은가?

성장과 활력, 힘과 능률은 우리의 목표다. 건강하고 강해야 최선을 다할 수 있다. 끊임없이 일하는 것은 불가능하다.

오/늘/나/는/

🌱 삶은 내 앞에도 있었고 내 뒤에도 계속될 것임을 스스로에게 상기시킬 것이다. 나는 세상에서 그다지 중요한 존재가 아니다. 오직 내 자신과 사랑하는 사람들에게만 중요한 존재일 뿐이다. 만일 내 자신과 그들을 위해 시간을 보내지 않는다면, 그들에게조차 중요한 존재가 되지 못할 것이다.

🌱 하루 쉴 수도 있다고 생각할 것이다. 그래도 큰 지장이 없을 것이다. 오히려 일을 더 잘 할 수 있게 될 것이다.

많은 사람들이 자신을 꼭 필요한 존재라고 생각하기 때문에 휴가를 내지 못한다. 중요하기는 하지만 없어서는 안 될 직원이란 없다. 만일 우리가 그런 존재라면 우리가 없으면 업무가 시작되지도, 부서가 제대로 돌아가지도 않으며, 내일 우리가 죽는다면 모든 것이 완전히 멈춰버릴 것이다. 하지만 그런 일은 없다. 단지 지금 시작한 사업이 경쟁이 심해, 일터에 남아 있지 않으면 인정받지 못하게 될 거라고 걱정하기 때문이다. 만일 정말 그렇다면 휴가가 아닌 작업 환경을 진지하게 고려해야 한다.

🌱 내가 일을 하는 것이지, 내가 일 자체가 아님을 스스로에게 상기시킬 것이다.

직장에 애착을 가지고 있고, 일을 통해 기쁨과 만족, 그리고 성취감을 아무리 많이 얻는다고 해도 일보다는 당신이 중요하다. 사랑하는 사람과 특별한 시간을 갖고 싶어 한다. 잘 자라는 아이들을 통해 자부심을 느끼고 싶어 한다. 도시나 자연의 어딘가를 좋아한다. 따라서 많은 시간을 일에 묻혀 사는 것만큼이나 당신 안에 있는 다른 중요한 면을 확장하고, 계발하고, 경험하기 위한 시간을 내기 위해서 휴가가 필요하다.

웃음은 최고의 언어다

웃어라, 그러면 세상이 당신에게 웃을 것이다.
울어라, 그러면 당신은 혼자 울게 될 것이다.

― 엘러 휠러 윌콕스

만일 사람들이 웃음, 환호, 기쁨의 의학적 효과를 알기만 한다면 의사 중 절반은 실업자가 될 것이다.

버틀러 정신병원 원장 레이 박사는 이렇게 썼다.

"마음에서 우러난 한 차례의 웃음이 논리력 강화 훈련보다 정신 건강에 훨씬 더 바람직하다."

세계에서 가장 권위 있는 의학 저널인 영국의 〈란셋*Lancet*〉지는 유쾌함의 가치에 대해 다음과 같은 과학적 증거를 내놓았다.

"'유쾌함'의 힘은 병든 사람들과 허약한 사람들에게 매우 중요하다. 전자의 경우 생존할 수 있는 능력을 의미한다. 후자의 경우 오래 살아남을 수 있는 가능성, 질병에 걸려도 살 수 있는 가능성을 의미한다. 따라서 상황이 허락하는 한 최대한으로 낙천적인 성격을 갖는 일은 매우 중요하다. '유쾌함'은 정신작용으로, 그 에너지는 인간에게 필수적이다. 정신작용은 신체에 커다란 영향을 미친다. 유쾌한 정신은 고통을 경감시킬 뿐만 아니라 신체의 생명력을 증진시킨다."

웃음은 두말할 필요 없이 자연이 선물한 가장 위대한 활력소다. 무질서한 단체와 모임을 조화롭게 해주고, 정신을 맑게 해주며, 단조롭고 고된 업무에서 오는 마찰을 예방한다. 그것은 구명 기구이자 건강 증진제이며, 기쁨과 성공 제조기다.

얼마 전 잡지에서 이웃 도시에 사는 어느 환자에 대한 기사를 보았다. 환자는 죽음을 앞두고 있었다. 그의 친척들이 임종을 지켜보기 위해 몰려왔다. 오랜 친구 역시 그를 찾아왔다. 그는 환자를 보더니 괜찮다고, 곧 회복할 거라고 장담했다. 친구가 너무나 자신 있게 말하자 환자는 환한 웃음을 터뜨렸다. 웃음이 신체 시스템을 크게 자극하여 그는 기운을 차렸고 곧 건강해졌다.

유쾌한 마음을 가지면 오래 산다고 셰익스피어가 말하지 않았던가?

샌프란시스코 〈아르고노트*Argonaut*〉 지는 밀피테스에 사는 한 여성을 소개했다. 큰 슬픔과 절망, 소화불량, 불면증 등으로 시달리던 그 여성은 삶을 너무 힘들게 하는 우울함을 던져버리고 하루에 적어도 세 번씩 웃기로 결심했다. 웃을 일이 있든 없든 웃기로 작정한 것이다. 그래서 아주 사소한 일에도 진심으로 웃음을 터뜨리고 내내 즐거워할 수 있도록 훈련했다. 곧 그녀는 건강해졌고 유쾌해졌으며, 그녀의 가정은 밝고 명랑해졌다.

처음에 그녀의 남편과 아이들은 기뻐했다. 또한 그녀가 얼마나 깊은 슬픔에 잠겨 있었는지 잘 알고 있었기 때문에 그 결정을 존중했다. 하지만 웃는 일에는 동참하지 않았다.

"하지만 얼마 후에 재미있는 생각이 떠올라 남편에게 그 이야기를 해주었죠. 남편이 그 이야기를 듣자 웃기 시작했어요. 그리고 집에 돌아오면 그날 재미있는 일이 있었는지 내게 묻곤 했어요. 그런 질문을 할 때마다 웃고, 내가 대답할 때마다 다시 웃곤 했죠.

당시 아주 어렸던 아이들은 '엄마가 좀 이상하다'고 생각했지만 같이 웃곤 했어요. 그 뒤로 아이들은 다른 아이들에게 종종 유쾌한 얘기를 했고, 그 아이들은 그들의 부모에게 얘기를 전했죠.

남편은 자기 친구들에게 이 이야기를 했어요. 예전엔 나는 남편 친구들을 만나는 걸 꺼려했지만 지금은 아니에요. 그들을 만날 때마다 난 웃으면서 '오늘은 몇 번 웃었어요?' 하고 묻곤 했지요. 자연스럽게 질문을 하면서 그들도 웃었고 물론 나도 웃음을 터뜨렸죠.

이런 이상한 습관을 만들기 바로 전, 나는 슬픔으로 짓눌려 있었습니다. 그런데 하루 세 번 웃자는 규칙 덕분에 슬픔이 사라졌습니다. 또 나는 심한 소화불량 때문에 여러 해 동안 고생했습니다. 매일 두통이 찾아왔죠. 하지만 이런 습관을 가진 뒤로 6년 동안 한번도 머리가 아픈 적이 없습니다. 가정도 예전과는 다르답니다. 집안 일에도 훨씬 더 재미가 붙었고요. 남편도 변했어요. 내 아이들은 '항상 웃는 아이들'로 불리고 있어요. 내가 세운 규칙이 놀라운 일을 해낸 겁니다."

'사회를 불쾌하게 만드는 사람'은 어떤 사람인가? 불행을 예보하고, 희망을 꺼뜨려버리고, 최악의 면만을 보는 사람이다. 다시 말해 '쳐다보기만 해도 불쾌해지는 사람'이다. 그는 종종 쾌락은 죄악이라고 생각하는 덕망 있는 사람이다. 과거 신학자의 표현을 빌리자면 천국을 향하여 우리를 이끌지만, 가는 내내 날카로운 핀으로 우리를 찌른다. 그는 우울한 말과 용기를 꺾는 말을 한다. 그는 기도회를 썰렁하게 만들고, 자선행위를 하지 못하도록 막고, 인간관계에 해를 입히고, 교회를 죽인다. 그는 불을 켜야 할 때 불을 꺼버린다.

한때 나는 어느 성직자 가족과 함께 생활한 적이 있다. 여러 달 동안 나는 가족 중 어느 누구도 웃는 모습을 본 적이 없다. 그들은 항상 시무룩한 얼굴을 하고 엄숙한 태도를 보이는 것이 종교적인 의무인 것처럼 행동했다. 그들은 이 세상을 위해 사는 것 같지 않았고, 다가올 세상을 위해 사는 것처럼 보였다. 내 웃음소리를 들을 때마다 목사님은 '죽음'을 생각하라고, 언제 올지 모르는 죽음을 준비하라고 충고했다. 웃음은 천박하고 세속적인 것으로 여겨졌다. 그러니 집안에서 오락을 즐기는 일은 감히 상상조차 할 수 없었다. 단 한순간도 용납될 수 없는 일이다.

잘 웃지 않는 사람들에게 나는 이렇게 충고하곤 한다.

"방 안에 들어가 문을 잠그시오. 그리고 미소 짓는 연습을 하시오. 사진, 가구, 거울, 그 무엇에든 미소를 지어보시오. 단단해진 근육이 풀릴 때까지."

환희를 느끼지 못하는 사람은 용수철이 없는 마차와 똑같다. 울퉁불퉁한 길을 갈 때마다 심하게 덜컹거릴 것이다. 즐거워하는 사람은 용수철이 달린 전차와 같다. 아무리 거친 도로를 질주해도 기분 좋게 흔들리는 움직임만 느낄 것이다.

"단순히 명랑하고 희망찬 감정만으로는 안 됩니다. 흔쾌히 기뻐하고 미소 지을 뿐만 아니라 진심 어린, 유쾌한 웃음으로 가득 찬 환희의 영혼을 계발해야 합니다. 이런 능력이 몸에 배어 있지 않다면 우리는 그것을 계발하도록 노력해야 합니다. 유쾌하고 온몸을 떠는 웃음은 우리에게 유익하기 때문입니다"라고 어느 작가는 주장했다.

링컨은 책상 한구석에 최신 유머집 한 권을 놓아두고, 피곤하거나 우울하거나 짜증 날 때면 가져다가 한 쪽씩 읽곤 했다.

"즐거운 마음은 명랑한 표정을 만든다"는 말처럼 기쁨은 얼굴과 마음을 젊게 유지시킨다. 호탕한 웃음은 우리와 주변 사람들 모두를 더 좋은 친구로 만들어주며 삶에서 가장 좋은 것, 가장 밝은 것과 가까이할 수 있도록 해준다.

생리학에 다음과 같은 내용이 있다. 교감신경은 서로 밀접하게 관련되어 있다. 나쁜 소식이 뇌에 전해지면 교감신경은 위에도 영향을 주어 소화가 잘 되지 않고, 안색도 창백해진다. 될 수 있으면 웃어라. 웃음은 가장 값이 싼 보약이다.

명랑함은 아직도 연구해야 할 부분이 많은 철학이다. 유명한 외과 의사 채바스 박사는 아이들에게 웃는 습관을 길러주어야 한다고 주장한다.

"자녀들이 즐거워하고 큰 소리로 웃도록 유도하십시오. 마음에서 우러난 웃음은 가슴을 확장시키고 혈액이 힘차게 순환하도록 만듭니다. 기분 좋은 웃음이 최고입니다. 작게 숨죽여 웃는 것이 아니라 집안이 떠나갈 정도로 큰 소리로 웃는 것 말입니다. 이런 웃음은 아이들뿐만 아니라 그 소리를 듣는 사람들에게도 이익이 됩니다. 우울한 기분을 쫓아내는 최고의 방법이니까요. 명랑함은 아주 전염성이 강해서 놀라운 속도로 번집니다. 어느 누구도 웃음 감염에 저항할 수 없습니다. 웃음은 유쾌한 조화입니다. 정말로 모든 음악 중에서 최고입니다."

"떠들며 놀지 못하는 아이들은 절대 크게 되지 못한다. 꽃이 피지 않은 나무는 절대 열매를 맺을 수 없는 것처럼"이라고 어느 유명한 작가는 말했다.

후퍼랜드는 왕이 식사할 때마다 어릿광대가 등장하던 고대 관습을 칭찬했다. 어릿광대의 재치 있는 말과 기이한 행동 때문에 좌중은 웃음바다가 되곤 했다.

리크루구스는 스파르타의 어느 식당에 웃음의 신神 동상을 세우게 하지 않았던가? 웃음만 한 반찬은 없다. 웃음은 소화불량의 가장 무서운 적이다.

가장 무익한 날은 웃지 않은 날이라고 말한 프랑스 문인 샹포르는 얼마나 현명한가!

역사가인 흄이 에드워드 2세의 유품에서 발견한 왕실 경비 목록에는 왕을 웃게 만든 대가로 지불된 1크라운이 적혀 있었다.

"어쨌든 웃는 것은 좋다. 만일 짚 한 오라기로 간질여 웃는다면 그것은 행복의 도구가 된다"라고 시인 드라이든은 말했다.

유명한 영국 유머작가 로렌스 스턴은 이렇게 말했다.

"나는 즐거움으로 질병과 그 밖의 불행을 막으려고 끊임없이 노력하면서 살고 있다. 사람들이 미소 지을 때면, 크게 웃을 때면 무엇인가 그의 인생에 더 많이 보태졌다는 생각을 한다."

월터 스콧 경은 "내게 거리낌없는 웃음을 주시오"라고 말했다. 그는 친절한 말과 유쾌한 미소 덕분에 모든 사람들에게 사랑을 받은, 세상에서 정말 행복한 사람 중 하나였다.

칼라일은 다음과 같이 주장했다.

"웃음에는 얼마나 많은 것이 포함되어 있는가! 그것은 인간을 판독할 수 있는 암호 해독기다. 어떤 사람은 항상 무의미한 선웃음만 짓는다. 또 어떤 사람은 얼음처럼 냉랭한 웃음을 짓는다. 웃음이라 부를 정도로 잘 웃는 사람은 적다. 단지 코웃음을 치거나, 킥킥거리거나, 숨죽여 웃을 뿐이다. 아니면 한 번 웃고 말거나 거친 너털웃음을 짓는다. 그런 웃음은 도움이 되지 않는다."

"웃을 수 있는 힘, 일을 멈추고 흥겹게 떠들며 놀 수 있는 힘, 힘든 삶 속에서 모든 것을 잊고 명랑해질 수 있는 힘은 인간에게 주어진 성스러운 선물이다"라고 캠벨 모건 박사는 말했다.

웃음은 성공의 아주 중요한 요소다.

"젊은 직원들은 일을 하고, 나는 웃는 일을 합니다. 웃을 줄 모르는 사람은 절대 성공할 수 없습니다"라고 앤드루 카네기는 말했다.

성공할 수도 있었던 수많은 사람들이 오늘날 실패의 무덤 속에 잠들어 있다. 인생을 너무 심각하게 여겼기 때문이다. 그들은 주변 분위기를 험악하게 몰아가 결국 자신의 힘까지도 마비시킨다.

웃읍시다

힘들 때 불쾌하고 우울한 얼굴로
앉아 있지 말고 웃으시오, 젊은이.
모든 것을 다 할 수는 없소.
햇빛은 날마다 비칩니다.
문제가 생겼을 때 웃어버리시오.

웃읍시다. 고통과 슬픔이 가라앉을 때까지
인생에는 편한 길이란 없습니다.
미처 알아차리지 못한 험한 길
뛰어넘어야 할, 수많은 숨어 있는 그루터기
웃읍시다.

웃읍시다. 절대 풀죽지 마시오.

엎질러진 우유 때문에 주저앉아 울지 마시오.

방법을 알고 싶다면

내가 알려주겠소.

다른 젖소에게서 우유를 짜시오! 자, 웃읍시다.

웃읍시다. 우리 모두가 웃을 수 있도록,

우울해지는 것을 막을 수 있도록,

웃음은 항상 우울함을 이깁니다.

큰 소리로 웃을 수 없다면, 그저 미소를 지으시오.

자, 모두 따라합시다. 웃읍시다.

- 〈인디펜던트〉에서

세상은 우리 자신의 모습을 보여주는 거울이다. 우리가 웃으면 세상도 웃는다. 우리가 눈물을 흘리면 세상도 눈물을 흘린다.

만일 품위 있게 예의를 지키며 제때 웃는 일에 서툴더라도, 적어도 행복한 마음에서 우러난 미소 띤 얼굴을 보여줄 수는 있다. 미소와 표정의 관계는 햇빛과 경치의 관계와 같다. 또한 미소를 얼굴의 무지개라 부를 수도 있다. 미소 짓는 능력을 잃으면 마음속에 얼마나 무시무시한 이미지가 생기겠는가! 곧 우리의 상상력은 음울하게 변할 것이다. 기쁨이 나가면 우울함이 대신 그 자리를 차지하니까.

재미와 유머를 일시적인 것으로 여기지 말고, 영원한 치유력이 있다고 생각해야 한다.

폐가 좋지 않았던 앨라배마 주의 한 농부가 어느 날 밭을 갈다가 각혈을 했다. 너무 피를 많이 쏟았던 탓에 의사는 그가 곧 죽을 거라고 말했다. 그러나 농부는 아직 죽을 준비가 되어 있지 않았다. 그는 일어날 힘이 없어 한동안 자리에 누워 있었다. 마침내 기운을 얻어 자리에서 일어난 농부는 주변의 모든 것들을 보고 웃기 시작했다. 사람들이 웃을 만한 이유를 찾지 못할 때에도 농부의 입가에는 계속 웃음이 감돌았고, 병세는 이내 호전되었다. 그는 튼튼하고 강해졌다. 그 비결을 묻는 사람들에게 농부는, 만일 계속 웃지 않으면 죽을 것 같았다고 고백했다.

아주 많은 사람들이 불안, 초조, 불평을 웃음으로 대체하는 '웃음요법'을 통해 병든 육체를 건강하게 만들었다. 불평을 하거나 잘잘못을 따지고 들면 우리의 삶은 불편하고 불쾌해진다. 행복을 가로막는 이런 적들을 물리치려면 그것들의 존재를 부정하고, 마음에서 몰아내야 한다. 그것들은 원래 존재하지 않는 것들이다. 조화, 건강, 아름다움, 성공, 이런 것들만이 존재한다.

날마다 재미있는 시간을 보내는 것이 어떤가? 인생 계획에 즐거운 시간을 끼워넣는 것은 어떤가? 생계를 위해 일한다는 생각으로 심각해하고 우울해야 할까?

한때 마르틴 루터는 자신에게 실망하고 화가 났다. 세상, 교회, 당시 그가 가졌다고 생각했던 작은 성공마저 위안이 되지 못했다.

그는 의기소침했고 가정에도 그런 분위기가 전염되었다. 그의 아내는 명랑한 대화나 행동으로도 남편의 우울함을 해소할 수 없었다. 마침내 아내에게 좋은 생각이 떠올랐다. 그녀는 아주 슬픈 표정을 하고 남편 앞에 섰다. 그녀를 보며 루터가 물었다.

"누가 죽었소?"

"오, 몰랐어요, 여보? 하늘에 계신 하나님이 돌아가셨어요."

"어떻게 그런 말도 안 되는 소리를 할 수 있소? 어떻게 하나님이 돌아가실 수 있소? 그분은 죽지 않소. 영원히 사시는 분이오."

"정말요?"

마치 남편의 말을 믿을 수 없다는 듯이 아내가 물었다.

"내 말을 의심한단 말이오? 분명히 하나님은 살아 계시오. 절대 죽지 않는 분이시오."

흥분한 마르틴 목사는 강력하게 주장했다.

"그런데……." 그녀는 항변하듯 말을 이었다. 그제야 남편은 아내를 올려다보았다.

"당신은 마치 하나님이 없는 듯 희망을 잃고 낙담하고 있어요. 제가 보기에 마치 하나님이 돌아가시기라도 한 듯 행동하고 있다고요."

이제 주문呪文은 풀렸다. 루터는 아내의 설교에 웃음을 터뜨렸다.

"당신은 정말 현명한 아내요. 내 슬픔을 정복하다니."

오/늘/나/는/

🌱 큰 소리로 웃을 것이다. 킬킬거리거나, 미소 짓거나, 예의를 차리며 웃지 않을 것이다. 온몸으로, 특히 내 마음으로 웃을 것이다.

🌱 웃으면서 잠자리에 들 것이다.

요즘 일이 잘 안 풀리고 매사에 우울하다면 유머 책을 읽거나, 코미디 영화나 TV 쇼를 보거나, 항상 웃게 해주는 친구를 방문하는 등 특별한 노력을 기울여라.

🌱 적어도 다른 한 사람의 삶에 웃음을 심어줄 것이다.

웃으면 웃을수록 더 좋다. 다른 사람을 웃게 만들면 당신도 유쾌해진다.

🌱 매사를 심각하게 받아들이지 않고, 내 실수도 웃어넘길 것이다.

우리는 모두 멍청한 짓을 한다. 하지만 종종 그 속에서 웃음을 발견하기도 한다. 만일 당신이 실수를 하여 스스로에게 화가 나 있더라도, 다른 사람은 인생을 심각하게 받아들이는 당신의 태도를 비웃고 있을 것이다. 당신이 만약 그 사람이 되면 어떻겠는가?

인생에서 노래를 멈추지 마라

우리는 웃고 노래해야 합니다.
우리는 모든 것에서 축복을 받았습니다.
우리가 보는 모든 것은 축복입니다.

– 예이츠

나는 노래해야 하기 때문에 노래합니다.

– 테니슨

칼라일처럼 외쳐보자.

"오, 우리에게 주십시오. 일터에서 노래하는 사람을 우리에게 주십시오. 그런 사람은 똑같은 시간일지라도 더 많은 일을 하고, 더 잘하고, 더 오래 합니다. 음악에 맞춰 행진할 때 사람들은 피곤함을 느끼지 못합니다. 별들도 우주에서 회전하는 동안 조화를 이룹니다."

고대의 어느 작가는 이렇게 썼다.

"기쁨에 넘친 소녀들의 노랫소리가 연기가 모락모락 올라가는 개수통이나 부서진 바구니 위를 넘어가고, 빗자루가 리드미컬하게 움직이고, 먼지떨이가 신나는 멜로디에 맞춰 활발하게 흔들리는 것은 좋은 징조다. 노래와 함께했기에 접시는 더욱 밝게 빛날 것이고, 쓸고 닦고 정돈된 모습은 더욱 만족스러울 것이다. 아버지는 딸들의 노랫소리에 미소 짓고, 어머니의 피곤한 얼굴도 밝아질 것이다. 남동생과 여동생은 저도 모르게 그런 명랑한 분위기에 휩쓸리게 될 것이다.”

예전에, 어쩌면 오늘날까지도 스위스에는 노래하며 젖 짜는 사람들이 있었다. 그들 중에서 아름다운 목소리를 가진 사람들은 임금을 더 받았다. 젖소들이 유쾌한 멜로디를 들으면 젖을 20퍼센트나 더 많이 만들어내기 때문이다.

양들 역시 음악을 들으면 더 포동포동해진다는 얘기가 있다. 농부들은 노래를 하면서 일을 할 때 더 즐겁고 수월하게 할 수 있다.

호윗(1799~1888, 영국의 시인-옮긴이) 여사는 우리에게 영국 시골 농장의 아름다운 방울 소리 이야기를 들려주었다.

“그것은 흔히 들을 수 있는 선율이 아니었다. 새들의 노랫소리와 어우러져 청명한 대기로 울려 퍼지는 부드럽고 상쾌한 멜로디였다. 안젤라가 런던에서 들었던 여느 음악과는 달랐다. 매우 부드럽고, 감미롭고, 명랑했다. 흐르는 시냇물처럼 부드럽게 방울 소리가 울렸다. 소년들과 할아버지는 그것이 무엇인지 알고 있었다. 바로 그때 안젤라의 시야에 무엇인가 들어왔다. 농부 여럿이 옥수수 포대를 들고 물방앗간으로 가고 있었다. 말의 마구에는 작은 종들이 달려 있었다. 잘생기고, 보살핌을 잘 받고 있는 듯한 그 말들은 농부들을 따라 고개를 끄덕거리며 걸어갔다. 말들이 발을 내디딜 때마다 그 명랑하고 유쾌한 멜로디가 울려 퍼졌다.

'저 말들은 모두 종을 달고 있나요?' 안젤라가 물었다.

'그럼.' 할아버지가 대답했다. '돈이 좀 들긴 했지. 하지만 말이 덜 지쳐 한다면 그만한 가치가 있어. 저 녀석들은 음악을 좋아하고, 음악이 들리면 즐겁게 일을 하지. 말은 아량이 넓고 귀족적인 동물이거든. 똑똑한 건 말할 것도 없고. 그래서 음악을 감상할 줄 아는 거야.'"

노래 자체가 아니더라도 노래하는 마음은 우리에게 끊임없는 기쁨이 된다.

"노래는 마치 쌀먹이새(북미산의 명금鳴禽-옮긴이)들이 노래하는 아름다운 초원을 지나가는 것과 같다."

비처는 이렇게 말했다.

"어떤 사람들은 거리를 행진하는 밴드처럼 살아간다. 그들은 옆으로, 앞으로 귀를 기울이는 모든 사람들에게 유쾌함을 준다. 하지만 또 어떤 사람들은 쨍그랑쨍그랑 귀에 거슬리는 소리를 내며 살아간다. 많은 사람들이 가시 돋친 말과 노여움, 고약함을 가지고 살아간다. 사람들은 그들을 두려워한다. 그래도 어떤 사람들은 잘 익은 과일 향기로 가득한 10월 과수원처럼 가는 곳마다 달콤한 냄새를 풍긴다."

일상의 지친 삶에서 음악이 죽어가도록 내버려두지 마라. 결국 당신의 마음을 풍족하게 해주고 영혼에 가치를 더하는 것은, 얻으려고 노력하는 물질이 아니라 마음속에 남아 있는 음악일 테니까.

오/늘/나/는/

🌱 **더욱 자주 노래를 부를 것이다. 내 자신을 축하할 것이다.**

"나를 축하하고, 나를 위해 노래할 것이다. 내가 생각하는 것이 이루어질 테니까"라고 휘트먼은 적었다. 만일 직장에서 노래할 수 없다면 집에서 노래하라.

🌱 **음치라고 걱정하지 않겠다. 당당하게 나서겠다.**

우리는 모두 마음속에 노래를 가지고 있다. 잘하고 못하고는 문제가 되지 않는다. "나는 가수처럼 노래할 수 없다. 나는 노래할 때 가장 슬프다. 내 노래를 듣는 사람도 슬프다. 그들은 나보다 더 슬퍼한다"라고 말한 아르테무스 워드 같은 사람도 있다. 서툴러도 자신 있게 노래하라. 그리고 찡그리거나 비웃는 사람들과 함께 웃어버려라.

🌱 **집에 아무도 없거나 이웃집이 비어 있을 때, 음악을 크게 틀어놓고 거기에 맞춰 노래를 부를 것이다. 집안 곳곳이 울리도록 크게 부를 것이다.**

🌱 **음악 강좌를 듣고, 기타 치는 법을 배울 것이다.**

기타의 기본 코드는 배우기 쉽다.(기타를 잘 치는 사람이 얼마나 많은지 한번 둘러보라!) 그리고 산이나 공원, 바닷가에 기타를 들고 나가 노래를 불러라. 원한다면 부드럽게 노래해도 좋다.

인생에서 노래를 떠나보내지 마라.

15

자연은 아름다운 휴식처다

자연은 한번도 초라한 모습을 보여준 적이 없다.
제아무리 현명한 인간도
자연의 비밀을 모두 밝혀낼 수 없었고,
호기심을 잃을 정도로 속속들이 알 수도 없었다.

- 에머슨

우리에게 자연은 가까이 존재한다는 이유만으로도 큰 기쁨이
된다.

"이를테면 재수 없는 하루가 있다고 생각해보자. 물벼락을 맞았
다거나 신발에 얼룩이 묻었다는 이유로 불쾌감을 느껴야 할까? 아
니면 우리의 작은 행성을 포함하여 우주 전체에 미치는 경이롭고
위대한 힘에 대해 생각해봐야 할까? 그 힘은 때때로 강렬한 햇볕
을 내리쬐게 하고 다시 하늘을 구름으로 뒤덮는다. 또한 연못, 강,
호수, 초원에서 수증기를 끌어올리고 다시 비나 진눈깨비 또는 눈

으로 떨어뜨린다. 그리하여 생명의 위대한 힘과 세상의 변화가 끊임없이 순환할 수 있도록 만든다. 잿빛 하늘에도 아름다움이 있다. 한 방울의 비에도 신의 경이로움이 있다. 한 송이 눈에도 끝없는 경이로움이 있다. 이기심으로 가득 찬 인간들이 우주를 관리하고 날씨를 변화시키고 싶어 하는 시대이지만 그렇다고 해서 이런 모든 사실을 잊어버리고, 괴로워해야 할까?"라고 새비지 박사는 말했다.

만일 우리가 아름다움을 사랑하고 찾는다면 어디서든 그것을 보게 될 것이다. 우리의 영혼 안에 음악이 있다면 모든 곳에서 그것을 듣게 될 것이다. 자연은 우리에게 노래를 불러줄 것이다.

"독서나 연구를 하여 정신적으로 지쳤다면 밖으로 나가 햇빛을 쬐고, 맑은 공기를 들이마시고, 운동을 하라. 그러면 머리는 이내 맑아지고 편안해질 것이다"라고 글래드스턴은 말했다.

우리가 행복하고 만족스럽다면 자연은 우리에게 미소 지을 것이고, 공기는 더욱 상쾌하고, 하늘은 더욱 푸르고, 땅은 더욱 싱그러운 녹색을 띨 것이다. 그리고 나뭇잎은 더욱 풍성하고, 꽃은 더욱 향기롭고, 새는 더욱 달콤한 목소리로 노래하고, 해와 달과 별은 더욱 아름다우리란 말은 정말 진실이다.

월트 휘트먼은 언젠가 이런 이야기를 했다.

"12년 전 나는 임종을 준비하려고 캠던으로 갔다. 매일 교외로 나가 햇빛을 쬐고, 새와 다람쥐와 함께 생활하고, 연못에서 낚시를 했다. 이렇게 자연과 함께 지내는 동안 나는 건강을 회복했다."

"간호사로서의 오랜 경험으로 미루어볼 때 환자들에겐 확실히 신선한 공기 다음으로 빛이 필요하다. 밀폐된 병실 다음으로 환자들을 괴롭히는 것은 어둠침침한 병실이었다. 환자들이 원하는 것은 빛뿐만 아니라 직접 쬐는 햇빛이었다"라고 플로렌스 나이팅게일은 말했다.

L. W. 커티스 박사는 〈헬스 컬처Health Culture〉 지에서 다음과 같이 말했다.

"건강한 환경을 위해 햇빛은 공기만큼이나 중요하다. 어둠 속에서는 어떤 식물도 성장할 수 없다. 인간 역시 어둡고 환기가 되지 않는 방에서 건강을 유지할 수 없다. 매사추세츠 주에 최초의 맹인 전용 요양소를 건립할 무렵, 위원회에서는 경비를 절약하기 위해 창문을 내지 않기로 결정했다. 환자들이 볼 수 없기 때문에 빛이 필요 없다는 논리였다. 창문은 없었지만 환기시설은 훌륭했다. 갈곳 없는 맹인들이 그곳에 들어와 살았다. 그런데 예상치 못한 상황이 벌어졌다. 맹인들이 하나 둘씩 병에 걸렸고, 기력을 잃어갔다. 이유도 없이 괴롭고, 불안하고, 무엇인가를 갈망했다. 모두가 병이 들고 두 사람이 죽자 위원회에서는 창문을 내기로 결정했다. 햇빛이 건물 안으로 들어오고, 맹인들의 얼굴에 화색이 돌기 시작했다. 맹인들은 곧 활기차고 명랑해졌다. 그리고 건강도 회복되었다."

햇빛은 만물을 성장시킬 뿐만 아니라 인간에게도 긍정적인 영향을 미친다. 곧 사람들을 명랑하고 기쁘게 만든다. 만일 우리 영혼에 햇빛이 자리할 수 있다면 구름이 끼어도 활기차고 만족해할 것이다. 우울한 순간에도 희망을 잃지 않을 것이다. 우리뿐만 아니라 다른 사람들에게도 행복을 나눠줄 것이다.

물, 공기, 햇빛은 건강의 3대 조건이다. 그것은 공짜이며 언제든 얻을 수 있다. 그런데도 우리는 이른 아침 공원이나 정원을 산책할 때, 출근할 때 우리의 관심을 끌기 위해 노력하는 온갖 아름다운 것들을 무심히 지나친다. 만일 그것들을 느끼기만 한다면 일을 대하는 태도가 전혀 달라졌을 텐데 말이다.

얼마나 많은 사람들이 이곳에서 저곳으로 무심하게 옮겨가는 가? 그동안 새, 시냇물, 들꽃은 일에 몰두하는 우리를 깨우기 위해 서로 다툼을 벌인다. 그것들은 단 한 사람의 관심을 끌지 못해도 여전히 활기찬 미소를 보낸다.

생계를 유지하는 데 너무 몰두하느라 진정한 삶을 포기하지 말자.

돈을 버는 일에 집착하여 자연의 아름다움을 간과하지 말자.

그 대신 러스킨처럼 자연에서, 꽃과 나무와 석양에서 천사를 황홀하게 만드는 기쁨을 느끼자.

오/늘/나/는/

🌱 **공원이나 시냇가, 또는 바다에 가서 자연과 이야기를 나눌 것이다.**

자연만큼 이야기를 잘 들어주는 존재도 없다. 참을성이 있을 뿐만
아니라 듣는 자세도 아름답다. 벽으로 둘러싸여 꽉 막힌 사무실이
나 집을 나와 당신을 괴롭히는 문제에 대해 자연과 상담하라. 생각
이 넓어지고, 근심이 사라지고, 평화로워짐을 느끼게 될 것이다.

🌱 **나무를 껴안을 것이다.**

환경론자들이나 하는 행동으로 생각될 수도 있고, 황당할 수도 있
다. 그러나 잘못된 관념을 깨라. 자연주의자, 환경론자가 아니더라
도 자연을 껴안을 수 있다. 공원, 숲, 아니면 뒤뜰로 가서 나무에
두 팔을 둘러라. 살아 있는 무엇인가를 느낄 것이다. 그것은 나무
이기도 하고, 당신이기도 하다.

🌱 **자연으로 도보 여행을 떠나라.**

가까운 공원을 가도 좋고, 산을 찾아도 좋다. 자연도 당신처럼 살
아 있고, 복잡하고, 생계를 유지하느라 애쓰고, 지구 어딘가를 가
정으로 만들려 노력하고 있다는 사실을 깨닫고 놀라게 될 것이다.
자연은 당신이 도착하기 오래전부터 그곳에서 가정을 만들고 있는
중이다.

3부

낙관적인
생활을 하라

16

그냥 내버려두자

내 영혼보다 내 육체가 고통받는 것이 훨씬 낫다.

– 로스비타 폰 간데르스하임

당신을 방해하고, 불쾌하게 만드는 것들에 연연하지 마라. 걱정을 훌훌 털어버려라. 잔소리, 불안, 분노, 공포를 잊어라. 근심하는 삶, 힘든 삶을 버려라. 이기적인 삶을 버려라. 쓸모없는 것, 어리석은 것, 바보 같은 것을 떨쳐버려라. 가식, 겉만 번지르르한 것, 거짓에서 떠나라. 사치와 허영을 버려라. 겉치레를 무시하라. 당신을 무능력하게 만드는 나쁜 습관, 혼란을 초래하는 잘못된 사고를 버려라. 그러면 인생이라는 경주에서 당신의 몸이 얼마나 가볍고 자유롭고 진실한지, 목표가 얼마나 확실하게 보이는지를 깨닫고 놀라게 될 것이다.

만일 불행한 경험을 했다면 잊어라. 연설하다가 노래하다가 보고서나 기사를 쓰다가 실수했다면, 난처한 입장에 처했다면, 발을 잘못 디뎌 넘어졌다면, 중상모략을 당했다면 그것에 대해 깊이 생각하지 마라. 그런 기억에는 교훈이나 이익이 될 만한 것이 하나도 없다. 불쾌한 기억 때문에 행복한 시간만 줄어들 것이다. 모두 떨쳐버려라. 영원히 마음속에서 지워버려라. 경솔하게 분별없이 행동한 적이 있다면, 그래서 사람들이 당신에 대해 떠들어대고, 당신의 평판이 너무 악화되어 다시는 만회할 수 없을 것같이 느껴져도 그런 무시무시한 그림자, 덜커덕거리는 해골들이 주변을 맴돌게 내버려두지 마라. 기억의 목록에서 흔적도 남기지 말고 없애버려라. 벅벅 문질러 지워버려라. 잊어버려라. 깨끗한 종이를 앞에 놓고 다시 시작하라. 미래를 위해 나쁜 기억을 잊어버리는 데 모든 에너지를 집중하라.

절대 과거의 나쁜 기억에 시달리지 않겠다, 그런 암울한 그림자를 소중히 간직하지 않겠다고 결심하라. 그런 그림자는 쫓아 보내고, 대신 밝은 햇빛을 받아들여야 한다. 충돌과 알력을 마음에서 몰아내야 한다. 아무리 지독하고 끈질겨도 그것들을 제거하라. 잊어라. 상관하지 마라. 걱정, 근심, 후회 같은 작은 적들에게 당신의 에너지를 **빼앗기지** 마라. 에너지는 미래를 성취하기 위한 당신의 자본이다.

우울한 얼굴, 심술궂은 마음, 초조한 성격은 당신이 스스로를 통제하지 못함을 보여주는 증거다. 주변 환경에 대처하지 못하는 나약함, 그것을 고백하는 것이다. 그것들을 몰아내라. 바람에 날려보내라. 자기 자신을 지배하라. 적들이 왕좌에 오르도록 내버려두지 마라. 자신을 통치하라.

마음속에서 병과 관련된 생각을 모두 없애버려라. 혹시 수술을 받았더라도, 이제 수술은 끝났다. 그것은 기억 뒤편에 묻어둬라. 자꾸 생각하지도, 언급하지도 마라.

불쾌했던 일, 짜증났던 일, 마음의 평화를 깨뜨리는 그런 일들은 모두 잊어라. 밖으로 내쳐라. 지금의 당신과는 전혀 상관이 없으니까. 소중한 시간을 후회나 걱정 같은 사소한 것에 낭비하지 말고 다른 유용한 데에 사용하라. 시시한 생각은 떨쳐버려라. 낙담과 한판 전쟁을 벌여라. 집에서 도둑을 몰아내듯 '우울한 일들'을 마음속에서 몰아내라. 모든 적들 앞에서 문을 단단히 잠그고 절대 열어주지 마라. 명랑함이 당신을 찾아올 때까지 기다리지 마라. 그것을 찾고, 즐기고, 절대 놓아주지 마라.

문제는 많은 사람들이 근심 걱정을 잊고 스스로를 즐기는 방법을 모른다는 것이다. 우리는 잊어버리는 것, 내버려두는 것을 할 줄 모른다. 허섭스레기들을 버리지 못하고 다락에 쌓아놓는 어리석은 사람처럼 우리는 과거에 매달려 있다.

우리는 적들을 내보내지 못한다. 걱정, 신경질, 분노 같은 전혀 도움이 되지 않는 것들을 발로 뻥뻥 차서 문 밖으로 내보내지 못한다.

너무도 단단하게 움켜쥐고 있어 그런 것들을 버리는 것이 세상에서 가장 어려운 일이다. 걱정이나 근심 같은 무서운 해골들이 끊임없이 우리 마음을 들락날락하며 우리를 화나게 하고 불안 초조하게 하여 우리는 결코 마음 편하게 쉬지 못한다.

많은 사람들이 쓸모없는 짐으로 자신의 등을 고단하게 만든다. 지구상에서 결코 쓸 일이 없는, 그저 우리의 힘만 짜내고, 우리를 피곤하게만 만드는 짐을 짊어지고 다닌다.

만일 가치 있는 것만 가지고 나머지 쓰레기들, 즉 쓸모없는 것, 어리석은 것, 방해되는 것들을 버리는 방법을 배운다면 우리는 발전할 수 있을 뿐만 아니라 삶이 더욱 행복하고 조화로워지는 것을 깨닫게 될 것이다.

오/늘/나/는/

🌱 **항복할 것이다. 스트레스를 느끼지 않을 것이다.**

사태가 걷잡을 수 없고 해결할 수 없는 것처럼 보일 때, 손을 들어 올리고 다음과 같이 말해도 좋다. "좋아, 오늘은 그만!" 꿈쩍도 하지 않는 문제를 해결하려고 끊임없이 노력하지 마라. 결국에는 스스로를 매질하는 꼴이 될 것이다.

🌱 **필요하다면 도움을 구할 것이다.**

해답을 모두 알아야 할 필요는 없다. 완벽해질 필요도 없다. 다른 사람에게 도움을 구하라. 완벽해야 한다는 부담감도 없어지고, 동시에 다른 사람에게 뿌듯함을 안겨줄 수 있는 기회가 될 테니까.

🌱 **실패란 인내력이 부족해서가 아니라, 가끔은 과감하게 떨쳐버리는 태도가 부족해서임을 스스로에게 상기시킬 것이다.**

17

주어진 행복을 한껏 누려라

오늘을 내 것이라고 말할 수 있는 사람만이 행복하다.
내일이 아무리 힘들지라도 오늘을 산다고 말할 수 있으니까.

– 드라이든

　만일 다른 행성에 사는 사람이 지구를 방문한다면, 진정한 의미
에서의 오늘, 현재를 살고 있는 사람들이 거의 존재하지 않음을 발
견하게 될 것이다. 오히려 그들은 지구인들의 시선이 앞으로 다가
올 무엇인가에 고정되어 있음을 알게 될 것이다. 지구에 사는 사람
들은 오늘에 정착하지 않았다. 진짜로 현재를 살고 있지 않다. 사
업이 더 잘되고, 행운이 다가올 내일, 미래에 대해서만 얘기한다.
새 집으로 이사 가고, 새 가구나 새 차를 사고, 현재를 괴롭히는 사
건들을 처리하고, 삶을 편안하게 해줄 모든 것을 갖추게 될 미래에

대해서만 얘기한다. 그때가 되어서야 사람들은 행복해질 것이다. 사람들은 오늘을 즐기며 살고 있지 않다.

우리의 눈은 미래, 성취해야 할 목표에만 너무 단단하게 고정되어 있어서 주변의 아름다움과 기쁨을 보지 못한다.

"우리는 항상 앞만 보고 산다. 사람들은 내년, 내후년에 일어날 일만을 생각하느라 그들이 살고 있는 바로 여기에서 일어난 화재를 보지 못하고 결국 싸늘한 시체가 되어버린다"라고 에벤은 말했다.

기대를 하며 사는 데에 너무 익숙해져서 우리의 눈은 가까운 곳이 아닌 멀리 떨어진 곳에만 초점을 맞출 수 있게 된 것 같다. 우리는 지금, 여기서 즐길 수 있는 힘을 잃어버린 채 내일을 위해 살고 있다. 그리고 "그 내일이 와도, 내일은 여전히 내일이다."

우리는 무지개를 좇는 아이들과 같다. 만일 무지개를 잡을 수만 있다면 얼마나 행복할까! 우리는 우리가 이미 오래전부터 가장 멋진 삶을 살고 있다는 사실을 결코 믿지 않으며, 항상 앞으로 행복한 시간이 올 것이라고 기대한다. 기다리는 동안 우리는 공중누각을 지으며 시간을 허비한다.

다른 행성에서 온 방문자는 또한 과거를 사는 사람들도 발견할 수 있을 것이다. 많았지만 잃어버린 기회, 이미 지나가버린 수많은 가능성……. 시간을 되돌린다 해도 그것들을 가지고 무엇을 할 수 있겠는가!

행복해지기 위해서는 불쾌한 기억을 떠오르게 하는 모든 것을 지우고, 묻어두고, 잊어야 한다. 이런 것들은 실수와 불행을 바로

잡는 데에 필요한 활력을 빼앗아버릴 뿐 아무짝에도 쓸모없다.

왜 과거에 연연하고, 실수를 곱씹고, 부자가 될 수 있는 기회를 놓쳤다고 후회하고, 모든 것을 자신의 탓이라고 여기며 스스로를 비참하게 만드는가?

과거의 실수나 이미 지나가버린 것들을 비판하고 후회하면서 항상 자신을 탓하는 사람치고 가치 있는 업적을 이룬 사람을 나는 한 번도 본 적이 없다.

성공하는 삶을 살려면 젖 먹던 힘까지 다해서 모든 에너지를 모아야 한다. 과거에 집착한다면 현재에 효과적으로 에너지를 집중할 수 없다.

변화시킬 수 없는 것에 힘을 쓰는 것은 낭비일 뿐만 아니라 불행한 실수를 바로잡고 미래를 성공으로 이끌 여력까지 빼앗아간다. 후회하는 시간은 낭비하는 시간보다 더 나쁘다. 과거가 아무리 불행하고 암울해도, 반드시 극복해야 하고 또한 극복할 수 있다.

암담하고, 위협적이고, 한탄스러운 마음속의 영상을 꼼짝 못하게 묶어둬라. 그것들은 현재에서 좋은 일을 하지 못하도록 당신을 방해하고, 무능하게 만들 뿐이다. 잘못 판단했던 것들을 기억에서 지워버려라. 모욕을 당하고 불리하게 몰렸던 불행한 경험을 잊어라. 큰 실수를 마음에서 몰아내고 앞으로 더 잘하겠다고 결심하라.

과거의 해골, 그 끔찍스러운 이미지, 어리석은 행동, 불행한 경험을 계속 끌고 다니며 오늘을 방해하고 망치는 일보다 더 어리석고 끔찍한 것은 없다. 당신은 지금까지 계속 실패만 했을지도 모른다. 하지만 당신이 과거를 잊을 수만 있다면, 과거와 단절하고 영원히 문을 닫아걸고 새로 시작할 수만 있다면 미래에는 놀랄 만큼 잘할 수 있다.

과거가 아무리 불행했다 하더라도 잊어라. 만일 과거가 현재에 그림자를 드리운다면, 우울함과 의기소침함을 야기한다면, 당신에게 도움이 되지 않는다면 그것을 기억할 이유는 단 한 가지도 없다. 그러나 그것이 절대 부활하지 못하도록 마음속 깊이 묻어버려야 할 이유는 천 가지도 더 된다.

인간이 해온 가장 어리석고 허무한 일 중 하나가 과거의 것이든 미래의 것이든 변화할 수 없는 것을 변화시키려고 헛되이 노력하는 것이다. 과거의 불행한 실수와 씁쓸한 경험을 잊지 못하면서 미래에 잘되기를 바란다면 행복해질 수 있는 기회는 저 멀리 사라진다.

만일 우리가 행복하다면 그것은 현재의 속상하고, 슬프고, 낙심되는 상황 속에서 행복을 만들어냈기 때문이다. 몸부림, 좌절, 불안, 분노, 실망이 교차하는 일상에서 행복해지는 법을 배우지 못한 사람들은 삶의 중요한 비밀을 놓친 것이다. 우리가 인생의 꿀을 찾을 수 있는 곳은 바로 일상의 의무, 삶의 스트레스와 긴장, 물건을 사고 파는 시장판이다.

이 세상은 아직 발굴하지 못한 기쁨이 묻힌 광산이다. 어디를 가든 우리가 파내겠다고 결심만 한다면 온갖 종류의 행복을 찾을 수 있다.

"중요성만 이해한다면 모든 것은 가치가 있다. 인생을 살아가는 동안 느끼는 행복의 절반은 사소한 것에서 비롯된다."

당신이 지금 허비하는 시간이 한때 과거에는 간절히 바라고 소중하게 여겼던 바로 그 시간이라는 사실을 한번이라도 생각해보았는가? 지금 당신에게 버겁게 느껴지는 이 순간이 과거에는 가능성 있는 것들을 모두 뽑아내기 전까지 절대 놔주지 않겠다고 결심했던 바로 그 순간임을 알고 있는가?

망원경으로 볼 때는 낙원처럼 보이던 경치가 지금은 왜 황량한 사막으로 느껴지는가? 시각이 왜곡되었기 때문이다. 잘못된 관점에서 사물을 바라보고 있기 때문이다. 당신은 실망하고, 불만스러워하고, 불행하다. 왜냐하면 오늘에 이르러, 무지개 아래에 놓여 있다고 믿었던 전설적인 보물 단지를 발견할 수 없었기 때문이다. 그리하여 커다란 실망감에 당신은 운명을 슬퍼하고, 시간을 낭비해버린다. 제대로 이용하기만 한다면 사막처럼 보이는 현재를 이제껏 꿈꿔온 것과 같은 낙원으로 만들 수 있는 시간을 말이다.

삶과 시간은 분리될 수 없다. 왜 우리는 시간을 아무 생각 없이 마구 낭비하는가? 특히 젊을 때 말이다. 낭비한 시간은 삶과 분리되지 않는다. 시간을 낭비하는 것은 인생을 낭비하는 것이다. 시간을 현명하게 사용한다면 당신의 삶은 반드시 좋아진다.

하지만 많은 사람들이 삶과 시간이 같은 것이라는 사실을 알지 못한다. 사람들은 온갖 어리석은 짓을 하며 심지어 방탕하게 시간을 소비하면서도 인생을 낭비하는 것이 아니라고 생각하는 것 같다. 기억하라. 만일 하루 저녁 또는 하루 밤낮을 의미 없이 보낸다면, 또는 인격을 파괴하고 사악한 습관으로 끌어들이는 쾌락에 빠져 보낸다면 당신은 고의로 당신의 삶을 저버리는 것이나 다름없다. 노인이 되었을 때, 당신은 낭비해버린 그 소중한 시간을 되찾을 수만 있다면 무엇이든 내주겠다고 할 것이다.

대다수의 삶이 실속 없고, 빈곤하고, 실망스럽고, 비효율적인 이유는 그들이 오늘 안에서 살고 있지 않기 때문이다. 활력, 야망, 관심, 열정을 우리가 살고 있는 바로 오늘에 집중하지 않기 때문이다.

진정한 오늘을 살 수 있는 유일한 방법이 있다. 매일 아침, 그날 하루를 최대한 이용하겠다고, 열심히 살겠다고 굳게 결심하며 시작하는 것이다. 무슨 일이 일어나든 그날 하루의 모든 경험에서 좋은 어떤 것, 당신을 현명하게 만들고, 내일 실수를 덜 하게 하는 요령을 보여줄 어떤 것을 뽑아내겠다고 결심하라. 스스로에게 말하라.

"오늘 나는 새로운 삶을 시작할 거야. 내게 고통, 슬픔, 불명예를 안겨다준 과거는 모두 잊을 거야."

언젠가 잘 살게 되었을 때, 결혼했을 때, 아이가 자랐을 때, 어려움을 극복했을 때가 아니라 바로 오늘을 성실하게 살겠다고 매일 아침 결심하라. 원하는 목표를 다 이룰 수는 없다. 인생에서 짜증나고 골치 아프고 불화를 야기하는 것들을 모두 제거할 수는 없다. 절대로 행복의 소소한 적들, 하찮은 두통거리들을 모두 뿌리 뽑을 수는 없지만 그것들 자체를 가장 잘 이용할 수는 있다.

이상적인 환경에서 행복을 만드는 것으로는 충분치 않다. 그런 일은 누구든 할 수 있다. 최악의 환경에서 자제심이 강하고 침착한 자세로 행복을 만드는 것이 보다 가치가 있다. "낙원은 바로 여기다. 이곳에서 기쁨을 얻지 못한다면 다른 어느 곳에서도 찾을 수 없다."

대단한 것, 비범한 것만을 너무 강조하고 지나치게 추구하는 태도가 문제다. 우리는 인생길 곳곳에 피어 있어 달콤함과 편안함, 그리고 기쁨을 주는 평범한 꽃을 그냥 지나친다. 이상적인 환경이 아닌 있는 그대로의 환경에서 행복을 이끌어낼 수 있는 사람만이 진정 행복하다. 이런 비밀을 아는 사람은 이상적인 환경을 기다리지 않는다. 그들은 1년 후, 10년 후, 부자가 되었을 때, 해외를 여행할 수 있을 때, 거장의 작품으로 집안을 장식할 수 있을 때까지 기다리지 않는다. 그들은 자신들이 있는 바로 이곳, 오늘의 삶을 가장 잘 이용하려고 노력할 뿐이다.

남편과 한 자녀, 그리고 친척 대부분을 잃은 여인이 있었다. 그녀의 환경은 이상적인 것과는 너무 거리가 멀었다. 그녀는 차라리 죽게 해달라고 기도한 적도 있었다. 하지만 그녀는 끔찍한 환경을 극복하고 사막을 젖과 꿀의 땅으로 일구는 방법을 발견했다. 수많은 고통을 겪으면서 다른 사람들을 위로하는 법을 배웠던 것이다. 곧 그녀는 다시 명랑하고 행복해졌다. 세상은 그녀가 생각했던 것만큼 황량하지도 절망적이지도 않았다. 그녀의 위로를 필요로 하는 사람들이 너무도 많았던 것이다.

오늘 스스로를 즐기겠다고 결심하라. 오늘을 즐겨라. 그리고 내일의 흉측한 그림자에게 행복해질 수 있는 권리를 절대로 넘겨주지도, 빼앗기지도 마라.

매일 아침 자신과 간단한 대화의 시간을 마련하여 이렇게 말하라.

"오늘 하루가 어떻게 진행되든 내가 확신하는 것은 단 한 가지다. 오늘을 최대한 이용하겠다는 것이다. 어느 것도 내 행복, 완전한 하루를 살 수 있는 권리를 빼앗아가도록 내버려두지 않을 것이다.

무슨 일이 벌어지든 상관없다. 오늘 발생할 어떤 분노, 혹은 좋지 않은 사건이나 상황에도 마음의 평화를 빼앗기지 않을 것이다. 무슨 일이 일어나든 오늘을 불행하게 여기지 않을 것이다. 오늘 하루를 최대한 즐기고, 철저하게 살아낼 것이다. 오늘이 내 인생에서 완벽한 하루가 되도록 만들 것이다. 행복의 적이 오늘을 망치도록 방관하지 않을 것이다.

과거의 불행이나 불쾌하고 비극적인 기억, 행복과 능률을 방해하는 어떤 것도 오늘 내 영혼의 성스러운 영역에서 손님이 되지 못한다. 오직 행복한 생각, 기쁜 생각, 평화와 위안과 행복과 성공의 친구들만이 오늘 내 영혼 안에 머물 것이다. 어떤 적도 내 마음의 벽에 끔찍한 사인을 휘갈겨 쓸 수 없다. 행복의 친구들을 제외하고 모두 '입장 불가'다. 칙칙하고 음울한 그림들을 내리고, 나에게 용기를 주고 나를 명랑하게 만들고 내 힘을 증가시키는 기쁨의 그림을 걸겠다. 이제까지 내 삶을 불행하고 불편하게 만들었던 모든 것을 적어도 오늘만큼은 몰아낼 것이다. 그러면 밤이 되어 '오늘을 잘 살았다'고 말할 수 있다."

매일 아침을 이렇게 순수하고, 새롭고, 낙천적인 태도로 시작한다면 곧 삶을 대하는 태도에 큰 변혁이 일어나고, 당신의 힘은 엄청나게 증가할 것이다. 그 힘은 두뇌에 활력을 주어 뇌 조직에 새로운 생각의 관管을 만들고, 새로운 행복 습관을 위한 길을 만든다.

어떤 일을 해내든, 아니면 하지 못하든 행복하게 살겠다고, 매일 당신을 찾아오는 기쁨을 빼앗기지 않겠다는 무언의 약속으로 하루를 시작하라. 크고 작은 사건들이 당신을 힘들게 하더라도 행복과 평안함을 그것에 방해받지 않겠다고 결심하라.

어제는 사라졌음을 명심하라. 내일은 아직 다가오지 않았음을 기억하라. 당신에게 속한 유일한 시간은 지금 바로 이 순간이다. 오늘 주변에 울타리를 치고, 그 안에서 살아라. 과거는 힘들고 슬프고 잘못되었더라도 이미 끝난 일이다.

한 시간을, 60분만 살고 죽어버리는 꽃으로 여겨라. 지금 그 꽃들을 감상하지 못한다면 다시는 기회를 얻지 못한다.

그렇다. 새로운 꽃이 피겠지만 이 꽃은 지금, 이 순간에만 즐길 수 있을 뿐이다.

🌱 정신을 똑바로 차릴 것이다. 지금, 여기 내 주변에 있는 기쁨을 놓치지 않을 것이다. 내게 기쁨을 선사하는 크고 작은 순간들을 즐길 것이다. 바로 이 순간, 의미를 찾으려 애쓰는 내 주변의 생명들을 찾아 관심과 사랑을 줄 것이다.

🌱 과거는 지났고 미래는 아직 오지 않았음을 기억할 것이다.
어제 있었던 기회는 사라졌다. 하지 않겠다고 결심했던 말들은 이미 내 입에서 나갔다. 그러나 지나가버린 행복한 순간뿐만 아니라 후회 또한 오늘의 교훈이 될 수 있다. 워즈워스는 이렇게 말했다. "한때 그렇게도 밝았던 광채가 이제 영원히 사라진다 해도, 풀의 광휘와 꽃의 영광의 시절을 다시 돌이킬 수 없다 해도, 우리 슬퍼하지 않으리라. 차라리 뒤에 남은 것에서 힘을 찾으리니."

🌱 "지금을 살고 있지 않다면 언제를 살 것인가"라고 스스로에게 물을 것이다.
만일 오늘에서 행복한 순간을 얻지 못한다면, 어떤 순간에서 행복을 얻을 수 있단 말인가?

🌱 **어제를 떠나보낼 것이다.**

매일은 새로운 시작이다. 아무리 많은 실수와 잘못을 했더라도 오늘은 새로운 시작이 될 수 있다. 베드로가 예수에게 지은 죄를 일곱 번 사함 받을 수 있느냐고 물었을 때, 예수는 아니라고 대답했다. 일곱 번이 아니라 '일흔 번을 일곱 번' 사함받을 수 있다고 대답했다. 당신도 마찬가지다. 과거에 잘못했다고 생각하는 것에 대해 스스로를 '일흔 번을 일흔 번' 용서하고 잊어버려라. 그 누구도 완벽하지 않다. 모두가 실수를 한다. 오늘은 새로운 시작이 될 수 있다.

🌱 **오늘을 오직 24시간만 피어 있는 꽃이라고 생각할 것이다.**

당신은 그 꽃의 아름다움을 감상할 수 있고, 향기를 들이마실 수 있다. 다른 사람에게 선물할 수도 있고, 아름다움을 함께 나눌 수도 있다. 또는 못 본 척 무시할 수도 있다. 선택은 당신 몫이다. 당신이라면 어느 쪽을 고르겠는가?

18

인생을 너무
심각하게 받아들이지 마라

만일 사람이 항상 심각하고 놀이나 휴식을 취하지 않는다면
자신도 알지 못하는 사이에 미치거나 불안정하게 될 것이다.

– 헤로도토스

우리는 얼마나 빨리 삶을 소진해버리는가! 우리는 모든 것을 헐떡거리며 서둘러 쫓아간다. 길거리에서 만나는 모든 사람들이 마치 약속에 늦은 것처럼 보인다. 달걀을 바라보며 '닭이 되어 울기를 기다리는' 어느 중국 현자처럼 되었다.

"만일 예전부터 근심과 의심이 사람들의 얼굴에 그렇듯 분명하게 나타났다면, 유아원에서 이미 노년기가 시작됐을지도 모른다"라고 에머슨은 말했다. 우리는 인생을 너무 심각하게 받아들인다. 재미의 절반도 즐기지 못하고 있다.

직장 동료들을 둘러보라. 그들은 마치 경찰이나 탐정에게 쫓기는 용의자처럼 불안한 표정으로 고개를 들어 째깍거리는 시계를 바라보고, 아직 남아 있는 업무를 헤아린다. 우리는 언제나 지나치게 걱정에 매달린다. 일을 너무 심각하게 여겨, 마치 우주 전체가 우리가 일한 결과에 달려 있는 것처럼 보인다.

많은 사람들이 교회나 절을 찾는 일주일의 단 하루조차 꽃과 나비를 비롯하여 사시사철 아름다운 것들을 창조한 신을 위한 기도를 듣는 대신 단조短調의 설교를 듣는다. 곧 사람들을 낙담시키고 우울하게 만들고, 우리의 잘못이나 단점, 죄악에 대한 메시지로 가득 찬 설교를 듣는다. 믿음의 본질은 의기소침하게 하거나 비난하는 것이 아니라 정신을 고양하고 용기를 주고 칭찬하는 것이다. 우리 모두는 각자 맡은 무거운 짐이 있다. 따라서 우리 마음속에 어둡고 우울한 그림을 강요하는 사람은 필요하지 않다.

"항상 극락조極樂鳥인 척하면서, 살아가는 동안 내내 불평하는 친구들을 멀리하라"고 헨리 워드 비처는 말했다.

"어떤 사람들은 같이 슬퍼하는 것이 고통받는 사람들을 위로하는 길이라고 생각한다. 절대 인간의 영혼에 영구차를 몰고 오지 마라"고 탈마지는 충고했다.

왜 삶을 그렇게 심각하게 사는가? 놀이는 건강을 증진시킬 뿐만 아니라 용기, 결단, 외양, 효율성을 놀라울 정도로 높여준다. 놀이는 당신이 선택할 수 있는 가장 빈틈없고 이익이 되는 사업 정책이다.

어떤 사람은 우리가 너무 심각한 자세로 삶에 임하고, 놀이를 충분히 즐기지 못하고 있음을 깨닫기 시작했다. 만일 당신이 일에 너무 열중하여 건전한 놀이를 통해 삶과 건강을 향상시킬 수 없다면 이는 너무 바빠 연장을 날카롭게 만들 시간을 낼 수 없는 노동자와 같다.

몸과 마음을 인내의 한계까지 몰아가며 여러 시간 일함으로써 더 많은 것을 성취할 수 있다는 믿음보다 더 큰 환상은 없다. 정신이 몹시 긴장되고 피곤할 때, 활력을 되찾을 만큼 충분히 기분전환을 하지 못했을 때 능률과 집중은 기대할 수 없다. 더 많이 일하면 일할수록 더 많은 것을 성취할 수 있다고 생각하는 것은 위험하다. 일의 결과는 그것에 소요된 시간이 아니라 효율성에 달려 있다. 효율성은 일뿐만 아니라 놀이를 통해서도 향상된다. 놀이에는 또한 기분전환이라는 중요한 요소가 포함되어 있다.

인생을 진지하게 대해야 한다는 생각은 대체 어디서 나왔을까? 사람들은 "저리 비켜. 하찮은 문제를 다루기에 인생은 너무 크고 버거워"라고 말하는 법을 언제, 어디서 배운 걸까? 왜 우리는 생계의 노예가 되어야 하는 걸까? 하루하루를 재미있게 보내면서도 의미 있는 삶을 살고, 게다가 돈도 많이 벌 수 있어야 한다. 항상 일에 매달려 살아야 하며 휴가는 아주 가끔 즐기면 된다는 생각은 아주 잘못된 것이다. 만일 우리가 분별력이 있다면, 진정한 삶이 무엇인지 안다면 매일매일이 휴가이고, 기쁨의 나날이며, 행복의 나날이 될 것이다.

가장 기쁘고 즐거운 순간에도 왜 수많은 사람들이 다모클레스의 칼('신변에 닥칠 위험'을 뜻함. 디오니시우스가 자신의 영화를 부러워하는 다모클레스를, 천장에 머리카락 하나로 칼을 매달아놓은 바로 밑에 왕좌에 앉혀, 왕에게는 항상 위험이 따름을 알렸다는 전설에서 유래함-옮긴이)을 걸어두는가? 아주 가느다란 머리카락으로 묶여 있어 언제 행복한 순간을 관통할지 모르는 그 칼을 말이다. 왜 사람들은 항상 눈 깜짝할 사이에 기쁨이 산산조각 날지도 모른다는 생각을 하며 살아야 하는가? 향연이 벌어질 때마다 왜 해골의 존재를 의식하는 듯 보여야 하는가?

인생은 우리에게 시지푸스의 경우처럼 끝없는 고생이 아니라 즐거움이다. 생계를 유지하는 문제는 인생이라는 큰 틀에서 작은 부분에 지나지 않는다.

여가활동이나 놀이 없이 조화로운 삶을 유지하는 것은 불가능하다. 하지만 반드시 오랫동안 놀아야 하는 것은 아니다. 단 한 시간의 놀이가 피로에 지친 영혼에 얼마나 놀라운 마술을 부리는가! 고된 일과로 몸이 지치고 머리는 활력을 잃었을 때, 가족이나 친구와 함께하는 단 한 시간의 휴식이 얼마나 마음을 편안하게 하고 활력을 되찾아주는지, 경험한 적이 없는가?

즐거운 시간을 가지면 당신은 하루를 더욱 활기차게 시작하고 끝맺을 수 있게 되고, 더욱 희망적이 되며, 더욱 달콤한 잠을 이룰 수 있다.

매일, 항상 유쾌하게 지내라. 그것이 가장 확실한 방법이다. 행복의 순간을 뒤로 미루지 마라.

기억하라. 고단한 삶에서 푹신한 의자는 반드시 있어야 할 필수품이다.

기억하라. 세상에는 돈 버는 일보다 더 중요한 것들이 있다. 죽음에 임박했을 때 생명, 가족, 우정 등은 돈을 벌기 위해 허비한 시간보다 수천 배는 더 중요한 의미를 가지고 있다.

오/늘/나/는/

🌱 **심각한 문제가 생기더라도 그 안에서 유쾌한 부분을 찾거나 농담을 할 것이다.**
코미디언들은 주변 모든 것에서 농담할 거리를 찾아낸다. 큰 사건이나 누군가의 약점, 심지어 그들 자신과 관련해서까지……. 그런 우스갯소리를 들으면 우리는 큰 소리로 웃는다. 당신이 코미디언이라고 생각하라. 모든 상황에서 재미있는 요소를 찾아라.

🌱 **나만의 큰 뜻을 품을 것이다. 하지만 다른 사람들을 위압할 정도로 너무 심각하게 그런 생각을 표현하지는 않겠다.**
무엇인가를 열정적으로 믿는 것은 좋다. 또한 진지하게 받아들이는 태도도 바람직하다. 그러나 강력한 주장에 위협을 받았다고 느끼면 사람들은 절대 호응하지 않는다.

🌱 **매사를 심각하게 받아들인다면 하루를 끝마칠 때 만족감과 성취감은 느끼겠지만 행복한 순간은 없을 것임을 스스로에게 상기시킬 것이다.**

19

유쾌함은 우울함을 이긴다

마음의 즐거움은 얼굴을 빛나게 한다.
마음이 즐거운 자는 항상 잔치하느니라.

– 「잠언」 15장 13절

항상 불평하고, "만일" "그러나" "내가 그렇게 말했잖아"와 같은 말을 연신 내뱉는 사람들, 힘든 삶과 불행을 탓하는 사람들을 우리는 멀리한다. 대신 태양이 있든 없든, 햇빛을 용케 찾을 수 있는 사람들에게 이끌린다.

"쾌활함은 놀랄 만큼 강한 힘을 가지고 있다. 그것의 인내력은 한계를 뛰어넘는다. 노력 또한 유쾌할 때만 유용하다. 기쁨 때문에 밝고 우아한 영혼은 아름답다"라고 칼라일은 주장했다.

사는 것은 즐거움이 아니라 실망이라는 표정으로 돌아다니는 것은 참으로 절망적인 태도다. 그러나 몇몇 사람들은 비뚤어지고, 사악하고, 불쾌한 면만을 보는 데 천재적인 기질을 가지고 있다. 그들은 늘 어긋난 키를 조율하는 데 재능이 있다. 그들은 최고의 악기에서 불협화음만을 이끌어내어 항상 회의적인 가락만 들리게 한다. 그들의 노래는 항상 단조다. 모든 것을 아래로 내려다본다. 그들의 그림에는 그림자만 가득하다. 밝고, 유쾌하고, 아름다운 것들이 없다. 표정은 항상 우울하다. 항상 힘들고 항상 가난하다. 그들이 가진 모든 것은 점점 줄어들고 만다. 삶에서 확장하고, 자라고, 넓어지는 것은 아무것도 없다.

활기찬 영혼을 환영하는 것은 얼마나 즐거운 일인가! 아무리 바빠도 그것들을 볼 시간은 있다. 햇빛만큼 환영받아야 할 것은 아무것도 없으니까.

"명랑한 마음은 스스로 파란 하늘을 만들어낸다"라는 말이 있다. 정말 옳은 얘기다. 우리 모두는 즐거울 때 하루가 얼마나 행복한지 잘 알고 있다. 태양과 꽃조차 우리의 기쁨을 반영하는 듯 보인다. 반대로 우리가 우울할 때 자연도 같은 표정을 띤다. 물론 자연에는 변화가 없지만, 우리에게 보이는 변화는 엄청나다.

에머슨은 이렇게 말했다.

"벽에 우울한 그림을 절대로 걸지 마시오. 대화에서 우울함을 다루지 마시오."

우리는 불화가 아닌 조화를 표현하도록 창조되었다. 미美, 진리, 사랑, 행복, 건강, 완전을 표현하도록 창조되었다. 마음의 신전은 우리를 슬프게 하는 것들을 보관하라고 있는 것이 아니다. 고상한 목적, 원대한 야망, 숭고한 염원을 보관하라고 있는 것이다.

우울해지는 것을 거부하라. 기운을 내라! 걱정을 떨쳐라. 그것들을 생각하지 마라. 인생의 밝은 면만 생각하라. 차축車軸이나 경첩의 끽끽거리는 소리를 없애는 데는 오직 한 방울의 윤활유면 족하다. 한 줄기 햇빛이 그림자를 몰아낸다.

당신이 가진 좋은 것에 감사하면서 명랑하게 살아라. 눈앞에 어떤 함정이 있어도, 아무리 가난하고 불행해도, 활기차고 낙천적인 태도를 잃지 않는다면 절대 실패한 것이 아님을 명심하라. 희망이 죽었다는 사실을 광고라도 하듯 우울한 얼굴로 돌아다닐 때에 인생은 실망으로 변한다.

빈곤조차 유쾌하게 만들고, 불행에서 밝은 면을 찾아낼 수 있다면, 이 얼마나 놀라운 재능인가! 건강하고 성공했을 때 밝고 낙천적이 되는 것은 쉽다. 그러나 건강이 나쁘거나 주변 상황이 안 좋을 때 그렇게 되려면 영웅적인 자질이 필요하다.

잔소리가 심하거나 짜증을 잘 내는 사람들과 원만하게 지내는 능력을 계발하라. 하느님이 자신에게 다른 사람의 결점과 잘못을 알아내라는 임무를 주었다고 믿는 듯한 사람들 앞에서 침착함을 유지하는 것은 유쾌한 재능이다. 심지어 화염 속에서도 명랑하고, 침착하고, 희망적일 수 있는 능력을 가져라.

〈뉴욕 트리뷴〉지에 실린 신랄한 기사에 화가 난 어느 남자가 편집장을 찾아왔다. 남자는 머리를 숙이고 무엇인가 열심히 쓰고 있는 호라스 그릴리에게 안내되었다. 화가 난 남자는 당신이 그릴리 편집장이냐고 물었다.

"그렇습니다, 선생님. 무슨 일이십니까?"

편집장은 종이에서 눈을 떼지 않고 재빨리 대답했다. 그러자 화가 난 남자는 체면도 가리지 않고 마구 욕을 퍼붓기 시작했다. 그동안에도 편집장은 계속 글을 썼다. 얼굴 표정 하나 변하지 않고, 욕을 하는 사람에게 전혀 관심을 보이지 않고 맹렬한 속도로 페이지를 넘겨가며 계속 글을 썼다. 마침내 욕설이 난무하던 20분의 시간이 지나자, 화를 내던 남자는 넌더리를 치더니 사무실 밖으로 걸어 나가기 시작했다. 그러자 그릴리는 그제야 고개를 들고, 의자에서 벌떡 일어나 남자의 어깨를 잡았다. 그러고는 유쾌한 말투로 말했다.

"가지 마십시오, 선생님. 앉으세요, 앉아서 툭 터놓고 말씀하세요. 그러면 기분이 좋아지실 겁니다. 게다가 제가 앞으로 쓸 기사에도 도움이 될 겁니다. 가지 마십시오."

당신은 불행하고 비참하게 살아가는가? 자주 짜증을 내서 사람들의 평온을 파괴하는가? 그렇다면 모든 사람과 모든 것에 기뻐하는 기술을 배워라. 꿀벌처럼 모든 것에서 꿀을 채취하라. 모든 경험에서 이익을 얻는 습관을 만들어라. 당신은 만나는 모든 사람에게서 삶을 풍요롭게 하는 유익한 것들을 얻을 수 있다. 어떤 경험이든 그것에는 누군가를 돕는 그 무엇이 있다. 당신이 도움을 줄 수도 있다.

어느 여성 사업가는 자신이 실행한 흥미로운 실험에 대해 이렇게 말했다.

"어느 날 아침, 명랑한 생각의 힘을 실험해보기로 결심하고 출근길에 나섰습니다.(그 전까지 나는 언제나 우울하고, 뾰루퉁하고, 낙담한 상태였지요.) 그때 내 자신에게 말했습니다. '행복한 정신 상태가 표정에 큰 영향을 미치는 것을 자주 보았다. 그러니 나도 한번 실험해보자. 나의 명랑함이 다른 사람에게 영향을 주는지 한번 알아보자.' 나는 항상 호기심이 많았으니까요. '나는 행복하다, 세상이 내게 잘 대해준다'라고 생각하며 걷고 있는데, 갑자기 나에게 엄청난 변화가 느껴졌어요. 더욱 똑바른 자세를 유지하게 되고, 발걸음이 가벼워지고, 허공을 걷는 듯한 느낌이 들었어요. 얼굴에는 미소가 번지고 있었고요. 지나가는 여성들의 얼굴을 보았습니다. 걱정과 불만으로 가득 차 있더군요. 그 모습을 보니, 그들에게 가서 내 마음에 가득한 햇빛을 아주 조금이라도 나눠주었으면 좋겠다는 생각이 들었습니다.

사무실에 도착하자마자 경리 직원에게 농담을 건네며 인사했습니다. 다른 때라면 아마 엄두도 못 냈을 거예요. 난 천성적으로 유머감각이 뛰어난 사람은 아니니까요. 그렇게 해서 하루를 유쾌하게 시작할 수 있었습니다. 경리 직원도 미소 지었습니다. 사장님은 아주 바쁘고 걱정이 많은 사람이었습니다. 평소에 나는 사장님이 무심코 하는 말에 상처를 받곤 했습니다. 하지만 오늘은 어떤 말에도 상처받지 않겠다고 굳게 결심하고 사장님의 질문에 밝은 표정으로 대답했습니다. 그러자 사장님의 찌푸려졌던 눈살이 펴졌습니다. 유쾌한 관계가 또 하나 이루어진 겁니다. 그리고 하루 종일 어떤 먹구름도 나와 주변의 아름다움을 망가뜨리지 못하도록 노력했습니다.

집에서도 그렇게 했습니다. 전에는 식구들에게 소외감을 느끼고 그들이 나를 이해해주기를 바랐는데, 명랑함을 실천한 뒤로는 친밀감과 정을 느낄 수 있었습니다. 문제를 심각하게 받아들이지 않으면 사람들과 타협할 수 있을 겁니다.

그러니까 만일 세상이 당신에게 친절하지 않다고 생각된다면 하루라도 더 빨리 스스로에게 다음과 같이 말하세요. '모든 일이 항상 내 뜻대로 되지 않더라도 내가 마주치는 모든 사람에게 밝은 햇빛을 선사하겠다.' 그러면 주변에 행복이 꽃처럼 피어나는 것을 알게 될 겁니다. 게다가 무엇보다도 신이 주는 평화가 당신의 영혼에 머물 겁니다."

행복의 연금술을 개발하는 것보다 더 유익한 습관은 없다. 그런 습관은 지루한 이야기를 멋진 시로, 추함을 아름다움으로, 불화를 화합의 선율로 변화시킬 것이다. 돈에 목마른 사람보다 사랑, 동정, 유쾌함에 목마른 사람이 더 많다. 행복의 연금술로 당신은 모두에게 그들이 바라는 것을 줄 수 있다.

"행복, 웃음, 명랑함! 길가의 장미처럼 사방에 피어나도록 가는 곳마다 그것들을 마구 뿌리시오. 마음에 들지 않는 곳에 그것들을 나눠주시오. 비난과 교환하고, 불평과 대체하시오. 오전에 쇼핑 친구에게 주고, 정오에 애인에게 주시오. 사무실에도 나눠주고, 편지에도 동봉하시오. 아픈 사람들에게 가져다주고, 위로받지 못한 사람들에게 주시오. 어디를 가든 항상 세상의 쓸쓸한 거리와 싸늘한 벽난로를 따뜻하게 만드시오"라고 어떤 작가는 썼다.

삶의 모든 좌절을 거부하고, 재난 앞에서 웃을 수 있는 명랑한 성격은 성스러운 재능이다. "운명은 명랑한 사람에게 많은 것을 양보해야 한다."

웃음으로써 불행을 떨쳐버릴 수 있는 능력은 솔로몬 왕의 보고賣庫보다 훨씬 더 가치 있는 재산이다.

그리고 우리 모두가 손을 뻗을 수 있는 곳에 쌓여 있는 재산이기도 하다.

오/늘/나/는/

🌱 하루 종일 즐거워할 것이다. 어디에 가든 무엇을 하든 즐거움을 단단히 부여잡고 있을 것이다. 명랑함은 인생의 슬픔을 위로하는 진통제이므로.

🌱 해시계의 좌우명을 채택할 것이다. "태양의 시간만을 기록한다."

🌱 다음을 기억하겠다. 선함은 악함을 배척한다. 명랑함은 침울함을 막는다. 동기動機와 애정은 쓰면 쓸수록 커진다. 선함은 악함의 경쟁상대가 되지 못한다.

🌱 경험에는 누군가를 도울 수 있는 어떤 것이 있다는 사실을 기억하겠다. 이것은 모든 경험이 유쾌하다는 뜻이 아니다. 단지 어떤 상황에서든 즐거움과 관련된 것들을 배울 수 있고, 즐거움을 경험할 수 있는 기회를 얻을 수 있다는 뜻이다.

🌱 아침에 잠시 거울 앞에 서서 그 속에 있는 사람이 오늘 내가 즐거워질 수 있는 것을 막는 유일한 인물임을 기억할 것이다.

20

기분 좋은 마음으로
잠자리에 들라

내가 평안히 눕고 자기도 하리니.

– 「시편」 4장 8절

　많은 사람들이 사막의 낙타처럼 등에 짐을 진 상태로 누워 잠을 잔다. 그들은 짐을 내리는 법을 모르는 듯이 보인다. 그들의 정신은 밤새도록 일을 한다. 만일 당신이 잠자리에 들 때 종종 걱정을 떨쳐버리지 못하고 팽팽하게 긴장된다면, 침실에 나비매듭 리본을 가져다놓고 자기 전에 그것을 풀어보는 것도 좋은 방법이다. 이는 내일의 활력을 위해 마음을 풀어야 한다는 사실을 상기시키는 도구가 될 것이다. 이는 현명한 인디언들이 활력을 잃지 않으려고 매듭을 이용하게 되었던 습관에서 비롯되었다.

만일 낮 동안 힘들게 일하고 밤에도 뇌를 사용한다면 이튿날 아침에는 피곤하고 지칠 수밖에 없다. 정신 집중에 필요한 맑고 활기찬 머리 대신, 경기 전 밤새 달린 말이 우승할 확률만큼이나 모든 수치가 떨어진 상태로 업무에 임하게 될 것이다.

밤 동안 힘들고 신경을 자극하는 과정을 멈추는 것, 소중한 활력을 낭비하지 못하도록 막는 일은 매우 중요하다.

많은 사람들은 밤에 걱정의 노예가 된다. 특히 은퇴 후에는 습관적으로 불행과 시련을 떠올린다. 이것은 아주 고치기 힘든 습관이다. 그들은 번민에 휩싸여 잠을 이루지 못하며, 그 길고 지루한 시간 때문에 잠자는 것을 두려워하게 된다. 그들은 낮 동안에 쓴 것만큼이나 많은 정신적 에너지를 밤에도 사용한다.

밤에는 상상력이 넘쳐나기 때문에, 특히 재정적인 문제는 밤이 되면 과장되는 경우가 많다. 불쾌하고 비참한 모든 것들이 밝을 때보다 훨씬 나쁘게 보일 수 있다. 조용하고 어두울 때의 상상력은 모든 것을 확대하기 때문이다. 깜깜할 때는 아주 낙관적인 사람도 어느 정도 회의적으로 변한다.

건강을 유지하기 위해서는 잠자리에 들기 전에 당신을 화나게 하고 짜증나게 했던 일은 이야기하지 않는 것을 원칙으로 정하는 것이 좋다. 잠들 때 마음속에 들어 있던 생각이 밤새도록 신경조직에 영향을 주기 때문이다.

저녁에 경험했던 것이 그날 밤 꿈에 나타난 적 있지 않은가? 그것은 연극이나 영화 속 숨막히는 장면이나 어떤 노래의 후렴일 수도 있다. 이는 인상이 얼마나 강력한지를 보여준다. 또한 화난 상태로, 혹은 불쾌한 감정으로 잠자리에 들지 않는 것이 얼마나 중요한지를 보여준다. 정신적 불화는 활력을 잃게 하고, 용기를 꺾고, 생명을 단축시킨다. 어떤 형태든 폭력적인 기질, 마음을 좀먹는 생각, 정신적 불안을 일으키는 것은 결코 도움이 되지 않는다. 이렇듯 전혀 이익이 되지 않고, 영혼을 피폐하게 하여 건강을 해치는 일로 소비하기에는 인생이 너무 짧고, 너무 소중하다.

잠자리에 들기 전에 먼저 정신적 조화를 유지하고, 침착하고 고요해져야 한다. 그리고 가능하다면 시간이 오래 걸리더라도 얼굴에 미소를 떠올리면서 잠자리에 드는 것이 좋다.

우리는 하루를 마무리할 때 두뇌 전력을 꺼야 한다는 것을 스스로에게 상기시켜야 한다. 마치 퇴근할 때 기계를 끄는 것처럼 또는 잠자리에 들기 전에 집안의 불을 끄는 것처럼 말이다.

왜 일거리를 집으로 가져와 잠을 이루지 못하고 괜한 불안에 사로잡히는가? 걱정스러운 마음으로 잠을 자면 두뇌는 계속 긴장 속에서 작동할 것이고, 다음 날 아침 당신은 피곤한 상태로 눈을 뜨게 될 것이다. 오늘 업무를 끝내면 그나마 남아 있는 기운이 더 이상 빠져나가지 않도록 차단하라. 밤에 사무실이나 공장 문을 닫을 때와 더불어 사업에 대한 생각도 멈춰라. 집으로까지 질질 끌고 와서 가족과의 저녁 시간은 물론, 잠자리를 어지럽히지 마라.

어떤 사람들은 낮보다 밤에 더 나이를 먹는다. 우리는 보통 그 반대라고 생각하는데 말이다. 열심히 일을 해야 하는 낮에는 개인 문제나 아픔, 불행에 대해 생각할 여유가 별로 없다. 하지만 잠자리에 들 때는 온갖 종류의 골치 아픈 생각과 걱정의 유령들이 마음을 공포로 가득 채운다. 따라서 젊어지는 대신 늙는다. 그와 반대로 건강하고 상쾌한 잠을 잔다면 늙는 대신 더 젊어질 수 있다.

눈살을 찌푸리며 잠자리에 들지 마라. 당황하고, 불안하고, 화가 난 표정으로 잠자리에 들지 마라. 주름을 펴라. 마음의 평화를 방해하는 것들을 모두 몰아내라. 누군가에 대해 비판적이고, 잔인하고, 질투 어린 생각으로 절대 잠자리에 들지 마라.

극심한 분노를 이기지 못해 바로 눈앞에 있는 사람에게 애꿎은 적개심을 느끼는 것은 아주 나쁘다. 분노가 폭발한 후에는 그러한 정신 상태를 계속할 수 없지만 당신의 신경체계와 건강은 크게 악화될 것이다.

적어도 하루에 한 번은 세상을 평화로 대하라. 잠을 자는 동안 행복을 갉아먹는 적들이 비참한 이미지를 더욱 깊이 새기도록 내버려둬서는 안 된다.

침대에 눕기 전에 잊고 용서하는 습관, 행복과 성공의 적을 마음속에서 몰아내는 습관을 갖는 것은 바람직하다. 원기를 충전하고 상쾌한 마음으로 다음 날을 맞고 싶다면 행복하고 명랑한 기분으로, 용서하는 마음으로 잠을 청해야 한다.

낮 동안 다른 사람들에게 충동적이고 어리석고 불친절하게 대했다면, 심술궂고 추하고 앙심을 품고 질투하는 태도를 보였다면 밤에는 이미 지난 시간을 청산하고 새로 시작할 좋은 시간이다. 사도

바울이 간곡하게 권고했듯이 "해가 지도록 분을 품지 말라"(「에베소서」4장 26절).

만일 어떤 사람에게 원한을 품고 있다면 그것을 완전하게 잊고, 씻고, 지워버려라. 그리고 잠자리에 들기 전에 자비로운 사랑, 친절하고 관대한 생각으로 대체하라.

잠자리에 들기 전에 정신의 집을 말끔히 청소하라. 고통을 야기하는, 불쾌하고 바람직하지 못한 모든 것들을 밖으로 내던져라. 분노, 증오, 질투 같은 유익하지 못한 생각, 이기적이고 무자비한 생각을 지워라. 당신의 마음에 그것들이 무시무시한 그림을 그리도록 허락하지 마라.

쓰레기를 모두 버리고, 깨끗이 닦고, 먼지까지 털었다면 이제 가장 유쾌하고, 달콤하고, 행복하고, 도움이 되고, 용기를 주고, 정신을 고양하는 생각의 그림으로 정신의 집을 장식하라. 저녁마다 행복으로 목욕하라. 그것은 습관이 되어야 한다. 모든 생물을 향한 사랑과 선의의 목욕은 물로 하는 목욕보다 더 중요하다.

매일 밤, 잠자리에 들기 전에 행복의 적을 몰아내는 습관을 가져라. 그러면 절대 무시무시한 꿈을 꾸지 않고 곤하게 잠을 잘 수 있고, 원기를 재충전하고 상쾌한 기분으로 일어날 수 있다.

아무리 피곤하고 바쁘더라도, 아무리 늦게 잠자리에 들었더라도 모든 불행한 느낌, 불쾌한 경험, 좋지 못한 생각, 질투와 이기적인 생각을 지우지 않고서는 절대 잠을 청하지 마라. "조화로움" "용기를 내" "모든 생물에게 선의를 베풀어라" 같은 말이 침실 주변에

빛의 글자로 쓰여 있다고 상상해보라.

만일 불쾌하고 괴로운 생각을 멈추기 힘들다면 유익하고 용기를 주는 책을 읽어라. 얼굴의 주름을 펴게 하고 행복한 기분을 느끼게 하는 책, 삶의 숭고함과 아름다움을 볼 수 있도록 해주는 책, 인색한 행동과 속좁은 생각을 부끄럽게 여기도록 만드는 책……

조금만 연습해도 마음가짐이 얼마나 빨리, 완벽하게 바뀌는지 확인해보라. 아마 당신은 잠들기 전에 올바른 방식으로 인생을 마주할 수 있게 되어 놀라게 될 것이다. 또한 아침에 눈을 떴을 때 당신이 얼마나 평화스럽고, 침착하고, 상쾌하며, 활기를 되찾았는지를 발견하고 놀라게 될 것이다. 걱정하는 마음, 불쾌한 기분, 비열하고 쩨쩨한 생각으로 가득 찬 상태로 침대에 들어갔을 때보다 하루를 더 멋지게 시작할 수 있으며, 하루 종일 얼굴에서 미소가 떠나지 않을 것이다.

잠자리에 들기 전에 세상 모두와 조화를 이루는 방법과 질투, 증오, 복수 등 인간에 대한 온갖 종류의 악의를 마음에 품지 않는 방법을 배운 사람은 밤에 그날의 모든 불쾌한 경험과 걱정과 고민을 곱씹는 사람보다 잠에서 더 많은 것을 얻고, 젊음을 훨씬 더 오래 유지하고, 훨씬 더 능률적으로 일할 수 있다.

많은 사람들이 잠자리에 들기 전에 마음의 평화를 유지하는 연습으로 완전히 다른 사람이 되었다. 과거에 그들은 불쾌한 감정으로 잠자리에 드는 습관을 가지고 있었다. 온갖 종류의 걱정과 좋지 못한 생각으로 낙담하며 잠을 청했다. 직장에서의 나쁜 일, 불행한 환경, 그리고 실수에 대해 생각하고 또 생각했다. 그리고 늦은 밤 배우자와 함께 자신들의 불행에 대해 두런두런 이야기했다. 그 결과 잠이 들 무렵 그들의 기분은 엉망이 되었다. 이런 우울함, 추한 그림은 적막한 밤 내내 끔찍할 정도로 생생하게 과장되었고, 마음속에 더욱 깊이 새겨졌다. 다음 날 그들은 새로운 야망과 단호한 결심으로 무장하고 상쾌하게 아침잠에서 깨어나는 것이 아닌, 지치고 기진맥진한 상태로 깨어난다.

잠자리에 들기 전에 마음속에 있는 위대한 존재를 방문하는 습관을 길러라. 그리고 스스로를 선하게 성장하게 만드는 법을 가르쳐달라고, 인내심과 지혜를 달라고 부드럽게 요청하라. 또한 당신이 간절히 바라고 깨닫기 원하지만 어떻게 해야 할지 모르는 것들을 알려달라고 요청하라. 무의식 속에 있는 고상하고 숭고한 어떤 것에 이런 요구를 하는 일, 스스로를 올바르게 세우는 일은 저도 모르게 좋은 결과를 가져올 것이다. 얼마 후 내부의 모든 건설적인 힘들이 그런 목표를 이루고 비전을 실현하도록 도울 것이다.

잠자리에 들기 전에 마음을 준비한다면 성공과 행복을 얻을 수 있는 가능성은 매우 커진다. 잠을 청하기 전에 당신이 되고 싶은 것, 성취하고 싶은 것, 즉 당신의 이상을 가능하면 생생하게 선포하고, 마음에 새기고, 그려넣어라. 그 순간 해결할 수 없는 것들에 대해 화를 내거나 걱정하지 말고 매일 이것을 실천하라. 그러면 당신의 주체적인 자아가 얼마나 빨리 당신이 제시한 모델을 복사하는지, 그 원형을 모방하기 시작하는지를 깨닫고 놀라게 될 것이다.

그 속에는 위대하고, 숭고하고, 창조적이고, 원기를 회복시키는 힘이 숨어 있다. 그것을 찾는 이들은 축복받을 것이다.

결국 중요한 것은 가장 밝고, 행복한 정신 상태로 잠자리에 들어야 한다는 것이다. 우리의 마음은 고상한 생각, 사랑과 도움에 대한 생각으로 가득 차야 한다. 영혼을 새롭게 하고, 다음 날 아침 상쾌한 기분으로 일어날 수 있게끔 도와주는 생각, 고상한 것을 창조하는 생각으로 가득 차야 한다.

시인 로버트 사우디는 이렇게 적었다.

"고뇌의 친구여, 당신은 잠이라고 불린다. 행복한 사람들이 당신을 그렇게 부른다."

매일 밤 유쾌한 생각을 하며 잠자리에 드는 것, 그것이 잠을 잘 자는 가장 좋은 방법이다. 그러려면 가능한 한 하루를 행복하게 보내야 한다.

오/늘/나/는/

🌱 재미있는 놀이와 유쾌한 오락으로 저녁 시간을 보내며 나 자신을 충전하고 활기차게 만들 것이다.

일하는 것만큼이나 열심히 놀아라. 좋은 시간을 보내라. 그러면 행복한 잠에 빠질 수 있을 것이다. 그리고 다음 날 에너지가 넘치고 기분이 상쾌해져 더 열심히 일하고 싶어질 것이다.

🌱 잠자리에 들기 전에 마음의 평화를 얻기 위해 노력할 것이다.

골치 아픈 생각들이 떠오른다면 자신을 진정시켜라. 불을 끄고 숨 쉬는 데 집중하라. 그래도 없어지지 않는다면 다른 생각으로 대체하라. 예를 들어, 숨을 한 번 들이쉴 때마다 "in"이라고 말하고(조용한 목소리로 또는 크지만 부드러운 목소리로), 내쉴 때마다 "out"이라고 말하라. 들이쉴 때 "하나", 내쉴 때 "둘"이라고 말해도 좋다. 열 번이 될 때까지 계속하고, 다시 처음으로 돌아가라. 또는 불을 끄고 침대 속으로 들어가 조용한 음악을 들어라. (옆에 누군가 함께 누워 있을 때에는 이어폰으로 듣는 편이 더 좋다. 이어폰을 낀 채 잠들까 봐 걱정할 필요는 없다. 원한다면 그 상태로 계속 잘 수도 있다. 아니면 중간에 깼을 때 이어폰을 뺀 다음 다시 잘 수도 있다. 그 음악은 당신이 잠자는 동안 무의식 속에서 계속 연주되고 있을 것이다.)

🌱 **잘 자기 위해서는 준비를 잘 해야 한다는 사실을 나에게 상기시킬 것이다.**

모든 방법을 동원하여 잠을 자려는 순간 느닷없이 튀어나올지도 모르는 걱정거리를 사전에 제거하라. 초저녁에 다음 날 해야 할 것들을 적어보라. 결론을 내리지 못하고, 만족스럽지 않게 끝난 누군가와의 대화도 포함시켜라. 다음 날 침착한 태도로 다시 대화를 하고, 일치되지 않는 점을 당신 쪽에서 해결하려 노력하겠다고 다짐하라. 초저녁에 당신에게 잘못한 사람들을 모두 용서하라. 그날 하루 당신을 당황하게 하고, 모욕감을 주고, 실망시킨 모든 행동을 용서하라. 친구나 사랑하는 사람과 불화가 있었다면 초저녁에 해결하려고 노력하라. 원한다면 다음 날 입을 옷을 결정하라. 아침에 당황하여 찾지 않도록, 잠자리에서 걱정할 필요가 없도록, 다음 날 직장에 가져가야 할 것을 미리 준비하라. 초저녁에 잠을 설치게 할 만한 모든 것을 제거하라. 곤란한 문제들을 모두 해결하라. 그리고 잠자리에 들기 전, 적어도 한두 시간은 골치 아픈 생각을 피하라. 조용한 음악을 듣고, 재미있는 책이나 신문, 잡지를 읽어라. 즉, 마음을 편하게 가져라.

🌱 **잠 못 이루는 밤의 가장 좋은 치료제는 행복한 하루임을 나에게 상기시킬 것이다.**

욕심을 버릴수록
즐거움은 커진다

낙관주의자와 회의주의자 사이에는 재미있는 차이가 있다.
낙관주의자는 도넛을 보지만 회의주의자는 그 구멍을 본다.

– 맥랜드버그 윌슨

19세기 대표적 복음주의자 드와이트 L. 무디는 노스필드 신학교 학생들에게 가장 그럴듯한 생각을 해내는 사람에게 5백 달러를 상금으로 주겠다고 제안했다. 가령 이런 생각을 하면 상금을 받을 수 있다.

"인간은 하느님께서 왜 장미에 가시를 돋게 했는지 불평한다. 하지만 가시 속에 장미가 피어나는 것을 하느님께 감사하는 편이 더 낫지 않을까?"

낙관주의는 위대한 신념이다. 최고의 삶의 철학이다. 낙관적인 습관만큼이나 삶에 공헌하는 것은 없다. 명랑하고 희망찬 견해를 가지는 습관, 자기 일에서, 모든 사람에게서, 모든 것에서 가장 좋은 것을 찾아내는 습관은 헤아릴 수 없는 가치를 지니고 있다. 그런 습관은 삶의 여정을 밝혀준다.

가시를 포함하여, 우리가 발견한 그대로의 세상을 받아들이기로 결심했을 때 우리는 싸움에서 절반을 이긴 것이다.

"낙관주의자가 무슨 뜻이에요?"

어느 농부의 아들이 물었다.

"글쎄다, 애야. 배운 사람들처럼 사전적인 뜻은 알려줄 수 없지만 그것이 무슨 뜻인지는 알겠구나. 아마 너는 헨리 삼촌을 기억하지 못할 거야. 내 생각에 낙관주의자는 바로 헨리 삼촌을 두고 하는 말 같구나. 헨리 삼촌과 함께라면 일이 항상 수월했지. 힘든 일도 그렇게 느껴지지 않았어. 정말 뼛속까지 유쾌한 사람이었지.

옥수수 밭을 괭이질할 때였어. 뙤약볕 아래에서 괭이질하는 것만큼 사람을 지치게 하는 일도 없단다. 한참을 하다 보니 내가 약간 뒤처졌지. 그때 삼촌은 고개를 들어 나를 보고는 말했어.

'잘하는구나, 짐! 이 두 줄을 끝내고 열여덟 줄을 더 하면 절반을 하는 거야.' 삼촌의 활기찬 그 말에 나는 너무 신이 났단다. 그리고 나머지 작업은 언제 끝났는지도 모르게 끝나버렸지.

그래도 괭이질은 누워서 떡 먹기였지. 정말 힘든 일은 바로 돌을 줍는 거였어. 뭔가를 기르려면 돌을 골라내야 했거든. 그런데 옛날에는 농장에 돌이 너무 많아 아무리 주워도 끝이 없었지. 바쁜 일이 없을 때면 항상 돌을 주워야 했어. 쟁기질이 끝나고 농작물이 새로 자라기 시작하면 돌 줍기를 다시 시작해야 했지.

헨리 삼촌은 세상에서 돌을 줍는 일보다 더 재미있는 일은 없다고 말했어. 삼촌은 사물을 바라보는 방식이 다른 사람들과 달랐어. 한번은 옥수수 밭 괭이질도 끝냈고, 잡초도 아직 짧고 해서 낚시를 가려고 했지. 막 출발하려는데 아버지가 오셔서 서쪽 땅에 있는 돌을 없애라고 하시는 거야. 나는 금방이라도 울음이 터질 것 같았어. 그때 헨리 삼촌이 말했지.

'기운 내, 짐. 내가 금 덩어리가 많은 곳을 알거든.'

그래서 어떻게 됐을 것 같니? 나는 삼촌이 금광이라고 부르는 곳에서 게임을 했지. 하루 종일 캘리포니아 금광에 있다고 상상했어. 삼촌과 나는 정말 재미있게 하루를 보냈어.

'이 덩어리로 부자가 되는 방법은 오직 한 가지, 그걸 보관하는 것이 아니라 없애는 거란다'라고 삼촌은 하루가 끝날 무렵에 알려주었지.

일이 아니라 놀이라고 생각했지만, 어쨌든 그 밭에서 아주 많은 돌덩어리를 없앨 수 있었지.

그러니까 아까 얘기했듯이 낙관주의의 사전적인 뜻은 알려줄 수 없지만, 헨리 삼촌이 낙관적인 사람이라는 얘기는 해줄 수 있단다."

낙관적인 마음은 평범하게 보일 수 있는 사물을 무지갯빛으로 만드는 프리즘과 같다.

쇼펜하우어(1788~1860, 독일의 철학자—옮긴이)는 이렇게 말했다.

"어떤 사람에게 세상은 재미없고, 지루하고, 피상적이다. 그러나 어떤 사람에게는 소중하고, 흥미롭고, 의미 있다."

휴가에서 방금 집으로 돌아온 두 사람을 예로 들어보자. 한 사람은 매사를 비관적으로 보고, 항상 자신이 손해 보는 것 같다고 생각한다.

휴가 중에서 만난 여관 주인은 욕심이 많고, 침실은 더럽고, 양고기는 질겼다고 생각한다. 또 한 사람은 항상 기분 좋은 면을 발견한다. 가장 싸구려 여관이었지만 주인은 친절하고, 경치는 좋고, 음식도 맛있었다고 생각한다.

우리는 기쁨을 더욱 많이 파는 상인, 햇빛 제조업자들이 필요하다. 추한 면, 고통스러운 면을 바라보지 않는 사람들, 불화보다는 아름다움을 볼 줄 아는 사람들을 원한다.

쾌활한 영혼은 얼마나 부유한가!

마음을 햇빛과 아름다움, 진실, 명랑하고 유쾌한 생각으로 가득 채워라. 당신을 불행하게 만드는 모든 것, 자유를 억압하고, 걱정하게 만드는 모든 것, 그것들이 당신을 묻기 전에 당신이 그것들을 묻어라.

1년 동안 성격의 밝은 면을 계발하려고 노력해보라. 그러면 당신의 인생에 큰 변혁이 일어날 것이다. 당신은 매력 넘치고, 따뜻하고, 명랑한 사람이 될 것이다. 햇빛 한 줄기와 그늘의 힘을 비교해보라. 지구상의 모든 삶, 모든 물리적 힘은 저장된 햇빛 에너지에서 비롯된다. 어둠 속에는 생명도, 희망도 없다.

어느 어린 소녀가 꽃 전람회에서 대상을 받았다. 소녀는 사방이 막혀 어두컴컴한 집에서 산 탓에 안색이 창백했다. 심사위원은 그렇게 누추하고, 햇볕도 들지 않는 곳에서 어떻게 꽃을 기를 수 있었는지 물었다. 소녀는 한 줄기 가느다란 햇빛이 마당에 들어온다고 말했다. 아침에 햇빛이 들자마자 꽃을 그 아래에 놓고, 햇빛이 옮겨가면 따라 옮기고, 그렇게 하루 종일 옮겨가며 꽃을 길렀다는 것이다.

원시 상태에서 지금과 같은 모습으로 문명을 발전시킨 사람들은 바로 세상의 모든 아름다움, 햇빛, 약속, 희망을 보았던 사람들이다. 이와 달리, 앞으로 올 세상을 준비하라고 하면서 자신이 속한 세상에서는 절대 미소 짓지 않는 수천 명의 엄숙하고 냉정한 사람들은 세상에 대한 무거운 짐을 지기를 거부한다.

밝고 유쾌한 마음은 커다란 혜택을 준다. 항상 미소 짓는 얼굴은 영원히 축복받을 것이다.

어떤 사람은 자청하여 지하 감옥에서 살면서도 어둠과 우울함을 불평한다. 하지만 주변 환경을 만들고, 그 안에서 사는 사람은 바로 우리다.

우리가 사는 세상은 우리 마음이 투영된 세상이다. 세상은 우리가 내뱉는 불평이나 칭찬이 메아리쳐 울리는 공회당이다. 그것은 우리 얼굴이 비치는 거울이다.

스스로에게 물어보라.

"나는 오늘 세상에 어떤 얼굴을 비추었는가?"

당신의 대답이 오늘 이 세상에서 기쁨의 영상을 보았는지, 아니면 슬픔의 영상을 보았는지를 결정한다.

오/늘/나/는/

🌱 하루 종일 낙관적으로 살 것이다.

대개 우리는 낙관주의자들을 장밋빛 색안경을 쓴 순진한 사람들로 치부하는 경향이 있다. 하루 동안 낙관주의자가 되어보라. 매사를 긍정적으로, 희망적으로 여겨라. 하루를 마칠 무렵 예전보다 세상이 조금 밝아지지 않았는지 확인해보라. 그런 다음, 앞으로 어떤 안경을 쓸 것인지 결정하라. 낙관주의자의 안경인가, 아니면 전에 썼던 안경인가?

🌱 평소에 회의적인 말을 많이 하는지 살펴볼 것이다.

우리는 자신도 모르게 최악의 상황을 염두에 둔 말들을 많이 한다. 예를 들어, "세 명이 모이면 문제가 생긴다"고 말한다. 하지만 세 명이 모이면 기쁨이 생길 수도 있지 않은가? 또 "비가 오기만 하면 퍼붓듯 내린다"('설상가상'이란 뜻의 속담-옮긴이)고 말한다. 하지만 "비가 오기만 하면 어디선가 꽃이 자란다"고 말할 수도 있지 않은가? 평소에 부정적인 말을 많이 했다면 이제는 긍정적인 표현으로 바꿔라. 세상이 얼마나 달라지는지를 보고 놀라게 될 것이다.

두려워서 지금까지 미뤄두었던 일을 할 것이다.

어쩌면 차고 청소나 사무실 책상 정리를 차일피일 미루고 있었을지도 모른다. 너무 힘들고 일이 많아질 것 같아서였다. 만일 책상 정리를 할 생각이라면, 정리해야 할 파일 더미 속 어딘가에 무심코 얹어놓았다가 잊어버린 수표가 있다고 생각하라. 책상 정리를 마쳤는데 수표가 나타나지 않더라도 낙관적인 태도를 잃지 마라. 지갑을 열고 이렇게 말하라. "오, 수표가 서류 속이 아니라 여기 있었구나!" 그러고 나서 그날 밤, 수고한 자신을 위해 피자(아니면 당신이 좋아하는 무엇이든)를 주문하라.

상상의 날개를 펼쳐라

상상력이 없는 영혼은 망원경 없는 천문대와 같다.

– 헨리 워드 비처

나는 어느 이탈리아인 할머니를 알고 있다. 그 할머니는 여러 해 동안 병을 앓아 집 밖을 나갈 수가 없었다. 하지만 할머니는 멋진 휴가를 상상하며 가장 즐거운 시간을 보내고 있다고 말했다. 매일 해외를 여행하고, 어린 시절 놀았던 장소를 다시 찾아가고, 알프스 산을 올라가고, 한때 정말 사랑했던 이탈리아 어느 도시의 거리를 걷는다는 것이다. 소렌토에 있는 옛집 베란다에 몇 시간이고 앉아서 바람을 쐬며 나폴리 만(灣)을 스쳐 지나가는 요트를 바라보고, 나무에서 오렌지와 레몬이 익어가는 모습도 지켜본다고 했다. 일류 영화관에 가서 젊은 시절에 보았던 연극과 오페라를 다시 감상하기도 한다는 것이다. 셰익스피어의 작품을 읽기도 하는데, 할머니의 머릿속에서는 공연이 몇 번이나 반복되어도 배우들이 절대 지치지 않는다고 했다. 이렇게 상상의 여행을 하다 보면 고통은 어디론가 사라지고 병마와 싸우겠다는 새로운 희망과 용기가 생긴다고 했다.

할머니의 말에 따르면, 이런 마음의 여행은 종종 몸으로 하는 여행보다 더 즐겁다고 한다. 여행할 때 흔히 느끼는 짜증과 불편함이 없고, 경비도 들지 않기 때문이다. 만일 사람들이 상상을 통해 기쁨을 누릴 수 있다는 사실을 안다면 인류 모두가 행복해질 것이라고 할머니는 말했다.

다른 사람이라면 스트레스를 받을 상황에서도 즐거운 표정으로 엄청난 양의 일을 해내는 사람들이 있다. 그들은 항상 침착하고, 생기 넘치고, 낙천적이다. 그들이 그럴 수 있는 것은 마음의 휴가를 떠나는 기술을 습득했기 때문이다.

그들 중 몇몇과 인터뷰를 했는데, 아무리 업무가 힘들고 주변 상황이 짜증스러워도 현실의 문제에서 벗어나 그 어느 것도 방해할 수 없는 조화롭고 즐거운 정신 상태가 되는 기회를 찾는다고 말했다. 상상의 날개를 펴는 데 아주 능숙하여 새로운 세계를 창조하고, 그 속에서 산다는 것이다. 어린 시절 집이나 농장으로 돌아가 친구들과 행복한 순간을 누린다. 여울물에서 낚시를 하고, 뒷동산에 오르고, 숲 속을 걷고, 초원을 돌아다닌다.

만일 사람들이 그런 은밀한 방법을 알게 된다면 지친 정신을 활발하게 하는 데 많은 시간이 걸리지 않을 것이다. 상상력은 이루

말할 수 없는 기쁨을 향해 재빨리 날아오를 수 있도록 해주는 날개다. 괴롭고, 당황스럽고, 원치 않는 현실에서 마음대로 날아갈 수 있는 날개다. 실망스럽고 불쾌하고 짜증나고 답답하고 고역스럽고, 바쁜 삶, 우울한 삶에서 벗어나게 하는 날개다.

상상력은 죄수가 감방에서 벗어날 수 있도록 돕는다. 존 버니언은 감옥에서 그 유명한 『천로역정 The Pilgrim's Progress』을 집필했다. 그는 상상력을 발휘해 크리스천, 전도자, 믿음, 희망, 절망 같은 인물을 만들어냈다. 그 인물은 인간 본성의 감정, 믿음, 태도, 능력을 대표하는, 우리의 마음속에서 영원히 살고 있는 허구의 인물이다.

주변 여건이 아무리 힘들다 해도, 아무리 큰 실수를 했다 해도, 어떤 불행이 닥친다 해도 우리는 상상을 통해 행복을 우리 곁으로 불러들일 수 있다. 마치 개구쟁이 소년에게 붙잡혀 괴롭힘을 당하지만 눈 깜짝할 사이에 몸을 비틀어 창공으로 날아올라 다시 자유를 찾는 새처럼 말이다.

끊임없는 훈련으로 상상력을 발전시킨 사람들은 지루함을 느끼지 않는다. 또한 주변 환경에 대해 독립적이다. 상황이 못마땅하거나 사람에게 염증을 느낄 때 그들은 이 모든 것에서 벗어나 상상의 문으로 들어간다. 곧이어 그들은 행복이 끊임없이 솟구치는 상상의 세계에 둥지를 튼다.

상상이라는 신성한 갈망은 삶을 숭고하게 이끌어갈 수 있다는 끊임없는 암시다. 환경이 아무리 못마땅하고 비우호적이더라도 우리는 상상 속에서 접할 수 있는 이상적인 환경으로 날개를 펼칠 수 있다.

오/늘/나/는/

상상의 세계에서 재미있는 시간을 보낼 것이다.

상상은 기분 전환, 창조력, 문제 해결, 목표 설정 등의 원동력이다. 잠깐 시간을 내어 세계 평화, 우주 여행 등과 같은 문제와 관련해 색다른 해결책과 대안을 생각해보라. 생생하게 머릿속에 그릴 수 있다면 당신은 휴식을 누린 뒤 활기차고 열정적인 기분을 되찾을 수 있을 것이다. 그리고 눈앞의 현실에 더 잘 적응할 수 있고, 심지어 현재의 환경에 대한 통찰력을 얻을 수 있을지도 모른다.

상상한 것은 이루어진다는 신념을 마음에 새길 것이다.

상상하는 것은 어리석은 짓이 아니다. 상상은 내일의 생활에 활력소가 될 수 있다. 당신이 바라는 내일을 상상해보라(반드시 내일이 아니라 가까운 미래가 될 수도 있다). 매일 이런 모습을 생생하게 마음에 새긴다면, 당신의 생각과 행동이 상상한 방향으로 나아가고 있음을 곧 발견하게 될 것이다.

특별한 상황뿐만 아니라 상상력에도 나의 지성知性을 활용할 것이다.

상상력은 새로운 가능성을 발견하도록 해준다. 아인슈타인은 "상상력은 지식보다 위대하다"고 말했다. 과거에 했던 방식, 알고 있는 상식만을 따르지 마라. 상상의 날개를 펴고 그것이 이끄는 대로 나아가라. 예를 들어, 집이나 사무실의 가구 위치를 바꿔보라. 일상의 상황에서 새로운 가능성을 생각해냄으로써 당신은 다양한 상황을 머릿속에 그리는 상상력을 키울 수 있을 것이다.

4부

작은 것에서
기쁨을 맛보라

23

허영은
행복을 멀리 떠나게 한다

듣기 좋은 말과 화려한 외양에는
어진 마음이 드물다.
– 공자

　우리 주변에는 자기보다 더 잘 사는 사람들을 따라 하려고 기를 쓰는 사람들이 많이 있다. 그들의 삶은 언제나 불행하다. 얼마 전 뉴욕에 사는 어느 미망인의 집이 경매에 넘어갔다. 그 부인은 딸들을 부유한 집안의 남자와 결혼시킬 욕심에 분수에 맞지 않는 지출을 하다가 결국 집을 날리게 된 것이다. 좀 더 검소하게 생활했더라면 편안한 삶을 누릴 수 있었을 텐데 말이다. 부인은 오랜 기간 수입을 훨씬 넘어서는 생활을 해왔다. 모자, 드레스, 온갖 종류의 장신구를 사는 데 수천 달러를 쓴 탓에 결국 빚더미에 올라앉고 말았다. 딸들을 그들보다 몇 배 더 부자인 다른 젊은 여자들에게 뒤처지지 않게 꾸며주려는 욕심 때문이었다. 부자 사위를 맞고 싶은 야망 때문이었다. 이제 그 어머니는 집을 잃었지만 딸들은 여전히 신랑을 구하지 못했다.

허영은 가정에 불행을 불러온다. 왜 사람들은 체면의 노예가 되어, 불만스럽고 비참하게 살아가는가? 왜 늘 다른 사람들에게 어떻게 비쳐질까를 의식하느라 그 끔찍한 불편함과 고통을 감수하는가? 우리는 다른 사람들에게 인정받고 싶은 욕심 때문에 팔자를 탓하고, 무리한 생활을 하여 물질의 노예가 된다.

나는 허영 때문에 비참하게 살고 있는 어느 가족을 알고 있다. 부부 모두 고등교육을 받았고, 교양 있으며, 세련된 취미를 가지고 있었다. 그러나 사업가인 남편은 수입이 신통치 않았다. 그런데도 그들은 자신들의 소득에 맞는 지역에 살고 싶어 하지 않았다. 더 세련되고 잘 사는 이웃들과 어울려야 한다고 생각했다. 그들은 뉴욕의 부자 동네에 살았다. 그 결과 집세를 내고 난 후에는 먹고, 입고, 여가생활을 할 수 있는 돈이 거의 남지 않았다.

많은 사람들이 소득이 적다는 사실을 창피하게 생각하는 경향이 있다. 사치품에 많은 돈을 쓸 수 있어야 한다고 생각하는 것 같다. 하지만 많은 돈이나 사치품이 그렇게 중요할까? 그것들은 종종 불행을 야기할 뿐이다. 분명한 것은 삶의 만족이나 행복에 방해가 되는 야망은 없느니만 못하다는 사실이다. 다른 사람들을 무조건 따라 해야 하고, 그들보다 더 잘 살아야 하고, 더 많은 사치품을 가져야 한다는 욕망은 행복을 가로막는 어리석은 생각이다.

반드시 필요하거나 진정한 가치가 있어서가 아니라, 삶에 위로와 기쁨이 되어서가 아니라 다른 사람보다 빛나고, 앞서고, 더 좋은 집을 갖고, 더 좋은 동네에 살고, 아이들을 더 잘 입히고, 더 많은 사치품을 얻기 위해 노력하고 애쓰는 것은 그릇된 야망이다.

이런 것들이 우리의 삶에 정말로 도움이 될까? 진정한 가치가 있을까? 그렇지 않다. 정신의 성장, 삶의 향상, 넉넉한 인간성, 이런 것들이 가치 있는 것이다. 지역사회에 더 많이 봉사하기, 매일 조금 더 크게 생각하기, 스스로에 대해 조금 더 반성하기, 자신과 다른 사람에 대해 조금 더 믿음을 갖기, 이것이 진정 쓸모 있는 야망이며, 성취했을 때 만족과 행복을 안겨준다.

한 남자가 있다. 그는 자신의 분야에서 큰 성공을 거두었지만 여전히 불안하고 불만스러워한다. 항상 자신보다 더 성공하고, 더 뛰어나고, 더 돈을 많이 번, 같은 직업의 사람들과 자신을 비교한다. 더 빨리 출세한 사람이나 더 큰 명성을 얻은 사람들을 볼 때마다 그는 짜증을 낸다. 다른 사람의 성취에 시선이 너무 집중되어 있어서 자신이 이룬 성과를 절대로 보지 못한다. 그에게 자신의 환경은 아무것도 아니다.

그는 이상적인 가정을 이루고 있다. 훌륭한 아내와 착한 아이들이 있다. 그의 집은 호화롭지는 않지만 이웃집처럼 갖출 만큼 갖추었고 넓었다. 그는 남들보다 많은 장점을 가지고 있었다. 그런데 건강과 화목한 가족은 그에게 중요한 의미가 아닌 듯이 보였다.

그는 항상 먼 곳을 바라보고 있었다. 다른 사람들이 하는 일, 다른 사람들이 가진 것에만 관심을 두어 자신의 처지에 감사하는 방법을 모르는 것 같았다. 그는 자신이 과로하고 있다는 것, 친구를 만나거나 사교생활을 할 시간을 누리지 못하고 있다는 사실을 모른 채, 더 열심히 일하고 더 성공해야 한다고 스스로를 다그쳤다.

만일 그가 매일, 하던 일을 잠시 멈추고 질투심을 마음에서 몰아내고 잘못된 야망을 버리고 다른 사람이 가진 것을 생각하지 말고 자신의 것에 감사하려고 노력한다면 어떨까? 매일 아침, 자신이 부러워하는 사람들 중 많은 수가 원만하지 못한 결혼생활로 고통받고 있음을 떠올리며 자신이 행복하고 화목한 가족, 아름다운 아내와 착하고 건강한 아이들이 곁에 있다는 행운을 자축한다면 어떨까? 그는 분명 자신이 누리는 그 축복들에 감사하게 될 것이다. 행복한 환경을 누리는 자신의 행운을 떠올린다면, 그는 감사하는 능력을 계발하고 다른 사람들이 가진 것을 부러워하지 않게 될 것이다.

많은 사람들이 다른 사람이 가진 것에 신경 쓰느라 자신이 가진 것에서 기쁨을 찾지 못한다. 다른 사람을 부러워하면 자신의 기회를 온전히 즐길 수 없다. 우리는 날마다 찾아오는 소박한 기쁨을 즐겁게 받아들이지 못해 삶의 큰 기쁨을 잃는다. 늘 다른 사람들이 가진 것을 갈망한다. 다른 누군가의 고급 리무진을 너무 부러워한 나머지 자신의 중형차로는 기쁨을 얻지 못한다. 주변의 궁궐 같은 집을 쳐다보기 때문에 작은 내 집에 대한 기쁨이 줄어든다. 이웃의 물건을 탐하지 않고, 우리에게 찾아오는 모든 기회를 최대한 이용하겠다고 결심할 때에야 비로소 우리는 넉넉한 행복을 누리게 된다.

우리는 자주, 소박하지만 멋진 경험과 사람에 대한 예의, 아름답고 가치 있는 것들을 놓친다. 다른 사람들을 따라잡기 위해 무서운 속도로 살아가고 있기 때문이다. 사물을 관찰하고, 감상하고, 즐길 수 있는 시간을 갖지 못한다. 친구들과 함께할 시간을 갖지 못한다. 우리는 너무 자주, 너무 심각하게 다른 사람의 인생을 바라본다. 허영심이 가득하고 세상의 칭찬과 감탄만을 추구하는 사람은 비난받아 마땅하다. 우리는 세상에 도움이 되는 삶을 살아야 한다. 인류를 위해 봉사하며 가장 고상하고 선한 목표를 향해 노력하는 삶을 살아야 한다.

세상은 행복으로 가득하다. 우리가 마음만 먹는다면 어디서든 행복을 찾을 수 있다. 하지만 얼마나 많은 사람들이 데이지 옆에서 자라는 미나리아재비처럼 사는가? 미나리아재비는 늘 자신에 대해 불만스러워하고 데이지를 시기했다. "데이지는 뿌리를 뻗으면서 넓게 자란다"는 것이다. 그리고 항상 자신의 목 주변에도 주름 장식이 있기를 갈망했다. 하늘에서 미나리아재비의 한탄을 들은 개똥지빠귀가 미나리아재비를 꾸짖었다. 자신의 아름다움을 모르고 데이지처럼 되길 원하는 미나리아재비를 일깨우기 위해서였다.

"씩씩하게 하늘을 올려다보아라.

그리고 하느님께서 네가 자라고 있는

바로 여기에 네가 있길 원했음을
깨닫고 현실에 만족하라."

인생을 어떻게 받아들이느냐에 따라, 상황을 어떻게 해석하느냐
에 따라 기쁨을 느낄 수도 있고, 실망을 느낄 수도 있다.

오/늘/나/는/

🌱 **내가 가진 것에 감사하고 다른 사람들이 가진 것을 부러워하지 않겠다.**

요즘은 다른 사람이 가진 것을 부러워하도록 만드는 세상이다. 어디를 가나 "친구나 이웃에 뒤지지 않는 생활을 하라"며 우리를 강요한다. 하지만 다른 사람들을 부러워하면 우리 자신이 초라해지고, 행복을 느낄 수 없게 된다.

🌱 **"남의 떡이 더 커 보인다"는 사실을 항상 명심할 것이다.**

우리는 다른 사람들의 재산을 눈여겨보면서, 재산이 행복을 가져다 줄 것이라고 생각한다. 하지만 그것은 착각이다. 사람들은 모두 저마다의 문제를 가지고 있다. 원하는 것을 모두 가져도 인생의 문제에서 자유로울 수는 없다. 더 많이 가지면 영원히 행복할 것이라는 망상에서 벗어나자. 우리가 가진 것에 만족하고, 그것을 즐기고, 그것에서 행복을 찾는 편이 훨씬 더 낫다. 우리보다 더 좋은 차를 가진 사람은 우리보다 더 행복할지도 모른다. 하지만 그가 행복한 이유는 자동차의 제조 수량, 제조 연도, 모델 때문만은 아닐 것이다.

🌱 **허영으로 행복을 얻으려는 것은 나 자신이 아닌 밖에서 행복을 구하는 것임을 명심할 것이다.**

체면을 유지하려 애쓰는 것은 행복을 얻으려는 힘을 자신에게서 빼앗아 물질에 주는 셈이다. 다시 말해, 매일 새로운 물건이 쏟아져 나오는 요즘, 당신이 새로운 것을 구입할 수 없는 것에 조바심을 친다면 행복을 얻는 힘을 물질에 빼앗기고 말아 결코 행복을 찾을 수 없을 것이다.

24

행복을 뒤로 미루는 것은
크나큰 비극이다

흐르는 물이 없으면
물방아는 절대 곡식을 빻을 수 없다.

우리는 일상에서, 그리고 가까운 곳에서 행복을 찾는 대신 미래의 어떤 곳에서 완벽한 행복을 얻게 될 것이라고 확신한다. 하지만 그것은 헛된 꿈이다. 그런 시간은 현재에도, 미래에도 절대 오지 않을 것이다.

"오늘에 만족하지 못하는 사람, 순간순간 하느님이 주신 햇빛과 축복에 기뻐하지 않는 사람은 천국으로 가는 길을 절대 찾지 못하고 불만이 가득한 채 임종을 맞이할 것이다."

옛날에 매우 똑똑하고 매력적인 청년이 살았다. 그는 인생의 절반을 1백만 달러를 모으는 데 힘을 쏟고, 나머지 절반은 그 돈을 아낌없이 사용하면서 보내겠다고 결심했다. 그리고 자신의 확고한 목표를 이루기 위해 다른 욕망은 인정하지 않으며, 목표를 이루는 데 방해가 될 만한 것들은 모두 베어내겠다고 생각했다. 청년은 음악에 대한 열정이 아주 강렬했기에, 나중에 예술과 음악에 심취해 살 수 있으리라 확신했다.

드디어 1백만 달러를 벌게 되자 청년은 1백만 달러를 더 벌고 싶어졌다. 그래서 조금 더 일하여 2백만 달러만 모으면 일을 그만두겠다고 결심했다. 하지만 그의 야망은 기형적으로 커져 있었다. 목표를 이루고 나니 더 많은 것을 가지고 싶었다. 고민 끝에 그는 결단을 내렸다. 모든 일을 그만두고 자신이 가진 돈으로 인생을 즐기기로 결심한 것이다. 그러나 그것도 잠시, 그는 이내 자신이 야망의 노예가 되어 있음을 발견했다. 청년은 본래의 아름다운 천성을 희생하면서 돈을 버는 데 혈안이 되어 멈출 수가 없었다. 그러던 어느 날 거울에 비친 자신의 모습을 보게 되었다. 잠시 그는 자신의 눈을 의심했다. 하지만 이내 진실은 고통스러울 정도로 분명하게 드러났다. 그제야 그는 돈 버는 일을 중단하고 기쁨을 찾아나서기 시작했다.

얼마 지나지 않아 그는 젊은 시절에 간직했던 풍류심風流心을 잃어버렸음을 깨닫게 되었다. 여행을 하는 동안, 큰 기쁨을 얻으리라 기대했던 위대한 건축물이나 그림, 조각품들을 보아도 감흥이 일어나지 않았다. 미적 감각이 너무 위축되어 더 이상 자극에 반응할 수 없게 되어버린 것이다.

집에 돌아온 뒤 그는 나머지 인생을 친구들과 보내겠다고 결심했다. 하지만 이내 우정을 나누는 능력조차 사라졌음을 발견하게 되었다. 돈 버는 기술은 배웠지만 친구를 사귀는 기술은 배우지 못한 것이다.

그는 자신이 처음으로 사랑했던 음악은 자신을 배신하지 않을 것이라고 확신했다. 그러나 오페라를 감상하기 위해 큰 극장에 갔을 때, 자신에게 음악 감상 능력이 부족함을 이내 발견했다.

절망감에 빠진 그는 무언가 즐길 것을 찾아 이것저것 시도해보았다. 그러나 방탕한 생활조차 그에게는 아무런 만족을 주지 못했다. 삶을 즐기는 힘을 모조리 잃어버린 것이다. 애써 돈을 번 것이 헛수고가 된 셈이다. 그는 젊음, 건강, 친구, 예술을 희생시켜 막대한 재산을 가졌지만 그것을 즐길 수 있는 힘은 잃어버렸다. 이제 노인이 되어 쇠약해진 그는 돈 말고는 아무것도 가진 것이 없었다.

찰스 더들리 워너는 다음과 같이 말했다.

"유감스러운 일은 대부분의 사람들이 부富를 행복이라 생각하고, 많은 돈을 벌기 위해 진정으로 행복해지는 일은 뒤로 미룬다는 점이다. 운이 좋아 부자가 되더라도 결국에는 행복이 자신을 피해갔음을 발견하게 된다. 돈을 버느라 행복을 즐길 수 있는 재능을 계발하지 못한 것이다."

삶의 가장 큰 비극 중 하나가 바로 행복을 뒤로 미루는 일이다. 죽음을 눈앞에 둔 사람들은 하루하루를 충분히 즐기지 못하고, 나중에 행복을 만끽하려고 미뤄뒀던 것을 가장 후회한다.

돈을 더 많이 벌 때까지, 또는 지위가 더 높아질 때까지 삶의 기쁨을 미루면 현재의 즐거움뿐만 아니라 앞으로 즐길 수 있는 능력까지 잃어버리게 된다. 행복해질 수 있는 유일한 방법은 살아가는 동안 우리에게 다가오는 작은 기회들을 이용하고 넓혀나가는 것이다.

그러나 우리 주변에는 여러 해 동안 즐거움과 휴식을 잊은 채 노예처럼 일만 하는 사람들이 많이 있다. 그들은 여유가 생길 때까지, 돈을 더 많이 벌 때까지 산책이나 영화 감상, 여행, 심지어 독서조차 뒤로 미룬다. 그들은 다음 해에는 삶이 더욱 편안해지고 즐거움을 누릴 수 있으리라고 착각한다. 하지만 다음 해가 되면 조금 더 절약해야겠다고 생각한다. 그들은 이렇게 해마다 삶의 즐거움을 누릴 기회를 뒤로 미룬다.

그리고 마침내 약간 즐길 만한 여유가 있다고 생각하게 된다. 그들은 해외여행을 하거나 예술작품을 감상하거나 독서를 통해 사고를 넓히려고 노력한다. 하지만 때는 너무 늦었다. 이미 익숙해진 틀에 박힌 생활에서 헤어나기가 불가능하다. 삶의 쾌적함은 떠나갔다. 열정도 날아가 버렸다. 야망의 불꽃도 사그라졌다. 오랜 기다림의 세월은 즐길 수 있는 능력을 짓밟았다. 선천적으로 타고난 건강과 기쁨, 행복에 대한 갈망까지 희생시켜가면서 얻은 재물은 아무런 이익이 되지 못한다.

많은 사람들이 굴러가는 모자나 짐, 또는 공을 잡으려고 달려오는 자동차 앞으로 뛰어들었다가 생명을 잃는다. 누구나 "정말 슬프고 끔찍한 죽음이군요"라고 말할 것이다. 그 말은 옳다. 하지만 얼마나 많은 사람들이 돌이킬 수 없는 시점까지 몇 푼 더 많은 재물을 좇는 삶을 살다가 슬프고 끔찍한 죽음을 맞이하는가?

우리는 부를 이루려고 엄청난 희생과 대가를 치른다. 과연 돈을 더 벌기 위해서 삶 자체를 희생해야 하는가? 훨씬 더 많이 벌기 위해서? 주변 사람들보다 훨씬 더 앞섰다고 흡족해하는 사람들은 부를 좇는 동안 무엇을 잃었는지 한번이라도 생각해본 적이 있는가?

우리 중 얼마나 많은 사람들이 '재물을 얻는' 동안 이보다 훨씬 더 소중한 어떤 것을 잃고 있음을 깨달을까?

자연自然은 물건 가격이 모두 똑같은 상점을 운영한다. 그곳에서는 원하는 것은 무엇이든 선택할 수 있지만 그 대가를 지불해야 한다. 때때로 우리는 훨씬 더 소중한 것을 남겨둔다. 얼마나 많은 사람들이 매일 쫓기듯이 일하는 몇 시간과 자신의 인격을 교환하는가! 얼마나 많은 사람들이 그들의 능력, 교육, 열정을 돈과 교환하는가! 얼마나 많은 사람들이 가장 고상하고, 섬세하고, 아름다운 천성을 다른 것과 바꿔버리는가!

이와 달리 인생을 즐기는 습관을 기른 사람들은 어떠할까? 그들은 좋은 음악을 듣고 아름다운 예술 작품을 감상하고 영혼을 울리는 책을 읽는 순수한 즐거움에 빠져들 수 있는 기회를 놓치지 않는다. 그리고 삶을 밝고 넓게 만든 그들은 자신들이 성공을 향한 경주에서 남들보다 훨씬 앞서 있음을 잘 알고 있다.

너무 많은 사람들이 인생의 황금기가 끝날 때까지 자신이 받은 축복을 알아차리지 못할 뿐만 아니라 열린 마음으로 그것을 누리지 못한다. 가질 수 있었던 것, 할 수 있었던 행동들을 너무 늦은 때에 뒤돌아보고 후회한다. 얼마나 많은 사람들이 미래에 큰 기쁨을 누릴 수 있으리라 굳게 믿으면서 삶의 전성기를 궁색하게 살아가는가!

오늘은 시간이 없지만 내일은 할 수 있다는 생각은 정말 어리석다.

소중한 인생을 즐길 준비를 한다면서 오히려 인생을 낭비하다니! 나이 들어 근육이 약해지고 신경이 감각을 잃어도 여전히 미래를 위해 행복을 미루다니! 얼마나 많은 사람들이 기쁨을 누릴 줄 아는 능력을 죽이고, 일의 노예가 되어 젊은 시절을 즐기지 못해 늙어서 후회하는가!

자신의 분야에서 크게 성공한 사람들은 활동적이고 바쁜 삶에서 은퇴한 이후 여생을 즐겁게 살아가지 못하는 경우가 많다. 그것은 그들이 자신의 분야가 아닌 다른 관심사를 다양하게 계발하지 못했기 때문이다. 만일 젊은 시절 연주회에 참석한다든가 하여 음악 감상력을 기르지 않는다면, 은퇴한 이후 음악을 즐기려고 해도 연주회 내내 지루할 것이다. 평소에 음악적 감각과 재능을 키우지 않았는데 어떻게 오페라를 즐길 수 있겠는가?

예술은 어떤가? 수년 동안 책상에 앉아서 이익, 손실, 마감, 경쟁에만 관심을 가졌던 평범한 사업가를 미술관에 데려가 보자. 아마 이틀 만에 작품을 감상하느라 돌아다니는 일을 지긋지긋하게 여기게 될 것이다. 그의 정신은 위대한 예술 작품을 감상하도록 훈련받지 못했기 때문이다. 평생을 사업에만 몰두하느라 작품의 아름다움을 감상하거나, 예술의 정신적 가치를 평가하거나, 위대한 작품의 의미를 알아내는 능력을 키우지 못했다.

회사 중역으로 은퇴한 사람들 역시 사정은 마찬가지다. 그들은 여행을 가도 바쁜 삶에 너무 익숙하여 충분히 즐기지 못한다. 여행에서 돌아온 뒤에는 관광한 장소나 기념품을 자랑할 것이다. 여행은 사업을 진척시키는 또 다른 수단으로 전락할 것이다. 그들 중 별다른 생각 없이 해변을 산책하거나 티켓 가격을 의식하지 않고 순수하게 음악을 즐기러 콘서트에 참석할 사람이 몇 명이나 되겠는가!

심지어 2, 3일간의 휴가까지도 얼마나 많은 사람들이 휴가의 원래 목적을 망각하고 직장 동료나 사업 프로젝트 생각에 골몰하는가? 짧은 휴가를 마친 후, 많은 사람들은 여러 해 동안 업무에 파묻혀 살아온 탓에 일과 직장 동료, 직업과 관련된 사람들에 대한 생각을 머릿속에서 몰아낼 수 없음을 깨닫게 된다.

행복의 가장 큰 비밀은 즐기며 사는 방법을 배우는 것이다. 하루하루를 휴가처럼 살아야 한다. 훗날의 의미 있는 삶은 바로 평소 가정, 가게, 회사의 활동이나 평범한 일상을 통해서 이루어진다.

아무리 바빠도 하루하루의 경험을 통해 우리의 마음을 크고, 넓고, 풍부하게 만들어야 한다. 오늘이 가기 전에 삶에 한 겹의 아름다움과 기쁨을 더해야 한다. 삶의 일부분만을 기쁨으로 채우고, 나머지는 황폐하게 내버려둬서는 안 된다.

기쁨을 기다리는 것은 어리석다. 어느 작가는 이렇게 주장했다.

"차라리 평생 나비를 따라다니거나 흐린 밤에 달빛을 병에 담겠다. 행복해질 수 있는 유일한 방법은 매일 우리에게 주어지는 한 방울의 행복을 취하는 것이다. 학생들은 꾸준히 공부하면서, 도제徒弟는 기술을 배우면서, 상인은 돈을 벌면서 행복해지는 방법을 배워야 한다. 그렇지 않으면 원하는 것을 이룬 뒤에 행복을 누릴 수 없게 된다."

동양에는 다음과 같은 이야기가 전해 내려온다. 어느 현자가 아름다운 하녀에게, 가다가 멈추거나 뒤돌아보거나 여기저기 헤매지 않고 옥수수 밭에서 가장 크고 잘 익은 이삭을 골라 오면 값비싼 선물을 주겠다고 약속했다. 선물의 가치는 가져온 이삭의 크기와 익은 정도에 비례한다고 덧붙였다. 하녀는 옥수수 밭을 돌기 시작했다. 괜찮은 이삭을 많이 발견했지만 더 크고 더 잘 익은 이삭을 찾게 되리라 기대했다. 점점 더 안으로 들어가니 줄기가 놀랄 만큼 크게 자란 옥수수 무리가 나타났다. 하지만 상을 받을 정도로 크지는 않다고 생각해 지나쳐버렸다. 결국 하녀는 아무것도 고르지 못하고 옥수수 밭을 지나쳤음을 깨달았다.

이 이야기는 우리의 삶을 잘 보여준다. 우리는 미래에 더 좋은 것이 있으리라는 헛된 희망으로, 살아가는 동안 얻을 수 있는 온갖 좋은 것들을 거부한다. 하지만 결국에는 아무것도 얻지 못한다.

넘어지기 쉬운 어두운 밤, 위험한 장소에서 손에 들고 있는 작은 등불 하나가 하늘에 떠 있는 수만 개의 별보다 더 가치 있다는 사실을 얼마나 많은 사람들이 뒤늦게 깨닫는가?

얼마나 많은 사람들이 시선을 먼 목표에 고정한 채, 그것을 이루려고 힘들게 살아가는가? 그들은 땅과 하늘의 형언할 수 없는 아름다움을 지나칠 뿐만 아니라 일상의 평범한 삶을 아름답고 밝게 해주는, 어려운 사람들을 도울 수 있는 수많은 기회를 지나친다. 설령 기회를 알아차린다 하더라도 할 일이 너무 많아 어쩔 수 없다면서 가던 발걸음을 재촉한다.

우리는 목표와 상관없다고 생각하는 것들을 무시하면서 목적지를 향해 끝없이 나아간다. 무엇을 위해 그렇게 하는가? 원하던 부나 명예, 야망은 얻을지 모르겠다. 하지만 그것은 삶을 아름답고 풍요롭게 만드는 것들을 모두 희생한 대가다. 원하던 멋진 집을 얻은 뒤에야 우리는 일에 치여 가정의 행복을 위한 시간을 전혀 갖지 못했음을 깨닫게 된다.

우리는 항상 이 순간, 현재의 기회를 외면하고 앞만 바라본다. 인간은 좋은 모든 일들을 아직 오지 않은 어떤 것에서 기대하는 이상한 성향이 있다.

만일 우리가 앞으로 얻으려고 노력하는 것들이 항상 주변에 있음을 깨닫는다면 아마도 놀라 뒤로 넘어질 것이다.

행복은 살아가면서 얻는 것이다. 옛날 유대인들은 사막을 가로지를 때 매일 신선한 만나(옛날 유대인들이 광야를 떠돌 때 하늘에서 받은 양식. 출처 「출애굽기」 16장 4절~36절-옮긴이)를 먹을 수 있었다. 몇

몇 유대인들은 하느님을 믿지 못하고 나중을 위해 이것을 저장했다. 하지만 만나는 곧 상했다. 그들은 이내 만나를 저장할 수 없음을 깨달았다. 게다가 저장하려면 그날 얻은 만나를 먹지 말아야 했다.

행복은 만나와 같다. 살아가는 동안 매일매일 새 만나를 모아야 한다.

우리는 곳곳에서 그날의 행복을 위해 마련된 만나를 미래를 위해 저장하려고 애쓰는 사람들을 볼 수 있다. 그들은 결국 나중에 즐기려고 보관했던 그것이 상하고 말라버려 더 이상 보관할 수 없음을 알고 놀라게 된다. 우리는 살아가는 동안 그것을 사용해야 한다. 행복은 방금 꺾은 꽃처럼 싱싱할 때 즐겨야 한다.

오늘은 도움이 되지만 내일이 되면 쓸모없는 것들이 많이 있다. 그 한 예가 바로 선의의 이끌림이다. 얼마나 많은 사람들이 가장 가까운 상대에게 오늘 친절한 행동과 사랑의 표현, 즉 선의의 이끌림을 계속 미루다가 결국 장례식에서야 꽃과 눈물로 지난날을 보상하려 하던가!

오늘 입에서 친절한 말을 쏟아내고, 마음을 울리는 넉넉한 이끌림에 복종하자. 당신의 머리에서 떠나지 않는 사람, '언젠가' 돕겠다고 스스로가 약속한 사람들에겐 지금 당신의 도움이 필요하다. 당신은 지금 어느 때보다도 완벽히 준비된 상태에서 그들을 도와줄 수 있다. 왜냐하면 현재가 당신이 진정으로 가지고 있는 유일한 시간이기 때문이다.

내일은 내일의 걱정과 의무뿐만 아니라 어제 무시했던 걱정과 의무까지 있다. 또한 내일의 가능성과 기회는 어제 또는 오늘의 것보다 크지 않다.

부자가 될 때까지 행복을 미루지 마라. 만나가 상했음을 알고 놀라며, 받았을 때 진작 먹어야 했음을 후회하게 될지도 모르니까.

내일로 미룬 행복과 선행善行은 곧 사라져버린다.

우리는 스스로를 속이고 있다. 우리는 항상 현재를 무시하고, 미래에만 시선을 고정한다. 뿐만 아니라 아직 오지 않은 어떤 것을 위해 노력하고, 가진 것에 대해 감사해하지 않고, 하루하루를 무심하게 보내며 살아간다. 왜 내일의 신기루는 보면서 오늘의 아름다움은 알아차리지 못하는가? 왜 미래의 기쁨에 눈이 멀어 가까운 곳의 기쁨을 보지 못하는가? 우리는 나무에 핀 더 큰 꽃송이를 잡기 위해 제비꽃과 데이지를 짓밟고 있다.

바라는 상황이 아닌 현재의 상황에서 행복을 창출해내는 방법을 아는 사람만이 행복하다. 이런 비결을 터득한 사람은 굳이 좋은 상황이 될 때까지, 내년 또는 10년 후까지, 부자가 되거나 해외여행을 할 수 있을 때까지, 비싼 미술품으로 집안을 장식할 수 있을 때까지 기다리지 않는다. 오히려 지금 가지고 있는 것을 최대한 이용할 것이다.

일상의 모든 것을 무시하며 인생의 황금기를 보낸 사람들은 그 생활에서 벗어났을 때 파멸하게 된다. 또한 삶 어느 곳에서도 절대 만족할 수 없게 된다. 존재 자체를 계발하지 못했기 때문이다.

"우리는 삶의 기쁨을 마치 이웃 여자가 까치밥나무 열매를 선택하듯이 다룬다"라고 어느 작가는 말했다.

"나무에 열매가 열리기 시작하자 '엄마, 파이 만들어 먹어요'라고 여자의 아들이 말했다. 하지만 엄마는 아직 초록색이라며, 더익어야 한다고 했다. 열매가 익었을 때 아이가 따서 먹자고 졸랐지만, 엄마는 그냥 놓아두었다가 젤리를 만들기로 결심했다. 젤리를 만들 때가 되지 않았느냐고 아이가 묻자, 그녀는 급한 일을 먼저 해야 한다고 말했다. 하지만 그녀가 젤리 만들 준비를 끝낼 즈음 예기치 않았던 폭풍이 먼저 열매를 가져가 나무에는 아무것도 남지 않았다."

우리 역시 축복, 기쁨, '날마다 새로운 아침'이 되는 하느님의 은혜에 대해 어리석은 태도를 보인다. 우리는 '만일 ……하다면 이것을 즐길 수 있을 텐데'라고 말한다. 그러고는 불길한 예감이나 근심으로 가득 찬 생활을 한다. 언젠가 건강, 가정, 친구들과 함께할 준비가 되길 기대하면서……. 하지만 오랫동안 내버려두었을 때, 열매가 여전히 나무에 달려 있으리라고 누가 장담할 수 있겠는가?

오/늘/나/는/

🌱 더 많이 놀고, 더 많이 웃고, 더 많이 즐길 수 있는 시간을 만들 것이다. 오늘의 행복한 순간을 경험할 것이다. "놀지 않고 일만 하면 바보가 된다"라는 속담을 기억할 것이다.

🌱 "오늘 할 일을 내일로 미루지 마라"는 속담을 업무, 의무, 집안일뿐만 아니라 행복, 기쁨, 즐거움에도 적용할 것이다.

🌱 '장래를 위해 저축하는 것'은 훌륭한 태도지만, 오늘 따뜻한 햇살을 받으면서 즐길 수 있는 기회를 놓칠 수도 있다는 사실을 기억할 것이다.

🌱 "그렇게 하고 싶어요"라고 말했지만 정작 '그렇게 할' 시간을 내었을 때 '그것'이 사라져버린 적이 얼마나 많은지 상기할 것이다. 오늘 나는 그것을 할 것이다!

🌱 시장에서 쇼핑 목록에 없는 것, 쓸모는 없지만 내 눈에 띈 물건을 구입할 것이다. 그리고 나를 위해 사용할 것이다.

🌱 바보 같고, 변덕스럽고, 재미있고, 얼빠진 어떤 일을 할 것이다. 전혀 '나와 어울리지 않는' 어떤 것을 할 것이다.

🌱 낯선 사람에게 친절을 베풀 것이다. 직장 동료에게 그가 얼마나 매력적이고, 잘생기고, 친절한지를 말해줄 것이다. 그 사람에 대한 내 감정을 솔직하게 모두 말할 것이다. 그가 당황해하거나 거절할까 두려워 이제까지 미뤄두었던 내 본심을 말할 것이다.

🌱 행복해지는 데에 '특별한 누군가'가 내 인생에 들어오길 바라지 않을 것이다. 저녁식사 때 촛불을 켤 것이다. 거품 목욕을 하고 목욕탕에 향을 피울 것이다. 식탁에 놓을 꽃을 살 것이다.

당신의 행복을 다른 사람에게서 구하지 마라. 그리고 때를 놓쳐 선 안 된다.

근심은 하면 할수록 커진다

한 여자가 심각하게 말했다.
"말해봤자 아무 소용없겠지만,
이사할 때마다 다시는 이사 가지 말아야겠다고 맹세하거든.
하지만 이웃들이 너무 마음에 안 들어!
이사할 때마다 점점 더 마음에 안 드는 것 같아."
여자의 집을 방문한 친구가 말했다.
"그래? 혹시 이사할 때 가장 안 좋은 이웃이
너와 함께 가는 건 아니니?"

옛날에 어느 마법사가 고양이만 보면 공포에 떠는 어느 쥐를 불쌍하게 여겨 고양이로 바꿔놓았다. 하지만 고양이가 된 쥐는 이제 개를 두려워하기 시작했다. 그래서 마법사는 그 고양이를 개로 바꿔주었다. 하지만 그 개는 호랑이에게 늘 공포심을 느꼈다. 그래서 마법사는 다시 호랑이로 바꿔주었다. 문제는 거기서 끝나지 않았다. 그 호랑이는 항상 사냥꾼을 두려워했다. 마침내 화가 난 마법사는 다시 쥐로 바꿔놓고 이렇게 말했다.

"너는 쥐의 담력을 갖고 있기 때문에, 더 큰 동물의 육체를 주어도 전혀 도움이 되지 않는구나."

두려움과 걱정만큼 행복의 큰 적은 없다. 그것들은 언제든, 어디에서든 화근이 된다. 기쁨을 죽이는 이런 악당들만 없다면 인생의 적도 없고, 어떤 불행과 재난도 쉽게 이겨낼 수 있을 것이다. 죄를 짓고 싶은 충동과 맞서 싸우는 것처럼, 마음을 우울하게 만드는 이런 두려움, 걱정과도 맞서 싸워야 한다.

공포는 인간의 오랜 적이며, 걱정은 공포와 한패다. 원시시대부터 줄곧 인간은 공포를 느껴왔지만, 걱정은 우리 시대에만 볼 수 있는 질병이다. '계몽'적인 이 시대는 잔인한 신神들이 내린 죽음의 공포 속에서 살던 옛 원시 부족들을 불쌍하게 생각하고 비웃는다. 그러나 우리 역시 그 앞에 서면 영혼이 움츠러들고 힘이 약해지는 잔인한 악마들을 똑같이 창조하지 않았는가?

공포는 희망을 죽인다. 걱정은 자신감을 짓밟고 집중력을 파괴하고 독창성을 마비시킨다. 공포는 성취를 가로막는다. 공포는 행복을 말살하고 걱정을 낳는다. 크나큰 슬픔, 무거운 짐, 감당하기 힘든 시련, 삶의 햇빛을 가리는 이 모든 재난보다 작고 사소한 속상함, 하찮은 걱정과 두려움이 삶을 불행하게 만들고 쾌활함을 파괴한다.

"걱정은 단 한 번도 균열을 메운 적이 없다."

항상 불행, 불운, 슬픔에 대해서만 생각하고 불만을 표시하는 사람이 어떻게 행복해질 수 있겠는가? 부정적인 태도로 긍정적인 결과를 얻을 수 있다는 가르침은 어디에도 없다.

그러나 이런 사실을 알고 있으면서도 사람들은 공포와 걱정을 떨쳐내지 못한다. 항상 무엇인가를 두려워하고 걱정한다. 가난할 때는 돈과 건강만 있으면 다시는 걱정하거나 두려워하지 않을 것이라고 생각한다. 만일 이런저런 것을 가지고 있다면, 만일 환경이 다르다면 걱정을 모두 몰아낼 수 있을 것이라고 생각한다. 하지만 원하는 것을 모두 가져도 형태만 다를 뿐 예전과 똑같은 적들이 따라다닌다. 결국 진심으로 인생을 즐길 수 있는 용기를 내지 못하고 만다. 자신보다 지식이 뛰어난 사람들, 운이 좋거나 외모가 뛰어난 사람들과 어울리기를 두려워한다. 빈곤한 정신, 텅 빈 지갑, 뛰어나지 못한 외모가 노출될까 봐 두려워한다. 그 결과 사회적 교류를 통해 얻을 수 있는 기쁨과 이익을 잃는다. 그들은 비겁하다. 그리고 비겁한 사람은 절대 행복해질 수 없다.

　많은 사람들이 금방이라도 불행이 닥칠 것 같은 공포를 언제나 가지고 있다. 그런 공포심은 가장 행복한 때조차도 그들을 따라다닌다. 그들은 한번도 이웃들처럼 친절하지 않다. 날씨도 항상 마음에 들지 않는다. 바람은 너무 세거나 약하다. 기온은 너무 높거나 낮으며, 습도 역시 너무 높거나 낮다. 길은 진흙으로 질척거리거나 먼지투성이다. 무엇인가 안 좋은 일이 금세 생길 것 같은 걱정과 공포, 그리고 불길한 예감에 만성적으로 시달리기 때문에 그들의 판단은 믿을 수 없다. 공포가 마음을 차지하면 분별력과 판단력은 나가버린다. 기쁨은 공포에 의해 짓눌려 그들은 절대로 진정한 기쁨과 위안을 얻지 못한다. 항상 비밀이 소문날까 전전긍긍한다.

존 토드 박사는 항상 걱정하는 어떤 사람에 대해 이야기했다.

"어느 비 내리는 아침 N씨를 만났습니다. 나는 즐거운 목소리로 인사했습니다.

'좋은 아침이군요. 비가 오니 농작물이 잘 자라겠습니다.'

그러자 N씨가 말했습니다.

'그럴지도 모르죠. 하지만 옥수수 밭에는 아주 안 좋습니다. 절반도 수확하지 못하겠네요.'

며칠 후 다시 그를 만났습니다.

'날씨가 좋으니 옥수수가 잘 자라겠습니다.'

'그럴 겁니다. 하지만 호밀 밭에는 아주 치명적이죠. 호밀은 추운 날씨에 잘 자랍니다.'

며칠 후 어느 쌀쌀한 아침, 나는 이렇게 말했습니다.

'호밀이 정말 잘 자랄 수 있는 날씨로군요.'

'그렇습니다. 하지만 옥수수 밭에는 최악의 날씨입니다. 옥수수가 자라려면 강한 햇빛이 필요합니다.'"

세상에는 늘 실망할 거리를 찾거나 과거의 불행을 되새기며 조바심하고, 신경질 내고, 까탈 부리며 사는 사람들이 많다.

스펄전 목사는 말했다.

"참을성 없는 사람들은 불행에 물을 주고, 위로를 괭이로 파낸다."

감자를 가득 실은 마차를 몰고 가는 농부를 보고 이웃이 물었다.

"저, 지난 8월에 저와 얘기를 나누신 분 아닌가요?"

"그렇소."

"그때 옥수수가 전부 말라죽었다고 하셨죠?"

"그렇소."

"그리고 감자는 전부 땅 속에서 구워졌을 거라고 하셨죠?"

"그렇소."

"그래서 올해는 절반도 수확하지 못할 거라고 하셨죠?"

"그렇소. 그렇게 말한 기억이 나오."

"흠, 그런데 마차에 수확한 감자가 가득하군요. 생각했던 것만큼 심각하지는 않았나 봅니다, 안 그래요?"

"글쎄……, 그런 것 같소."

농부는 그렇게 말하며 손가락으로 머리를 쓸어올렸다.

"그런데 우리 집 거위들이 웅덩이가 말라서 아주 괴로워하고 있다고 내가 말했소?"

'태양을 단지 그림자를 만드는 것으로만 바라보는 사람'은 얼마나 염세적인가? 마치 에너지의 90퍼센트를 사용하는 전기발전 대신 90퍼센트를 낭비하는 증기기관 시대로 돌아가는 것처럼, 끊임없이 걱정한다면 우리는 시대에 훨씬 뒤떨어질 것이다. 우리는 쓸데없는 걱정에 안달하고, 조바심하고, 잔소리하고, 날씨와 사물에 대해 불평하며 많은 에너지를 낭비한다.

엄마가 아기를 기르듯 너무 많은 사람들이 걱정을 기른다.

"근심은 기르면 기를수록 더 커진다"라고 홀랜드 여사는 충고했다.

우리가 따르는 신학神學과 신앙이 주로 걱정, 두려움, 그림자, 우울함, 미래에 관해 다룰 뿐 기쁨, 즐거움, 햇빛, 현재를 염두에 두지 않기 때문에 인류는 공포를 느낀다. 인류가 원하는 것은 '「사도신경」'이 아니라 구세주'다.

한편, 많은 사람들이 질병에 대해 공포를 느낀다. 그런 태도는 행복을 파괴한다. 사람들은 무서운 병에 걸렸다고 확신하고 끔찍한 증상을 떠올린다. 끊임없는 공포는 실제로 영양 흡수를 방해하고, 면역력을 약화시키며, 유전자 손상이나 질병을 촉진한다. 게다가 우리를 우울하게 만들고, 괴롭히고, 방해하고, 걱정시키는 것들은 혈관을 수축시켜 혈액 순환을 방해한다. 반면, 우리를 행복하고 즐겁게 만드는 것들은 혈관을 이완시켜 혈액 순환을 활발하게 한다.

병에 걸릴까 두려워하는 마음에 사람들은 온갖 약을 복용한다. 신경안정제와 '만병통치약'으로 여기는 영양제를 입에 달고 산다. 이런 현상은 현대인들의 삶과 업무 방식에 관계가 있다. 많은 사람들이 찬장에 영양제로 가득 채우는 것은 신경이 계속 극도로 긴장되는 비정상적인 상황 때문이다. 곧, "긴장을 풀 수 없다"며 두려워하고, 매일매일 생계와 행복을 얻으려는 전투에서 즐거움의 작용에 반응할 수 있는 능력을 잃어버린 상황 말이다.

우리는 생산성을 유지하면서도 어떻게든 행복을 찾아야 하는 이중 의무에 시달린다. 그리고 스트레스를 풀고, 육체적 행복과 쾌락을 얻기 위해 점점 더 다양한 흥분제에 의지하게 된다.

평생을 쉼 없이 일만 하며 달려가다가 인생을 즐길 수 있는 감각을 행여라도 잃어버릴까 두려워한다. 열악한 작업환경에서 긴 시간 노동에 시달리는 동안 행복이 사라질까 두려워한다. 결국 일상에서 우리의 영혼이 이런 공포와 걱정을 진정한 행복으로 대체할 수 없고, 또 대체하지 않을 때 우리는 가짜 행복을 얻기 위해 흥분제와 스트레스 완화제 같은 외부 수단에 의존하게 된다.

우리는 신경조직과 두뇌를 너무 심하게 자극하면서 있지도 않은 것을 달라고 요구한다. 미국의 저명한 신경학자 조지 W. 자코비 박사는 〈이브닝 포스트 *Evening Post*〉 지와의 인터뷰에서 "걱정이 육체에 미치는 최종적인 영향은 무엇입니까?"라는 질문을 받고 이렇게 대답했다.

"총알이 깊이 박혔을 때나 칼에 깊숙이 찔렸을 때와 같은 상처를 남깁니다. 그렇게 되기까지 시간이 좀 걸리지만, 걱정은 분명히 총이나 단검처럼 위험합니다. 지난 100년 동안 전쟁보다 걱정 때문에 죽은 사람이 더 많으니까요. 걱정이 인간을 죽인다는 사실은 최근의 연구에서 밝혀졌습니다. 이 결론은 지난 몇 년 동안 신경학자들이 발표한 연구 결과 중에서 가장 놀랍고 흥미로운 사실입니다. 우리는 걱정이 사람을 죽이는 자세한 과정까지 추적했습니다. 두뇌의 질병을 연구하는 의사들은 매년 수백 명의 사람들이 병명과는 달리 단순히 걱정 때문에 사망한 것이 아닌가 꾸준히 의심해왔습니다. 쉽게 말하자면, 걱정은 뇌의 특정 세포에 회복할 수 없는 손상을 가합니다. 그것은 한 지점에 계속 떨어지는 물방울처럼 조금씩 서서히 침입합니다. 한 가지 문제에 대해 오랜 기간 동안 끊임없이 생각하면 뇌세포가 파괴됩니다. 건강한 두뇌는 가끔씩 발생하는 걱정을 처리할 수 있습니다. 하지만 계속적으로 반복될 경우에는 뇌세포는 싸워 이길 수가 없습니다.

걱정의 기계적 작용은 작은 망치로 계속해서 머리를 때리는 것과 아주 유사합니다. 결국 두뇌를 둘러싸고 있는 막膜이 찢어지고, 머리가 정상적인 기능을 할 수 없게 되죠. 가라앉지 않는 불쾌한 생각, 아무리 강하게 마음먹어도 떨쳐낼 수 없는 기억은 강력한 현미경을 통해서만 볼 수 있는 민감한 신경조직의 생명력을 약화시킵니다. '걱정'은 시간이 흐를수록 점점 커져 결국 희생자는 걱정을 떨쳐낼 수 없는 상황에까지 이르게 됩니다. 이런 방식으로 하나의 세포, 한 부위의 세포들이 영향을 받습니다. 뇌세포들은 가느다란 섬유로 빽빽하게 연결되어 있고 다른 부위의 세포와 밀접하게 관련 맺고 있습니다.

걱정은 일종의 편집증입니다. 걱정과 그 쌍둥이 동생 낙담처럼 인간의 성취, 행복, 능력에 막대한 피해를 주는 것은 없습니다. 치료 방법은, 육체 피로라는 첫 번째 경고를 받았을 때 걱정을 던져버리고 다른 일에 몰두할 수 있는 의지력을 훈련하는 것입니다. 기분전환은 걱정의 적입니다. '안달하지 마라'는 건강에 아주 이로운 충고입니다."

하지만 우리는 안달한다. 기운이 다할 때까지 스스로를 몰아붙이다가 결국 질병이 찾아왔을 때에야 안달도, 의욕도 모든 것을 포기하게 된다.

걱정과 두려움은 다른 어떤 것보다 더 많은 중독에 빠져들게 한다. 마약, 술, 영양제 등등······. 사람들은 걱정을 사라지게 하고, 긴장을 풀어주고, 혼란스러운 마음에 평화를 가져다주는 것이면 무엇이든 취하려 한다.

수백만 명의 사람들이 퇴근길에 술집을 찾거나 집에 들어가자마자 술을 마신다. 적어도 괴로운 문제들을 잠시 잊고 위로받을 수 있다고 믿기 때문이다. 알코올은 혈관 벽의 신경을 마비시킴으로써 혈관을 확장시켜 일시적인 내부 출혈을 일으키기도 한다. 또한 뇌를 자극하여 우울증과 같은 정신 반응이 나타난다는 사실을 아는 사람은 거의 없다.

"항상 명랑함을 잃지 말고, 걱정을 하지 마십시오"라고 자코비 박사는 충고한다. 이는 걱정이 정신을 황폐하게 만들고 건강을 파괴한다는 만고의 진리를 절감하는 의사가 제시할 수 있는 최선의 방책이다. 의사들은 걱정을 저주로 여긴다. 걱정하며 보낸 하루는 노동하며 보낸 일주일보다 더욱 사람을 지치게 한다. 걱정은 육체를 해치고, 행복은 육체의 건강과 조화를 유지케 한다.

우리는 자신의 정신 상태를 지배할 수 있어야 한다. 항상 우리 마음의 주인이 되어야 한다. 하지만 그렇게 할 수 있는 사람은 그리 많지 않다. 다음 기사를 보자.

"독립기념일 날 갑자기 천둥소리와 함께 비가 쏟아졌다. 우리는 두 여성의 대조적인 반응에 놀랐다. 두 사람 모두 갑작스러운 날씨 변화에 난감해했다. 한 여성은 어떤 남자의 우산을 같이 쓰고 비와 우박을 뚫고 걸어서 기차역에 도착했다. 그녀의 긴 스커트는 무릎까지 젖었고, 분홍색 리본은 축 처지고, 모자에 달려 있는 자주색 장식꽃들의 붉은 물이 흘러 흰색 실크에 얼룩졌다. 몰골이 말이 아니고 비싼 옷이 못 쓰게 되었지만 그 여성은 미소를 지으며 명랑한 태도를 잃지 않았다. 다른 여성은 계속 안전한 실내에 있었지만 불쾌한 표정을 지으며 창문에서 물이 튈까 봐 전전긍긍하고 있었다."

이런 상황이 되면 사람들은 흔히 두 번째 여자처럼 변덕스러운 날씨 때문에 하루를 '망쳤다'고 생각한다.

만물의 영장인 인간이 괴롭다는 생각을 억제하지 못하고, 그것에 저항 한번 못 해보고 희생된다면 이처럼 슬픈 일이 어디 있겠는가?

쉰한 살에 백만장자가 되었다가 쉰둘에 파산한 제이 쿡은 훗날 재기하여 많은 돈을 벌었다. 3천 명의 채권자들에게 빚을 갚음으로써 쿡은 모든 약속을 지켰다. 어느 날 그를 방문한 사람이 다시 성공하게 된 비결을 묻자 쿡은 이렇게 대답했다.

"아주 간단합니다. 부모님에게서 물려받은 기질을 버리지 않았습니다. 어릴 때부터 나는 항상 희망적인 태도를 유지했고, 그래서 한번도 우울했던 적이 없습니다. 항상 주변 상황이나 누구를 탓하는 사람들이 생각하는 것보다 더 상황이 괜찮다는 합리적인 철학을 믿었습니다. 미국은 어디에나 부富가 널려 있어서 그것을 찾기만 하면 된다고 생각했습니다. 그것이 나의 성공의 비결입니다. 항상 밝은 면만 바라보는 것 말입니다."

우리는 마음에 들어오려는 생각의 성격을 간파할 수 있어야 한다. 슬기롭게 마음의 문을 열거나 닫을 수 있어야 한다. 걱정과 공포에게 삶을 어둡게 만드는 권리를 내주어서는 안 된다. 마치 집에 들어온 맹수를 내쫓듯 그것들을 몰아내야 한다.

"내 육체는 땅을 걸어야 한다. 하지만 내 영혼은 날개를 달고 자유롭게 어디든 날아갈 있다."

나에게 충격으로 다가왔던 글귀가 있다.

"만일 당신이 비참할 때 행복해질 수 없다면 당신은 절대로 행복해질 수 없다."

만일 우리가 기분에 희생되어 마음을 다스리지 못하고, 스스로의 주인이기를 포기하고 순간의 분위기에 말려든다면 그것은 행복을 통제할 수 없다는 뜻이다. 그런 사람들은 자신이 행복한지 그렇지 않은지 전혀 알 수 없다. 자신의 기분을 알지 못하기 때문이다.

수세기에 걸쳐 경험이 축적되고 문명이 발달했음에도 대부분의 공포가 상상에 의해 만들어진 괴물임을 알지 못하고, 이런 행복의 적이 가하는 고통을 거부하지 못하다니 참으로 이상한 일이다. 수세기 전에 이런 불필요한 고통에서 벗어나는 방법을 발견할 수 있었는데도 인류는 아직도 공포와 걱정에 시달리고 있다.

현실에 기초를 두지 않은 순전히 상상의 산물인 공포가 원시시대부터 현재까지, 그토록 많은 사람들을 괴롭히다니 참으로 불가사의한 일이다.

임종을 앞둔 사람이 고백했다.

"사랑하는 자식들아, 오랜 세월 나는 온갖 걱정에 휩싸여 살았다.

하지만 그 걱정은 대부분 한번도 현실에서 일어난 적이 없단다."

필라델피아의 어느 유명한 기업가는 자신의 아버지가 25년 동안 줄곧 불행한 일이 생길 것이라고 예상했지만 그런 일은 한번도 일어나지 않았다고 말했다.

진정한 삶을 사는 기술을 터득한 사람은 존재하지도 않는 것에 정열을 낭비하지 않는다. 그것은 아무 도움도 되지 않을뿐더러 삶을 황폐화시킨다.

"항상 명랑하고, 낙담하지 않는 사람 앞에서 어려움은 이내 녹아 사라진다. 반면, 항상 운이 없다 불평하고, 아직 보이지 않는 구름을 찾으려고 지평선을 뚫어져라 바라보는 사람 앞에는 어려움이 쌓인다."

스트레스는 현재의 일이 아닌 앞으로의 일과 관련해서 나타난다. 정신적 피로는 산 입구에 도착하기도 전에 산에 오르는 것을 걱정하는 사람들에게 나타난다.

"우리는 건강을 위해서라며 매일 독약을 복용하는 사람을 보면 미쳤다고 생각할 것이다. 행복을 원하지만 걱정하는 습관을 버리지 못하고 정신적으로 균형을 잡지 못한 사람 역시 마찬가지다."

버는 돈보다 쓰는 돈이 많아 빚이 점점 늘어나는 사람을 당신은 어떻게 생각하는가? 당신의 지력知力, 창조력, 정열은 인생에 닥친 문제를 해결하는 데 쓰일 당신의 소중한 재산이다. 하지만 잠 못 이루며 고민하는 매일 밤, 초조해하고 화를 내는 매 순간, 당신의 소중한 재산은 하나씩 빠져나간다. 보다 행복한 내일을 추구하기 위해 쓰일 두뇌, 신경, 활력을 낭비할 뿐만 아니라 그 과정에서 당신과 주위 사람들을 불행하게 하고, 가정의 평화를 깨고, 평생 스스로에게 해를 입힌다.

우리는 왜 행복과는 거리가 먼 쪽을 선택하는 것일까?

우리의 삶에는 우연의 손길이 닿지 않고 운에 의해 파괴되지 않는 그 어떤 것이 있다. 우리에게는 분명히 성공과 행복을 누릴 권리가 있다. 그러려면 우리는 환경을 지배해야 한다. 어떤 우연이나 운에 좌우되어서는 안 된다. 우리의 가장 큰 적은 우리의 정신, 상상력, 인생에 대한 잘못된 생각 안에 있다. 우리는 노예가 아닌 정복자가 되어야 한다. 두려움을 초래하는 확신이나 미신의 노예가 되는 것처럼 끔찍한 일은 없다.

많은 사람들이 어리석은 미신이나 무지 때문에 행복을 누리지 못한다. 사람들은 미신이 해롭지 않다고 생각한다. 하지만 자신이 환경의 꼭두각시에다 징조와 상징에 휘둘리고, 무엇인가 운명을 방해하고 있다는 믿음보다 더 해로운 것은 없다. 스스로를 어찌할 수 없는 운명의 희생자라고 믿을 때 희망은 사라진다. 다시 말해, 아무리 노력해도 미래에 대한 확신이 서지 않는다. 삶을 위대하게 만드는 강직한 성격, 불굴의 원칙을 계발할 수 없다.

보다 큰 문제는 바로 내부에서 힘의 원천을 찾지 않는다는 것이다. 항상 마음의 평화, 위안, 행복, 성공을 얻기 위해 외부의 물질에 의존한다. 하지만 외부의 물질은 운에 따라 변할 수 있으며, 따라서 통제할 수 없는 것을 신뢰함으로써 결국 삶을 위험에 처하게 만든다.

우리는 외부의 도움에 의존하는 순간 내면의 힘과 단절된다. 그 둘을 이어주는 성스러운 밧줄이 끊어져버린다. 더 이상 성스러운 내면의 전류에서 흘러나오는 동력을 사용하지 못한다. 변화무쌍한 인생에서 숭고한 본성을 바라보지 않고, 믿음과 진실의 발전기를 성스러운 내면의 전류와 연결하지 않은 채 스스로를 추진시키려고 한다.

자, 이제 어떤 상황에서도 우리를 지지하는 어떤 것이 우리 내면에 있다는 확신을 가져야 한다. 진정한 인격을 구성하는 완벽한 조화와 균형을 이루기 전에 절대적인 안정감을 느껴야 한다. 우리는 영원한 원칙의 일부분이고, 불행이 닿을 수도 없고 폐기할 수도 없는 조물주의 계획의 일부분이란 사실을 조금이라도 의심하지 않는다면, 우리의 인격은 완전할 것이다. 불굴의 힘과 함께 위대한 삶을 이룰 수 있을 것이다.

공포와 걱정은 조물주의 원칙에서 분리되고, 전능한 조물주의 사랑과 진리를 받지 못할 때 비롯된다. 위대하고 창조적이며, 영원한 조물주와 우주의 모든 것, 모든 생명이 하나 되어 있음을 깨달을 때, 인생은 새로운 의미를 가지게 될 것이다. 우주에는 단 한 가지 법칙, 하나의 생명, 하나의 진실, 하나의 현실만이 존재한다. 그것의 힘은 우리에게 거룩한 도움이 된다는 믿음, 우리는 정말로 신과 천국을 향하고 있다는 믿음을 심어주어 가장 큰 용기와 경외심을 안겨주고 두려움을 없애준다.

우리가 모든 생명, 그리고 그 안의 신성한 법칙과 하나가 되면 될수록 인생은 평안하고 자신감에 차게 된다. 하느님의 자식들은 운의 희생자가 될 수 없으며, 냉정하고 잔인한 운명의 노리개가 될 수 없다.

공포감의 크기는 공포의 원인에서 스스로를 지키는 능력이 어느 정도인가에 따라 달라진다. 두려움과 걱정은 우리가 신과 연결되어 있음을 잊어버려 영혼의 집을 찾지 못하고, 성스러운 법칙과 조화를 이루지 못함을 반영하는 것이다.

어느 유명한 전도사는 이렇게 말했다.

"걱정은 영혼을 약화시킨다. 걱정은 질병이다. 걱정에는 좋은 면이 전혀 없다. 걱정은 정신적인 근시다. 작은 것을 크다고 착각한다."

걱정보다 더 나쁜 폭군은 없다. 하지만 걱정은 우리의 의지에 대항하여 감히 지배하겠다고 나서지 못한다. 그 이유는 우리가 선택하기에 달렸으므로.

따라서 우리는 걱정을 극복할 수 있다. 그러기 위해서는 먼저 공포와 싸워야 한다. 오랜 대립에도 우리는 공포의 요새를 무너뜨리지 못했을 뿐만 아니라, 권력의 자리에서 몰아내지도 못했다. 공포는 여전히 우리를 지배하고 있다. 공포는 여전히 인류의 가장 큰 적이며, 인간이 힘들게 쌓아올린 행복과 현명함을 약탈하는 포악한 강도다.

어설픈 공격으로는 공포를 그 왕좌에서 밀어낼 수 없다. 비밀리에 더욱 강력한 존재를 데려와야 한다. 공포는 상상력과 함께 행패를 부리기 때문에 새로운 존재는 더욱 강력한 방식으로, 공포가 여태까지 우리에게서 받은 충성을 포기할 때까지 우리의 건전한 생각과 감정을 흡수해야 한다. 새로운 존재는 공포의 해독제여야 한다. 그것의 이름은 믿음이다.

우리가 믿음에 충성을 바치면 공포는 오랜 권력의 자리에서 휘청거릴 것이다. 폭력으로는 공포를 쫓아낼 수 없다. 그러나 더욱 위대한 정신을 소유한 그 무엇이 앞으로 나아갈 수 있도록 조금씩 옆으로 끌어낼 방법은 있다. 공포가 생명의 원천을 고갈시키는 바로 그곳에 공포를 대신하여 사랑을 끌어올리면 된다.

오랫동안 우리를 괴롭힌 공포가 떠날 때 질병인 걱정도 함께 떠날 것이다. 그러면 우리는 새롭고 숭고한 자신감을 찾게 되어 지금은 상상조차 할 수 없는 안정감, 자유, 능력을 만끽하게 될 것이다.

사람들은 엄숙함을 성스럽다고 생각하지만 결코 진실이 아니다. 그저 우리에게 우울함을 가져다줄 뿐이다. 그것은 실제로 존재하는 것이 아니며, 신의 창조물이 아니므로 거짓이다. 오직 현실과 선함만이 하느님의 창조물이며, 곧 진실이다. 이런 사실을 깨달을 때 우리는 조화로운 삶, 과학적인 삶의 비결을 배울 수 있다. 가장 불행한 환경에서도 고요하고 균형 잡힌 삶의 향기와 아름다움을 얻을 수 있다.

선을 생각하라. 악을 쫓아내라. 마음을 선善과 미美로 가득 채워서, 반대의 것들이 절대 자리를 잡지 못하도록 만들어라. 위대하고 성스러운 조화를 방해하는 모든 불협화음과 충돌을 정복할 힘이 이미 마음속에 충분히 존재한다는 사실을 깨달을 때, 우리는 성공적인 삶을 살 수 있다. 그런 깨달음은 오두막집을 궁전으로 바꾸는 마법이다.

부지불식간에 다가오는 어떤 사건, 예측할 수도 없고 도망칠 수도 없는 어떤 심리적 상태가 존재한다는 것은 사실이다. 그러나 그런 감정을 느꼈을 때, 우리가 전지전능한 창조주의 창조물임을 기억한다면 우리는 창조물의 주인이 될 수 있다.

가장 중요한 것은 걱정, 근심, 공포의 병균이 몸속에 들어오지 못하도록 육체적·정신적·도덕적 기준을 높이는 것이다. 다시 말해, 그 병균들이 정신이나 육체에 들어올 수 없도록 저항력을 높여야만 한다.

평생을 공포에 시달린 사람이 있다. 공포는 그의 출세에 엄청난 지장을 초래했다. 그의 말에 따르면, 어릴 때부터 줄곧 따라다닌 공포는 자기표현을 불가능하게 하고, 어떤 것도 시도할 수 없게 만들었다는 것이다. 두려움 때문에 완벽하게, 자신감 있게 해낼 수 있었던 일들을 하지 못하게 되었다는 것이다. 평생을 그는 필사적으로 두려움과 싸워왔으며, 최근에야 두려움을 무력화시키는 힘이 내부에 있음을 깨달았다고 한다.

마음의 평화, 행복, 성공의 적이었던 두려움을 이기는 방법을 발견한 뒤로, 그의 삶은 완전히 다른 모습으로 바뀌었다. 공포를 몰아내기 전까지는 한번도 진정한 자신을 발견한 적이 없었으며, 가능성을 꿈꾼 적도 없었다. 과거에는 나약하고, 수줍고, 우유부단하고, 일을 두려워했지만 지금의 그는 강인하고 자신감에 넘친다. 공포를 파괴함으로써 활력을 일깨웠으며, 그 결과 정신력이 매우 강해졌다. 예전에는 일년씩이나 힘겹게 성취할 수 있었던 일을 이제는 한 달 안에 수월하게 해낼 수 있게 되었다.

우리도 이 사람처럼 될 수 있다. 가장 침울한 경험을 행복으로 바꿀 수 있다.

걱정을 정복하여 두려움을 극복하는 것만큼 커다란 기쁨은 없다.

그렇게만 된다면 우리는 상상조차 할 수 없었던 행복을 발견하게 될 것이다.

🌱 정해진 시간 이후에는 걱정하지 않는 습관을 기르겠다고 다짐할 것이다.
그 시간은 잠자리에 들기 한참 전이어야 한다. 어느 영국 성직자가
다음과 같이 말했다. "나는 평생을 밤 9시 이후에는 절대로 불쾌한
생각을 하지 않는 습관을 실천했습니다." 당신도 오늘 그 특정한
시간을 정하라.

🌱 용기와 명랑함은 나의 의지에 달려 있음을 기억할 것이다. 어떤 시련
에도 용기를 낼 수 있음을 상기할 것이다.
그러면 당신은 환경이나 기분의 희생양이라고 느끼지 않게 되며,
활발함과 명랑함이 항상 당신을 따라다니게 된다.

🌱 지금까지 걱정을 하느라 얼마나 에너지를 많이 소모했는지 돌아볼 것
이다.
걱정에 빠져 있는 당신에게 이렇게 물어보라. 희망과 힘을 소진시켰
던 에너지를 현실의 문제를 해결하는 데 사용한다면 얼마나 많은 열
정과 활력을 갖게 될 것인가? 가능한 한 많은 에너지를 힘과 쾌활함
으로 바꿔라.

🌱 과거에 무슨 일이 있었든 간에 나는 살아남았고 승리했음을 나에게
상기시킬 것이다.
지금 어떤 어려움에 처해 있든지 전에는 그보다
더 심각한 문제도 극복했음을 기억하라. 걱정하
는 대신 마음속에 있는 삶의 중심을 믿어라. 해결

방법을 적고 그것을 실행하라. 그러면 당신을 압박하는 걱정스러운 사건을 극복할 수 있을 것이다.

🌱 **현실적인 걱정과 두려움을 상상의 것들과 구별하는 법을 알아낼 것이다. 그리고 있지도 않은 일을 상상해서 두려움에 떠는 일을 그만둘 것이다.**

우리는 일어나지 않은 일이나 그리 대단하지 않은 사건, 불가피한 사건에 대해서 너무 심각하게 걱정한다. 자신이 얼마나 상상으로 빚어낸 걱정 때문에 두려워했는지 생각해보라. 그런 걱정에 맞서는 효과적인 방법은 상상에 의한 두려움에 사로잡히는 자신을 발견할 때마다 스스로에게 "그만"이라고 말하는 것이다(아니면 "멈춰!" 또는 "없어져!" 등 어떤 말이든 상관없다). 어떤 사람들은 이것을 '멈춰' 사고방식이라고 말한다. 아마도 걱정은 곧 다시 찾아올 것이다. 인내심을 가져라. 여러 해를 실제로 찾아오지 않은 불행을 걱정하며 살았으니 단번에 고칠 수 없다. 하지만 걱정이나 두려움이 생길 때마다 "멈춰!"라고 말한다면 결국에는 사라질 것이다. 한편, "멈춰!"라고 말한 뒤, 걱정이 현실로 되지 않게 하기 위해 당신이 할 수 있는 일을 생각해보라. 예를 들어, 직장에 늦을 듯싶으면 차를 갓길에 세운 뒤 직장에 전화를 걸어 지금 가고 있음을 알려라.

맹물을 포도주로 바꿔라

만일 우울한 날이라면, 신경 쓰지 마라.
당신이 밝게 만들면 되니까.
만일 유쾌한 날이라면 당신은 유쾌함을 증가시킬 것이다.
친구들에게 용기를 주는 말, 친절한 인사, 따뜻한 악수를 건네라.
만일 적이 있다면 지나치고, 잊어버리고, 용서하려고 노력하라.
만일 우리 모두가, 우리의 손으로 만들어가는 행복이
얼마나 많은지 알게 된다면
비참함은 훨씬 줄어들 것이다.

〈여성을 위한 가정 편람*The Woman's Home Companion*〉 지에 다음과 같은 기사가 실렸다.

"꽤 나이가 있어 보이는 여인이 있었다. 그녀의 얼굴은 차분하고 평화스러워 보였다. 그 연배의 여인들과는 달리 사소한 근심이나 찡그림을 찾아볼 수 없었고, 주름도 많지 않아 아무 문제도 없는 사람처럼 보였다. 어느 날 화를 잘 내는 여성이 그녀에게 행복의 비밀을 물었다. 그러자 그녀는 아름다운 얼굴에 환한 미소를 띠며 말했다.

'오, 저는 기쁨의 책을 쓴답니다.'

'뭐라고요?'

'기쁨의 책이지요. 오래전, 아무리 침울하고 우울한 날이라도 약간의 빛이 스며들 여지가 있다는 사실을 깨달았어요. 그래서 사소하지만 내게 아주 큰 의미가 있는 사실들을 기록해두기로 결심했답니다. 학교를 졸업한 뒤로 매일 꾸준하게 쓰고 있지요. 아주 소박한 얘기들 말이에요. 새로 산 옷, 친구와 수다 떤 일, 남편의 배려, 꽃, 책, 산보, 편지, 콘서트, 드라이브 같은 것들이죠. 짜증이 나려고 할 때마다 꺼내어 몇 페이지씩 읽는답니다. 그러다 보면 내가 얼마나 행복하고 축복받은 여자인지 알게 되죠. 원한다면 내 보물을 보여드릴게요.'

까다롭고 불평이 가득한 여성은 빌려온 책을 펼쳐 여기저기 읽기 시작했다. 어느 날은 다음과 같은 내용이 적혀 있었다.

'어머니에게서 기분 좋은 편지를 받았다. 창문 너머로 아름다운 백합꽃 한 송이를 보았다. 잃어버린 줄 알았던 핀을 발견했다. 길거리에서 아주 밝고 행복해 보이는 소녀를 보았다. 저녁에 남편이 내게 장미꽃을 선물했다.'

이 현명한 여성은 매일 자기가 읽은 책 내용 중에 좋은 글귀를 뽑아 기쁨의 책에 적었다. 그 책에는 진실과 아름다움이 가득 차 있었다.

'하루하루가 정말 유쾌한가요?'

짜증을 잘 내는 여인이 물었다.

'예, 그래요. 나의 이론을 입증해야 했으니까요.'

현명한 여인이 낮은 목소리로 대답했다.

짜증을 잘 내는 여인은 그쯤 해서 책 읽는 것을 멈출 법도 했지만 그렇게 하지 않았다. 그녀는 다음의 글귀가 적혀 있는 페이지를 발견했다.

'남편은 내 손을 꼭 잡고, 마지막으로 내 이름을 부르며 눈을 감았다.'"

우리도 이 아름다운 여인처럼 기쁨의 책을 써야 하지 않을까?

"기쁨을 만드는 사람들에게 복이 있나니."

다행히 세상에는 지루한 삶에서도 기쁨을 느끼고, 인생을 아주 소중한 선물이라 생각하고, 자신의 일을 사랑하고, 모든 사람과 모든 사물을 즐기고, 마치 가장 좋은 시간, 가장 좋은 장소에서 태어났다고 생각하는 듯이 보이는 사람들이 있다.

"명랑한 사람들은 다른 사람에게 어느 여름날 들판이나 숲에서 불어오는 시원한 바람 같은 존재다. 이들은 사람들 마음속에서 가장 선한 면을 깨우고, 불러낸다. 사람들을 더 강인하고, 용감하고, 행복하게 만든다. 그들은 평범한 곳을 더욱 밝고, 따뜻하고, 행복한 곳으로 만든다. 아침에 이런 사람을 만나면 하루의 업무가 훨씬 더 즐겁다. 그들이 우리에게 건네는 진심 어린 악수는 우리의 혈관에 새로운 힘을 불어넣는다. 잠시 이런 사람과 대화를 나누고 나면 당신은 기분이 고양되고, 활력이 넘치며, 삶에 대한 열정과 관심으로 어떤 일이든 할 준비가 되었음을 느끼게 될 것이다."

크림 전쟁(1853~6, 러시아와 오스만 투르크·영국·프랑스·프로이센·사르데냐 연합군 사이에 일어난 전쟁-옮긴이) 기간에 부상으로 입원해 있던 군인들은 플로렌스 나이팅게일이 오고 있음을 멀리서부터 느낄 수 있었다고 한다. 나이팅게일만의 기분 좋은 기운, 품위 있는 인격이 온 사방으로 발산되었으니까.

인생에서 맹물을 가장 맛있는 포도주로 변화시키는 놀라운 능력을 가진 사람들이 있다. 그들은 항상 유쾌하고 명랑하다. 그들은 강장제와 같은 존재로, 주변 사람들에게 활력을 주고 무거운 짐을 덜어준다. 그들이 나타나면 북극 지방의 오랜 어둠이 걷히고 태양이 나타났을 때와 같은 기운이 퍼진다.

자신이 못생기고 매력적이지 못하다는 사실을 너무 잘 아는 소녀가 있었다. 소녀는 사람들이 자신의 육체적 결함을 눈치 채지 못할 만큼 내면을 아름답게 가꾸겠다고 굳게 결심했다. 소녀는 들창코에 사시斜視이고 입은 아주 커서 매우 보기가 흉했다. 이렇듯 침울하고, 회의적이고, 불쾌하고, 가장 불행한 존재가 될 수도 있었던 소녀는 다른 사람이라면 치명적이라고 여겼을 약점을 완전하게 극복했다. 마침내 그녀를 아는 사람들 모두가 그녀를 사랑했다. 소녀가 인기에 걸림돌이 되리라고 생각했던 것들에 대해 아무도 관심을 두지 않았다. 우아하고 유쾌한 태도, 훌륭한 인내심과 자제심을 보여주었기 때문에 사람들은 소녀의 말을 들을 때마다 소녀에게 매료되었다. 그녀에게는 사람을 사로잡는, 설명할 수 없는 그 무엇이 있었다. 그것은 외적인 아름다움을 넘어서는 것이었다. 그녀의 말에는 항상 친절함이 배어 있었고, 상대방에게 진심으로 관심을 표현했다.

이것이 바로 진정한 아름다움이다. 이 아름다움은 외모의 아름다움과 달리 시간이 지나도 퇴색하지 않는다. 육체의 아름다움처럼 덧없는 것이 아니다. 그것은 정신의 아름다움으로, 우리 모두가 성취할 수 있는 것이다. 그것은 만나는 사람들을 풍요롭게 만드는 아름다움이며, 나이를 쫓아내는 아름다움이다. 언제나 밝고, 명랑하고, 희망적이고, 동정적인 사람에게 나이는 문제가 되지 않기 때문이다.

농무부 회의에서 어느 늙고 현명한 농부에게 특정 과일을 재배하는 데 가장 적합한 경사도를 물었다. 농부는 "땅의 경사도는 사람의 경사도와 큰 차이가 없습니다"라고 대답했다.

그렇다. 행복은 주변 환경보다는 마음의 경사도에 달려 있다.

요크셔에 사는, 어느 재치 있는 사람은 이렇게 말했다.

"불평 가街에 사는 형이 병에 걸렸다. 나도 그곳에서 얼마 동안 살았는데, 한번도 건강한 적이 없었다. 공기는 나쁘고, 집은 더럽고, 물도 위생 상태가 불량했다. 새들은 한번도 찾아오지 않았고, 나는 항상 우울하고 슬펐다. 그러다가 나는 '이사'를 가게 되었다. 감사의 거리에 사는 동안 나는 내내 건강했고, 내 가족들도 그렇다. 공기는 맑고, 집은 깨끗하다. 햇볕도 하루 종일 들어온다. 새들은 언제나 노래를 부르고, 나는 더할 나위 없이 행복하다. 이제 나는 형에게 어서 이곳으로 '이사' 오라고 권한다. 감사의 거리에는 세를 놓는 집이 아주 많다. 만일 이곳으로 온다면 형도 완전히 달라질 것이다. 형이 내 이웃이 되는 것을 진심으로 환영한다."

비위에 맞지 않은 사람들과 사이좋게 지내는 여성이 있었다. 그녀에게 그 비결을 물었더니 다음과 같이 대답했다.

"아주 간단해요. 그 사람들의 좋은 면만 바라보고, 나쁜 면에는 관심을 두지 않으려고 노력하면 됩니다."

이 여성처럼 사람들의 좋은 면에 관심을 쏟고, 그들의 높은 이상을 바라보려고 노력하는 사람들이 우리에게 가장 도움이 된다. 주위 사람들의 편견에 과감하게 맞서는 용기를 지닌 사람들이기 때문이다.

고통, 고뇌, 실망을 툭툭 털고 일어설 만큼 대범한 사람은 그리 많지 않다. 대부분의 사람들은 항상 아픔을 호소하여 주변에 그림자를 드리우고, 구름으로 햇빛을 차단한다. 자신의 병, 불행, 불운이 이 세상에서 가장 큰 것처럼 생각한다. 실제로 찾아오지 않은 불행에 슬퍼한다.

괴로운 문제들을 극복할 수 없는 사람, 고통과 짜증과 실망을 이겨낼 수 없는 사람, 그래서 목표만 거대하고 결과는 아주 하찮은 사람은 결코 행복해질 수 없다. 용맹하게 맞서지 못한다면 결국 성격이 비뚤어지고, 인생을 암울하게 살도록 이끌게 된다.

교양 있는 신사 숙녀들 사이에 불문율이 있다. 그들은 자신의 문제, 질병, 슬픔, 걱정을 남에게 알리지 않는다. 이는 훌륭한 원칙이다. 다시 말해, 인격을 원숙하게 만들고, 인생을 유쾌하게 만든다.

사람들을 걱정시키지 마라. 만일 불행, 고통, 질병, 손해를 가지고 있다면 혼자서 삭여라. 그것들을 묻어버려라. 당신의 용기 있는 행동을 알면 사람들은 당신을 사랑하고 존경할 것이다. 당신은 아주 대범하기 때문에 하찮은 일에는 신경 쓰지 않겠다고 결심하라. 당신을 괴롭히는 것들보다 당신이 훨씬 더 크다고 생각하라. 기쁨과 명랑함으로 고통을 극복하겠다고 결심하라. 용감한 마음과 유쾌함을 이길 적은 그 어디에도 없다.

괴테의 작품에, 가난한 어부의 오두막집을 환하게 밝힌 작은 은 램프 이야기가 나온다. 문, 지붕, 바닥, 가구 등 집안의 모든 것이 그 은 램프의 마법에 의해 은으로 변했다. 이와 마찬가지로 감정의 햇빛 한 줄기도 가난한 영혼들을 구석구석 밝고 따뜻하게 해줄 수 있다.

여러 해 동안 작은 방에서 소파에 앉아 지내야만 했던 여성이 있다. 그녀는 창문으로 겨우 나무 꼭대기만 바라볼 수 있었다. 하지만 그녀는 아주 밝고 희망에 차 있어서 그녀를 방문한 사람들은 오히려 자신의 문제를 털어놓고, 위로받고 용기를 얻어 가곤 했다.

몸이 고통으로 떨리는 순간에도 그녀는 "봄 날씨가 정말 아름답지 않나요!"라는 감탄사를 연발했다. 그녀의 눈은 항상 미소로 가득 차 있었다.

모두에게 빛과 행복을 가져다주는 이 여성을, 단지 오랜 기간 작은 방 안에 갇혀 지내야 한다는 이유만으로 불쌍하다거나 실패자라고 말할 사람이 있을까? 그녀는 부자들보다 더 성공했다. 그녀는 소중한 재산을 가졌다. 다시 말해 온갖 고통과 슬픔, 재난을 극복하게 하는 밝고 명랑한 영혼을 가졌다. 그것은 불에 타서 없어지거나 홍수나 가뭄과는 상관 없는 영원한 재산이다.

친절한 마음, 자비, 도움, 다른 사람의 행복을 바라는 마음, 사랑, 정직, 성실, 천진난만함, 동정 등은 인생에서 가장 바람직한 자세들이다. 우리 모두가 얻으려고 노력해야 하는 것들이다. 만일 우리가 얻지 못한다면 그것들을 가진 사람들과 가까이하려고 노력하라.

인디애나 주 게리 시에 사는 다리가 온전치 못한 신문 배달원 윌리 러프는 한번도 본 적 없는 소녀의 생명을 구하기 위해 용단을 내렸다. 피부이식 수술을 위해 자신의 못 쓰는 다리를 제공했던 것이다. 소녀는 건강을 되찾고 퇴원했지만, 폐가 약한 러프는 마취 때문에 폐렴에 걸려 위독한 상태가 되었다.

그의 희생으로 살아난 소녀가 러프에게 장미꽃 한 송이를 건넸다. 하지만 러프는 손에 힘이 너무 없어 꽃을 침대보 위로 떨어뜨리고 말았다.

"난 기뻐요. 그 소녀에게 꼭 말해주세요. 너무너무 기쁘다고……."

죽기 바로 전에 러프는 이렇게 속삭였다.

어머니는 침대 옆에 무릎을 꿇고 그의 베개에 얼굴을 묻었다. 러프는 야윈 손을 뻗어 어머니의 머리를 쓰다듬었다.

"울지 마세요, 어머니. 전에는 산에 올라가지 못했지만 이제 다른 사람처럼 등산할 수 있게 됐잖아요."

마지막임을 알면서도 러프는 미소를 잃지 않았다. 옆에 있던 의

사와 간호사들은 눈물을 보이지 않으려고 얼굴을 돌렸다.

"숭고한 행동이 신에게 한 걸음 더 가까이
다가가는 일임은 만고의 진리다.
그의 영혼은 평범한 흙을 박차고 일어나
더욱 깨끗한 공기를 들이마시고 넓은 시야를 얻게 된다."

만일 우리 모두가 이기적이지 않고, 유쾌한 성격을 가지려고 노력한다면 세상은 얼마나 살기 좋은 곳이 될 것인가! 황금률(「마태복음」 7장 12절, 「누가복음」 6장 21절의 교훈. '무엇이든지 남에게 대접을 받고자 하는 대로 너희도 남을 대접하라'로 요약되는 행동규범 - 옮긴이)은 이 세상 모든 곳에서 삶의 법칙이 될 것이다.

숙성과 오렌지, 노래와 종달새, 문화와 지식인의 관계는 행복과 영혼의 관계와 같다. 천박함과 무지함이 태만한 정신을 보여주듯, 불행과 비참함은 태만한 마음의 전조다. 정상적으로 발달한 천성은 기쁨을 울리는, 강하고 건강한 성대를 가지고 있다.

사우디(1774~1843, 영국의 시인 - 옮긴이)는 이렇게 말했다.

"체리를 먹을 때마다 그 과일이 더 크고 먹음직스럽게 보이도록 돋보기를 쓰는 스페인 사람이 있었다. 같은 방법으로 나는 기쁨을 최대한 즐긴다. 걱정거리에서 눈을 뗄 수는 없지만 최대한 작게 포장하여 다른 사람들을 괴롭히지 않도록 주의한다."

우리는 생각한 것보다 행복의 재료를 풍부하게 가지고 있다. 우리 마음속에는 아직 사용되지 않은 기쁨의 샘물이 수천 개나 존재한다. 당신에게 평범하고 하찮은 것처럼 보이는 매일의 삶을 돌아보라. 태어날 때부터 눈이 멀고 귀가 들리지 않는 사람들이 얼마나 큰 것을 얻는지 한번 생각해보라. 우리에게는 불쾌감을 주는 길 옆 잡초와 귀를 괴롭히는 거리의 소음에서 그들은 얼마나 큰 기쁨을 얻는가!

우리는 스스로가 생각하는 것보다 훨씬 더 부자다. 이제 우리 주변에 널려 있는 소중한 것들을 보듬고, 감상하고, 즐길 수 있는 능력만 기르면 된다.

🌱 나만의 '기쁨의 책'을 쓰기 시작할 것이다.

🌱 다른 사람에게 행복을 줌으로써 나에게 행복을 줄 것이다.

🌱 평소에 지루하고 평범하다고 생각했던 어떤 것을 다시 살펴보고, 그 안에서 아름답고 가치 있는 면을 발견할 것이다.

사람들은 흔히 삶을 평범하다고 느낀다. 하지만 어떤 사람은 우리가 당연하게 여기는 것이나 스치고 지나치는 것에서 아름다움과 가치를 찾는다. 오늘 당신이 세계에서 가장 가난한 나라에서 왔다고 가정하라. 그리고 주변을 둘러보라. 집과 직장과 퇴근길 등을 다른 시각으로 바라보라. 이제껏 무시하거나 대충 보았던 것에서 감사할 거리를 찾아라.

쓸모없는 비관주의를 버려라

낙천주의자들은 우리가 가장 좋은 세상에서 살고 있다고 주장한다.
비관주의자들은 그것이 사실일까 두려워한다.

– 제임스 브랜치 캐벌

전혀 이익이 되지 않는데도 많은 사람들이 근심거리를 찾고 있다는 사실은 정말 놀랍다.

그런 사람들은 어느 때, 어느 장소에서도 근심거리를 끊임없이 찾아낸다. 일단 마음이 그 방향으로 정해진다면 어떤 것이든 불행이 될 수 있기 때문이다. 거친 서부 개척시대에 권총과 사냥칼로 무장한 사람들은 항상 어려움에 처한 반면, 무기를 소지하지 않고 자신의 분별력과 자제력, 유머를 갖고 있는 사람은 거의 봉변을 당하지 않았다는 얘기가 전해지고 있다.

근심거리를 찾아다니는 사람들도 마찬가지다. 끊임없이 낙담하고 우울한 생각을 하는 것은 실제로 온갖 우울하고 파괴적인 요소들을 불러들이는 셈이다.

대부분의 불행한 사람들은 끊임없이 불행한 습관을 만들어나간다. 날씨를 불평하고, 음식의 맛을 탓하고, 교통 혼잡을 원망하고, 불쾌한 동료나 일을 찾아낸다.

특히 젊은 나이에 불평하고, 비판하고, 잘못을 찾고, 사소한 일에 짜증을 내고, 부정적인 면을 바라보는 습관을 갖는 것은 참으로 불행한 일이다. 얼마 후 그런 습관은 그 사람의 주인이 되어버린다. 감정이 비뚤어져서 결국에는 만성적으로 비관적이고 냉소적인 태도를 취하게 된다.

고민을 찾아다니는 사람들 중에도 전문가들이 있다.

어떤 사람들은 병을 찾아다닌다. 감기에 걸릴 때를 대비하여 항상 주머니에 항생제를 넣고 다니며, 언젠가는 반드시 사용하게 되리라고 확신하며 온갖 약품을 챙긴다. 여행을 떠날 때도 당연히 상비약을 챙긴다. 그들이 항상 컨디션이 좋지 않고, 감기나 전염병에 잘 걸리는 것은 그리 이상할 것도 없다.

반면, 앞서서 고민하지 않으며, 항상 최악이 아닌 최선의 상황이 오리라고 믿고, 여행을 갈 때 절대 약을 가져가지 않는 사람들은 별로 문제에 부딪히지 않는다.

어떤 사람들은 항상 코를 킁킁거리면서 비위생적인 면을 찾아낸다. 늘 무엇인가 너무 높거나 너무 낮거나, 너무 밝거나 너무 어둡다. 조금만 아프면 그들은 어떤 무시무시한 질병의 징후라고 확신한다. 결국 그들은 예상했던 질병에 걸린다. 그 질병을 찾아내고, 그 질병을 예상하고, 그 질병을 기대했기 때문이다. 만일 예상이 빗나간다면 그들은 아마 실망하지 않을까 싶다. 문제는 바로 그들의 마음이다. 마음속으로 늘 불안해했던 것이 반드시 몸의 징후로 나타난다. 단지 시간 문제일 뿐이다.

어떤 비관주의자들은 위*에서 모든 불행이 시작된다고 생각한다. 마음속에 체질에 맞는 음식과 맞지 않는 음식을 자세히 새겨놓고, 소화되지 않는 새로운 음식을 찾아내기를 은근히 바란다. 그들은 식사 때마다 소화제를 먹는다. 먹은 음식이 전부 위에 상처를 입힐 것이라고 확신하기 때문이다. 당연히 그 의심스러운 생각과 공포는 소화에 나쁜 영향을 미친다. 결국 위액 분비가 비정상적으로 진행되어 위염이나 위궤양, 위암에 걸리고 만다.

이런 괴팍한 사람들 가운데 몇몇은 숨쉬는 공기가 가장 큰 문제라고 생각한다. 만일 침실 창문이 열려 있으면 폐렴 혹은 감기에 걸리거나 급사할 수 있다고 경고한다. 실제로 창문이 열려 있는 곳 어디든 이들은 감기에 걸릴 거라 두려워해, 결국 감기에 걸리고 만다. 신체의 저항력을 약화시켜 병에 걸리기 쉽게 유도하는 것은 바로 그들의 공포, 그들의 두려움이다.

만일 이웃에 전염병이 돈다면 그들은 반드시 그 병에 걸린다. 만일 자녀가 기침을 하거나 볼이 빨개질 때, 또는 배고픔을 느끼지 못하는 모습을 보면서 어떤 무서운 질병이 침투하기 시작한 것이라고 확신한다.

아마 가장 애석한 경우는, 보통 유전성이 있다고 여기는 어떤 질병 때문에 죽게 되리라고 확신하는 사람들일 것이다. 허약한 폐, 허약한 심장, 허약한 위 때문에 육체적 불행을 맞게 되리라는 생각을 떨쳐버리지 못하기 때문에 그들은 모든 활동에 흥미를 잃게 된다. 그런 사람들이 건강하고 행복해지기 위해 필요한 것은 건전한 정신 상태, 유쾌하고 희망적인 태도와 행동이다. 하지만 그들은 사기꾼과 돌팔이 의사의 희생양이 되고, 신문과 잡지를 가득 메운 놀라운 치료효과와 예방효과를 선전하는 광고에 속아 엄청난 양의 조제약을 삼킨다. 그들은 그 제약회사를 살찌울 뿐, 자신은 그보다 열 배 더 비참한 상황에 처하게 된다.

또 어떤 사람들은 항상 불행과 가난을 불평한다. 그들은 얼굴에 불행을 써 붙이고 돌아다닌다. 그들은 자신의 실패를 알리는 걸어 다니는 광고물이다. 항상 말은 많지만 절대 행동으로 옮기지 않는다.

똑똑하고 힘이 넘치는 젊은이가 있었다. 그는 막 사업을 시작했지만 만나는 사람들에게 사업에 대해 부정적으로 말하는 아주 나쁜 습관을 가지고 있었다. 누군가 사업이 잘되어 가느냐고 묻자 청년은 이렇게 대답했다.

"안 좋아요, 안 좋아. 형편없어요. 엉망입니다. 간신히 입에 풀칠이나 할 정도입니다. 돈이 들어오지 않아요. 다 팔았으면 좋겠는데. 큰 실수를 했습니다. 차라리 월급쟁이 시절이 좋았습니다."

그는 사업이 번창할 때조차 앓는 소리를 했다. 청년이 항상 우울하고 낙담하는 분위기라 사람들은 청년을 지겨워하고 넌더리를 냈다. 전도유망하고 가능성이 많았던 그 청년은 결국 실패하고 말았다.

특히 고용주일 경우, 이런 습관은 불행한 결과를 초래한다. 그런 태도는 전염되기 때문이다. 결국에는 직원들 역시 자신감을 잃게 된다. 사람들은 비관주의자들과 함께 일하길 원치 않는다. 직원들은 칙칙하고 우울하기보다는 명랑하고 낙천적인 환경에서 더욱 능률적이며, 더 많은 일을 해낸다.

비관적으로 말하는 사람들은 낙관적으로 말하는 사람만큼 성공할 수 없다. 모든 것을 낮춰서 말하는 습관은 마음을 긍정적이고 창조적인 면보다는 부정적이고 파괴적인 쪽으로 이끌기 때문에 성공에는 치명적이다.

낮추어 말하는 사람은 위로 올라갈 수 없다.

상상력을 잘못 사용하면 온갖 불행한 일이 벌어진다. 자신이 학대당하고, 무시당하고, 욕을 먹고 있다고 상상하기 때문에 항상 불행에 빠져 허우적거리는 사람들이 있다. 그들은 자신이 모든 불행의 표적이며, 부러움과 질투, 모든 원한의 대상이라고 생각한다. 그러나 그들의 걱정은 대부분 망상일 뿐, 현실과는 거리가 멀다.

부정적인 생각은 불행을 불러일으키는 가장 큰 요인이다. 그것은 행복을 죽이고, 무능함을 불러들이고, 조화를 내쫓아 삶 자체를 불만스럽게 만든다. 부정적인 생각만 하는 사람은 주변을 온통 회의적인 분위기로 만들어 스스로를 영원히 비참하게 만든다. 그들은 항상 검은 안경을 쓰고 다니며 주위의 모든 것에 상복을 입힌다.

그들은 항상 우울한 것만 바라본다. 삶 전체를 슬픈 가락으로 뒤덮는다. 그들의 세상에는 명랑하고 밝은 것이라곤 눈을 씻고 찾아봐도 없다. 그들은 가난, 실패, 불행, 불운, 고난에 대해 너무 오랫동안 이야기를 나눈 탓에 존재 자체가 회의주의에 물들어버린다. 명랑한 성품은 무시당하고 사용되지 않아 위축되었다. 반면, 회의적인 성품은 지나치게 발달하여 그들의 정신은 정상적이거나 건전하고 명랑한 균형을 되찾을 수 없다. 그들에게 하루하루는 언제나 힘들고, 돈에 쪼들리고, 불공평하기만 하다. 아무도 그들과 대화하지 않는다. 항상 불운과 불행에 대해서만 이야기하기 때문이다. 사람들은 유독한 가스가 나오는 늪지를 보듯 그들을 피한다.

사람들은 흔히 상황이 지금과는 다르다면 행복할 것이라고 생각한다. 하지만 사람의 기질이나 성향은 환경과는 아무런 관계가 없다.

가장 친한 친구를 잃었든, 불행해 보이는 삶을 살든, 역경에 처했든, 몸에 장애가 있든 언제나 용기를 잃지 않고 명랑하며 희망적이라서 주위 사람들에게 기쁨을 주는 사람들이 있다.

혹시 환경, 불운, 가난에 대해 불평만 늘어놓는 사람이라면 당신보다 더 열악한 환경에 있는 수많은 사람들을 생각해보라. 아마 그들은 당신과 똑같은 입장만 되어도 행복하게 느낄 것이다.

예전에 나는, 이렇듯 부정적으로 생각하는 사람에게 운명은 자신의 생각에 달려 있다는 사실을 깨닫게 해주는 힘을 가졌으면 하고 바랐다. 하지만 요양소에서 봉사했던 조지 C. 테니는 다음과 같이 기록했다.

"모든 사람, 모든 것에 화가 난 사람을 돕는 것은 죽겠다고 결심하고 물에 빠진 사람을 구하려고 노력하는 것과 같다."

한편, 끊임없이 다른 사람의 단점을 찾아내고 비판하는 사람들이 있다. 이런 행동은 가장 해롭고 불쾌감을 주는 습관이다. 그들은 다른 사람에게 결코 관대하지 않고 아량을 베풀지 않는다. 칭찬에 인색하고 남을 인정할 줄 모른다. 모든 사람, 모든 상황에서 단점을 찾아내 빈정거린다. 이런 태도는 장미꽃 봉오리나 과일을 갉아먹는 벌레처럼 치명적인 해를 입힌다. 그들의 삶은 비뚤어지고, 왜곡되고, 고통스럽다.

이렇게 해로운 습관이 일단 만들어지면 그 뒤로는 어떤 상황에서도 조화롭고 행복해질 수 없다. 항상 비난할 무엇인가를 찾는 사람들은 자신의 인격을 손상시키고, 고결함을 파괴한다.

추한 것 대신 아름답고 선한 것을 찾는 일은 쉽다. 불명예스러운 것보다는 숭고한 것, 어둡고 우울한 것보다는 밝고 명랑한 것, 절망적인 것보다는 희망적인 것, 어두운 면보다는 밝은 면을 찾는 일은 생각처럼 어렵지 않다. 햇빛을 향해 얼굴을 돌리는 것은 그늘을 향하는 것만큼이나 쉽다. 그러면 삶이 완전히 달라지고, 어려움은 행운으로, 실패는 성공으로, 불만족은 만족으로, 비참함은 행복으로 변할 것이다.

빛을 찾는 법을 배워라. 그림자를 단호하게 거부하라. 유쾌함을 주고 도움을 주고 영감을 주는 것들을 지켜나가라.

만일 사업이나 주위 환경, 친구, 그 외 모든 것을 낮춰 말하는 습관이 있다면 태도를 180도로 바꿔라. 모든 것을 높여 말하라. 그러면 곧, 생각이 바뀌면 환경도 변하고, 상황 또한 좋아진다는 사실을 깨닫게 될 것이다.

강하고 긍정적인 사람들은 부정적인 생각을 하지도 않고, 입 밖에 내지도 않는다. "할 수 없습니다"라고 하지 않고 "할 수 있습니다"라고 한다. "해보겠습니다"라고 하지 않고 "하겠습니다"라고 한다. "할 수 없다"는 말은 사람들을 파멸시키는 가장 큰 요인이다. 부정적인 습관, 의심하는 습관을 가진 사람이 성공하지 못하는 것은 당연하다. 그런 태도는 스스로를 옭아맨다. 생각과 말과 태도를 180도로 바꾸지 않는 한 옭매임에서 벗어날 수 없다.

안정된 영혼은 절대로 의심하거나 근심하지 않는다. 그와 정반대다.

안정된 영혼은 어둠을 빛이 다가오는 좋은 징조로 생각한다.

마음의 평화를 유지하라. 그러면 진정한 삶의 모습을 볼 수 있을 것이다.

평안과 만족이 항상 당신의 친구가 될 것이다.

오/늘/나/는/

🌱 혹시 비관적인 태도 때문에 불행을 불러들이지나 않는지 스스로를 살펴볼 것이다.

🌱 단점을 찾는 것을 즐기며 나도 모르는 사이에 세상과 나에 대해 불만을 키우지 않는지 살펴볼 것이다.

다른 사람을 비판하기는 쉽다. 우리는 다른 사람의 결점이나 실수, 모순을 발견할 때마다 자신의 영리함, 예민함, 식별력을 스스로 칭찬한다. 잘못을 찾아내는 일은 바람직하다. 그러나 인신 공격을 위한 비난은 상대는 물론이요, 자신에게도 커다란 상처가 된다.

🌱 누군가를 비판할 일이 생기면 칭찬할 부분도 찾을 것이다.

"이번 일은 엉망이군" 또는 "내가 요청한 일을 하지 않았군"이라고 말하는 대신, 무엇인가를 칭찬하는 말로 대화를 시작하라. 그러면 상대방은 불쾌해하지 않을 것이다. 예를 들어 "이번 일은 엉망이군" 대신 "당신이 이번 일을 제대로 하기 위해 최대한 노력했다는 것을 잘 알고 있소. 정말 훌륭한 일이오. 그런데 일을 좀 더 멋지게 마무리하려면 당신이 더 노력해야 할 점이 있소"라고 말하라. 그런 다음 부족한 부분을 지적하라.

28

즐겁게 사는 비결은
어디에든 있다

스스로에게 관대하지 않은데
어떻게 다른 사람에게 관대할 수 있겠는가?

– 토머스 브라운 경

　자신에 대한 무조건적인 믿음만큼 커다란 재산은 없다. 모든 고결한 행동에 대해 "그것은 옳다"라고 얘기하고, 모든 야비한 행동에 대해 "그것은 그르다"라고 말하는 마음속의 '조용하고 작은 목소리'는 당신에게 지상의 모든 왕국보다 더 소중하다. 다른 사람이 당신을 어떻게 생각하는지, 또는 세상이 당신을 어떻게 평가하는지는 중요하지 않다. 언론이나 대중이 칭찬하거나 비난하는 것은 그리 큰 의미가 없다. 오로지 스스로에 대한 자신만의 정직한 판단이 성패를 결정한다.

스스로에게 인정받지 못한 사람은 부와 명예에서 흡족한 성과를 거둘 수 없다.

다음은 프랑스 속담이다.

"자신의 마음속에서 휴식을 찾지 못하는 사람은 그 어느 곳에서도 휴식을 찾을 수 없다."

당신 자신에게 인정받아야 한다는 사실을 반드시 기억하라. 무슨일이 있어도 자신감을 잃지 않고, 스스로를 불신하지 않으며, 행복할 때나 불행할 때나 마음의 보루를 굳건히 하겠다고 결심하라.

'조용하고 작은 목소리'가 아주 낮은 소리로 안 된다고 말하면 하던 일을 멈추고 자신에게 무엇을 할 것인지, 어디로 갈 것인지 물어라. 당신이 무언가가 잘못되었다고 확신한다면 즉시 고쳐라. 당신을 괴롭히는 원인과 협상하지 마라. 보상하려 하지도 마라. 그런 행동은 폭풍우 속에서 억지로 나침반의 바늘을 원하는 방향으로만 돌려놓으려는 선원의 행동처럼 위험하다. 결국 배는 난파하게 될 것이다. 인생의 바다에서도 수많은 인간 배가 양심이라는 나침반을 무시하거나 그것과 타협하려 하다가 결국에는 난파당한다.

스스로에게 인정받으려면 정직해야 한다. 정직하지 못한다면 양심의 비난을 피할 수 없다. 진실이나 성실함에서 아주 조금 떨어져 있다 하더라도, 아무리 하찮은 속임수라 하더라도 이미 당신은 양심의 바늘을 함부로 돌려놓은 것이다. 그 때문에 당신은 원하는 항구에 도착할 수 없다.

양심을 속이지 않는다면 재생양모를 순모로, 98센티미터를 1미터로, 500그램을 한 근으로, 수입품을 국내산으로 속여 판매할 수는 없다. 아무리 세상 그 누구도 모르게 은밀하게 행동한다 할지라도 자신의 인격을 더럽히지 않고 비도덕적인 행동을 하는 것은 불가능하다.

그 어떤 것을 잃든 스스로에게 인정받는다면 당신은 여전히 부자다. 큰 돈을 벌 수도 있고 큰 돈을 잃을 수도 있다. 근사한 집에서 살 수도 있고 초라한 판잣집에서 살 수도 있다. 고급 옷을 입을 수도, 싸구려 옷을 입을 수도 있다. 비싼 차를 탈 수도, 걸어다닐 수도 있다. 친구를 사귈 수도, 잃을 수도 있다. 세상이 당신을 높이 평가할 수도, 낮게 평가할 수도 있다. 만일 당신이 정직하고 성실하고 진실하다면, 만일 당신이 인상을 찡그리지 않고 자신의 얼굴을 똑바로 응시할 수 있다면 비록 세상 사람들이 당신을 실패자라고 규정한다 해도 당신은 행복할 것이고 성공한 것이다.

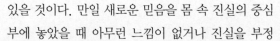

오/늘/나/는/

🌱 **스스로를 속일 때, 경고하는 내 안의 목소리에 귀를 기울일 것이다.**
우리는 얼마나 자주 양심의 꾸짖음을 외면하고 나중에 후회하는
가. 양심을 신뢰하는 법을 배워라. 때때로 양심을 따르는 일이 관
례에 어긋나 보일 때도 있다. 그래도 괜찮다. 긴 시야로 보면 스
스로를 의심하고 관심 갖지 않는 것보다 자신을 믿고 한 행동이
잘못된 편이 더 낫다. 사실 우리는 모두 실수를 한다. 잘못된 정
신보다는 잘못된 행동을 고치는 편이 더 쉽다.

🌱 **내 안의 목소리에 귀를 기울이는 기술을 개발할 것이다.**
그 한 가지 방법은 첫사랑의 대상처럼, 절대적으로 진실하다고 믿
는 것을 머리에 떠올리는 것이다. 그리고 그 생각을 하는 동안의
상황을 유심히 살펴라. 진실을 보고, 그 진실을 다시 느껴보라. 그
렇게 진실을 느끼는 동안 신체의 반응을 살펴라. 그러고 나서 그런
경험을 부정하라. 조금 전 진실을 느꼈던 몸 속 어딘가 지금 어떤
일이 벌어지고 있는지 살펴보라. 이제 신체가 진실을 느끼는 방식
을 알게 되었다. 당신이 느끼는 것 가운데 어떤 것이 진실이고 어
떤 것이 거짓인지 판단하는 방법을 터득했다. 만일 어떤 사실에 대
해 생각을 하고 머릿속에 떠올릴 때, 위 실험에서 진실의 중심부에
서 느낀 것과 같은 느낌이 든다면, 그것이 진실함을 당신은 알 수
있을 것이다. 만일 새로운 믿음을 몸 속 진실의 중심
부에 놓았을 때 아무런 느낌이 없거나 진실을 부정

하는 느낌이 든다면, 당신의 믿음은 진실이 아니거나 당신에게 진실을 확신시킬 수 없는 것이라고 정리하라.

🌱 자기 인정과 자기 속임수는 공존할 수 없음을 기억할 것이다.

우리는 항상 자신이 하는 일을 인정할 수 있다. 하지만 진정한 자기 인정은 스스로가 정한 원칙을 지켜나가는 데서 이루어진다. 당신이 믿는 중요한 원칙들을 적어라. 어떤 행동을 인정할 때, 그것이 당신의 원칙에 어긋나지 않도록 하라. 그렇지 않으면 스스로가 정한 원칙을 파기하는 것과 마찬가지다. 결국 자신을 속이게 될 것이고, 당신이 인정한 행동은 불완전하고, 당신이 한 말은 신뢰받지 못할 것이다. 그리고 내면의 목소리가 진짜인지 거짓인지 구별하는 능력 또한 잃게 될 것이다.

29

자기존중만은
반드시 간직하라

만일 조물주가 우리가 우울해하길 바랐다면
땅에 초록색이 아닌 검은색 옷을 입혔을 것이다.
초록색은 명랑함과 기쁨의 옷이다.

– 재닛 그레이엄

누군가가 스스로를 꾸짖는 모습을 본다면 얼마나 황당할까? 그런데 어떤 사람들은 항상 그런 행동을 한다. 그들은 남들과 비교해서 자신이 얼마나 실패했고, 보잘것없는 존재인지를 말하는 데서 기쁨을 얻는 것처럼 보인다.

아이러닉하고 유감스럽게도, 우리가 습관적으로 자신을 경멸하게 된 데에는 교회의 책임이 크다. 설교 시간에 우리는 얼마나 자주 스스로를 꾸짖는 얘기를 듣는가! 사람들은 스스로를 왕이나 여왕이라든가, 신이 만들어낸 위대한 존재가 아니라 비참한 죄인, 먼지가 되어버릴 불쌍한 벌레라고 말한다. 강단에 선 성직자와 기도 회에 참석한 평신도들은 하느님에게 자신이 얼마나 미천한 존재인 지를 말한다. 고귀하게 태어났고, 훌륭한 인격을 가졌다고 당당하 게 말하는 대신 사람들은 우는소리로 사죄하고, 굽실거린다. 인간 은 두 발로 서도록 창조되었다. 이는 세상을 정면으로 당당하게 바 라보라는 뜻이다. 성경에선 위를 바라보고, 타고난 권리를 주장하 라고 가르친다.

자신을 경멸하는 것은 인격을 깎아내리는 것이다. 자신감을 파 괴하고, 독립심을 죽이고, 뼈대를 없앤다. 스스로를 경멸하면서 굴 욕적인 자세로 무엇인가를 부탁하는 자식을 보면 부모는 어떤 심 정이겠는가?

어떤 이들은 눈에 띄지 않도록 몸을 숨기는 데 천부적인 재능을 가졌다. 그들은 어디를 가든 뒷자리에 앉거나 찾을 수 없는 곳에 슬그머니 숨는다.

인간은 천성적으로 굽실거리는 것을 경멸한다.

"자신을 속이지만 않는다면 그 누구도 존경을 잃지 않을 것이다" 라고 에머슨은 말했다.

스스로를 눈곱만큼도 경멸하지 마라. 자신과 자신의 삶을 높이 평가하는 것은 인격을 드높이는 것이다. 자신을 믿는 일을 그만두 지 않는다면 우리는 자신을 속이지 않을 것이다. 또한 다른 사람을 속이지도 않을 것이다.

자기를 존중하고, 자신의 인격에 대해 높이 평가하는 태도는 부도덕한 행동과 잘못된 선택을 예방할 수 있는 최고의 보험이다. 자신을 높이 평가하는 사람은 비밀스런 방법이나 교활한 술수를 부리기 위해 몸을 구부리지 않는다.

당신이 스스로를 당당하게 표현하지 않는 한 가지 이유는 아마 능력도 없으면서 뻔뻔스러운 사람들에 대한 혐오감 때문일지도 모른다. 그래서 잘난 체하지 않고, 겸손한 태도를 취하기로 결심했을 것이다. 하지만 스스로를 낮춘다고 해서 인격이 훌륭해지는 것은 아니다. 싸구려 허영심이나 잘못된 자존심을 기초로 한 허풍선이 자부심과 맡은 바 일을 할 수 있다는 정직한 확신에서 나오는 진정한 자신감에는 분명한 차이가 있다.

기억하라. 세상은 똑바로 설 용기가 있는 자, 독창적인 생각을 하는 자, 자신만의 삶을 사는 자, 어느 모로 보나 인간이라고 할 수 있는 자를 사랑한다. 당신의 소명이 무엇이든 상관없이 어떤 어려움 속에서도 자신에 대한 존경심을 잃지 마라.

돈, 재산, 그 외 물질적인 것은 모두 없어져도 된다. 하지만 자기 존중만은 간직하라.

셰익스피어는 몇 마디 간단한 말로 이렇게 표현했다.

"자신에게 정직한 것이 세상에서 가장 중요하다."

오/늘/나/는/

🌱 **무슨 일을 하든 내 자신을 사랑할 것이다.**

마음이 불안하고, 자신의 능력에 의심이 생길 때 "나는 나를 좋아한다"라는 말을 가능한 한 자주 반복하라. 스스로를 책망하기를 즉시 멈추고 "나는 나를 좋아한다"라고 말하라. 하루에 수백 번 이 말을 해야 할지도 모른다. 그래도 괜찮다. 하루에 수백 번 스스로를 비하하는 것보다 낫다. 만일 꾸준하게 "나는 나를 좋아한다"를 반복한다면 결국 당신은 스스로를 꾸짖는 행동을 그만두게 될 것이다. 마치 우리가 항상 누군가에게 방해받는 것처럼, "나는 나를 좋아한다"가 꾸짖는 마음을 끊임없이 방해하기 때문에 시간이 지나면서 꾸짖는 마음이 사라지게 될 것이다. 단, 나를 좋아하는 것이 자신이 하는 모든 것을 인정한다는 뜻이 아니라 그 일을 해낸 나를 여전히 존중한다는 뜻이다. 이 점을 명심하라.

🌱 **다른 사람에게 인정받기 위해 나 스스로와 타협하지 않을 것이다.**

다른 사람에게 좋은 말을 듣고 아첨하기 위해 자신과 타협한다면, 그들의 인정은 받을지 모르지만 자신의 인정을 잃게 될 것이다. 양심을 버리느니, 스스로에게 인정받고 따돌림을 당하는 편이 더 낫다.

🌱 자기경멸의 반대가 이기주의가 아님을 명심할 것이다.

자신을 좋아하는 것은 자신을 자랑하는 것과는 다르다. 다른 사람보다 낫다고 생각하는 것도 아니다. 다른 사람과 비교하지 않고 무조건 자신을 받아들인다는 뜻이다.

🌱 나에 대해 부정적으로 말하지 않을 것이다.

우리는 대수롭지 않게 자신을 경멸하는 경우가 많다. 발이 돌부리에 걸려 넘어지면 이렇게 말한다. "아이 깜짝이야. 난 왜 이렇게 산만할까?" 또는 "난 정말 운동신경이 형편없어." 어리석은 일을 했을 때는 이렇게 말한다. "난 왜 이렇게 머리가 나쁠까?" 다른 사람이 요령을 가르쳐주면 "시간을 내서 연습해볼게요" 대신 "난 이 일에 서툴러요"라고 말한다. 이것이 자기도 모르는 사이에 스스로를 비하하는 태도다. 흥미로운 실험을 해보자. 메모장을 항상 가지고 다니면서 스스로를 꾸짖는 말을 했을 때마다 그 내용을 기록하라. 친구나 직장 동료에게 당신이 스스로를 경멸할 때마다 부드럽게 지적해달라고 도움을 요청하라. 3일 동안만 그렇게 한다면, 여러 장을 채울 수 있음을 발견할 것이다. 또한 언제 그런 행동을 하는지 알 수 있을 것이다. 그러고 나서 "멈춰!"를 실행하라.

30

한 번 더
행복에 대해 생각하라

그녀는 행복, 열정, 성공에서 풍기는,
형용하기 어려운 아름다움을 가지고 있습니다.
기질과 환경의 완벽한 조화에서 비롯된 그런 아름다움 말입니다.
－플로베르, 『보바리 부인』 중에서

우리는 모두 순수한 행복의 순간을 경험한 적이 있다. 세상이 아름답고 기쁘고 소중하고 흥분되고 멋진 황홀경에 빠졌던 경험 말이다. 하지만 그런 순간은 쏜살같이 사라져, 하루하루가 고난과 시련의 연속인 평범하고 시시한 '현실적인 세상'에는 존재할 수 없다고 우리는 생각한다.

행복이 있으려면 슬픔이 있어야 한다, 기쁨이 있으려면 눈물이 있어야 한다는 주장으로 우리 스스로를 위로한다. 불운은 세 가지가 겹쳐 온다고 말한다. 그리고 나서 "먹구름도 뒤쪽은 은빛으로 빛난다(괴로움이 있는 반면에 즐거움도 있다는 뜻의 속담-옮긴이)"고 위로한다.

하지만 행운은 세 가지가 겹쳐 올 수는 없을까? 행복은 우리가 항상 기다려야 하는 어떤 것일까? 구름 뒤에서 나타나길 기다려야 하나? 만일 단 10분 동안 행복한 세상에서 살 수 있다면 그 시간을 늘리는 것은 불가능할까? 언제까지나 그런 세상에서 사는 것이 불가능할까?

우리 모두는 자신이 생각하는 행복의 세상을 추구한다. 하지만 대부분은 다음 이야기에 등장하는 소년과 같다.

옛날에 언덕 위에 있는 작은 오두막집에 어느 가난한 소년이 살았다. 소년의 집은 비바람에 시달려 여기저기 부서져 있었다. 소년은 하루에도 몇 번씩 몽상에 잠겼다. 매일 해질 녘에는 현관 계단에 앉아 멀리 계곡에 자리 잡은 아름다운 집을 황홀한 듯 바라보았다. 그 집의 창문들은 어스름 속에서 황금색으로 빛나고 있었다.

그 집을 바라볼 때마다 항상 소년의 마음은 갈망으로 가득 찼다. "나의 오두막집은 얼마나 초라하고 형편없는가! 황금색 창문이 달린 저 아름다운 집에서 살 수만 있다면 정말 행복할 텐데."

소년은 한숨을 내쉬었다.

어느 날 저녁, 그 어느 때보다도 더 아름다운 황금색 창문이 소년을 부르는 듯했다. 소년은 내일은 반드시 그 아름다운 집을 찾아가겠다고 단단히 결심했다.

다음 날 아침 소년은 일찍 길을 나섰다. 길은 먼지투성이였고 날

씨는 매우 더웠지만 소년은 계곡으로 가는 먼 길을 걷고 또 걸었다. 하지만 그가 본 것은 금방이라도 쓰러질 것처럼 보이는 낡은 헛간이었다! 아름다운 창문, 그것은 전혀 황금빛이 아니었고 평범한 유리였다. 게다가 더럽고 여기저기 깨져 있었다.

언덕에서 바라본 그 아름다운 집은 어떻게 된 것일까?

피곤하고 지친 그 작은 소년은 땅에 쓰러져 슬피 울었다. 얼마 후 소년은 머리를 들어 위를 올려다보았다. 눈물로 흐려진 시야에 언덕 위에 있는 자신의 작은 오두막집이 들어왔다. 그런데 이럴 수가! 창문은 불타는 황금빛이었다.

이 소년과 우리는 얼마나 닮았는가! 우리는 항상 멀리 있는 것에 유혹받는다. 인생의 아름다움과 영광은 항상 우리가 지금 있는 곳, 지금 하는 일보다는 미래의 어느 때, 어느 곳에 있다고 생각한다. 언젠가는 황금빛 창문이 달린 아름다운 집에서 살 수 있을 것이라고 기대한다. 어떤 마법이나 돈, 또는 돈으로 살 수 있는 모든 것으로 우리는 행복을 누릴 것이라고 믿는다. 하지만 그 멀리 있는 행복은 신기루일 뿐이다. 어떤 사람도 멀리서 손짓하는 신기루를 잡아본 적이 없다.

그런데도 우리는 그것을 얻으려고 끊임없이 애를 쓴다. 우리는 평생 만족할 수 없는 갈망에 사로잡혀 있다. 우리는 우리에게 주어진 삶에 실망한다. 기대한 미래를 찾지 못한다. 젊은 시절, 그때가 되면 걱정 근심 없이 만족스럽게 살 수 있을 것이라고 기대했던 때가 이루어져도 지금의 삶이 아주 평범하고 따분해서 행복과는 거리가 멀다고 느낀다. 저 멀리서 우리에게 손짓하던 그 아름다운 풍경은 우리가 그곳에 도착하고 나면 다시 멀리 뒤로 물러나서 여전히 우리를 부르고 있다.

그제야 우리는 영원한 행복이란 환상, 착각, 공상에 지나지 않는다는 것을 깨닫는다. 그러나 그렇게 되기까지 우리는 가진 것에 만족하지 못하며 살아간다. 항상 우리를 행복하게 만들어줄 어떤 큰 것을 찾는다. 재산, 좋은 기회, 뭐라고 꼭 짚어 말할 수도 없는 어떤 모호한 것을 찾는다. 그리고 그것을 얻을 때까지, 실패감에 젖어 우리가 가진 것을 '작고 하찮은 것'이라고 여기며 소홀히 대한다.

이제 우리는 행복이란 돈으로 살 수 있는 호화스러운 것이라고 결론짓는다. 그러나 돈으로 행복을 산 사람은 한 명도 없다. 문학 작품에서 우리는 자주 그런 사실을 확인한다. 하지만 우리는 행복을 가져다줄 것이라고 굳게 믿고 있는 그것을 붙잡으려고 미친 듯이 노력하며 끌려가듯 살고 있다. 하지만 보라! 우리가 그것을 잡은 순간, 상상했던 매력은 온데간데없이 사라져 버리지 않는가!

어제 탐이 나서 구입한 물건이 오늘은 별 볼일 없는 것으로 되어 버리는 경우가 얼마나 많은가! 물질은 약속했던 기쁨을 주지 않는다. 그래서 우리는 항상 만족하지 못한다. 또다시 다른 물질에 관심을 돌리고, 지금 반드시 우리에게 만족을 주리라고 생각하는 어떤 것을 추구한다. 하지만 그것을 얻었을 때 실망과 환멸을 느끼게 된다. 그것은 우리의 공허한 마음을 채우지 못한다. 우리 영혼의 배고픔을 해결하지 못한다.

우리는 현재의 것에서 행복을 찾지 못한다. 항상 미래의 것을 찾으려고 애쓰기 때문이다. 또한 자신이 무엇을 찾으려고 하는지도 제대로 알지 못한다. 불행에 종지부를 찍을 수 있는 것이 무엇인지 확실하게 알지 못하고 그저 불만에 가득 차서 살아가는 사람들이 이 세상에 얼마나 많은가!

우리는 말한다. "건강하면 행복할 겁니다." 그러고 나서 생각한다. 사랑하는 사람이 없다면 건강이 무슨 소용인가? 그래서 말한다. "건강과 사랑하는 사람이 있으면 행복할 겁니다." 하지만 다시 생각한다. 돈이 없다면 그것들이 다 무슨 소용이란 말인가? 그래서 다시 정정한다. "건강, 사랑, 돈이 있으면 행복할 겁니다." 그러다가 다시 생각한다. 물론 사랑하는 사람이 있는 것은 멋진 일이지만 내 자신에게서 행복을 찾아야 하지 않을까? 우리는 이런 식으로 진정한 행복을 가져다줄 수 있는 것을 하염없이 찾아나선다.

사실 인생을 정말로 행복하게 해주는 것은 아주 평범한 것, 누구나 손을 뻗으면 닿을 수 있는 곳에 있다. 행복은 누구 한 사람만이 가질 수 있는 것이 아니다. 어느 누구도 행복을 매점買占할 수 없다. 그것은 모두가 살 수 있는 가격, 모두가 지불할 수 있는 가격으로 인생이라는 시장에서 팔린다.

앤드루 카네기는 10년을 더 살 수 있게 해주는 사람에게 천만 달러를 주겠다고 약속했다. 하지만 단 1분도 더 살 수 없었다. 돈으로는 사랑, 우정, 동정심을 사들일 수가 없다. 우리가 알고 있는 가장 유쾌하고 가장 바람직한 것들은 모두 친절과 감사로 구입할 수 있다.

햇빛은 놀라운 화학작용으로 식물들에게 매 순간 수백만 개의 기적을 일으키고, 꽃과 식물, 등 자연에 아름다운 색깔을 입힌다.

체인 백화점 소유주이자 우정장관이었던 존 워 메이커는 이렇게 말했다.

"해가 뜨는 모습을 볼 때마다 나는 가슴이 벅차다."

이 찬란한 태양은 우리 모두에게 공짜로 제공되는 선물이다.

우리 모두는 지금 가지고 있는 영혼의 능력으로 충분히 일상의 삶에서 평온함과 행복을 찾을 수 있다.

링컨은 "사람들은 마음먹은 만큼만 행복해진다"고 말했다. 옳은 말이다. 모든 것은 우리의 생각에 달려 있다. 행복의 원천은 우리 안에 있다. 자연에서 보는 아름다움, 음악에서 느끼는 행복은 우리 안에 있다. 그곳에 비밀이 있다. 이런 얘기는 누구나 들어본 얘기다. 그래서 약간 진부하게 들리기도 한다. 하지만 엄연한 사실이다. 아름다움을 찾는 정신 자세를 유지한다면 삶이 아름답다는 사실을 알 수 있다. 만족하지 못하는 태도를 가진다면 삶은 실망으로 가득 찰 것이다.

매 순간 올바른 생각, 행복하고 도움이 되는 생각, 이기적이지 않은 생각을 하도록 자신을 격려한다면 커다란 행복을 누릴 수 있을 것이다. 생각은 마음을 만든다. 오늘 당신이 행복하거나 비참하다면 그것은 당신의 생각에서 비롯된 것이다.

어떤 생각으로 자신을 대하는가, 어떤 생각으로 다른 사람을 대하는가에 따라 우리는 행복을 얻을 수도 있고 얻지 못할 수도 있다.

이기적으로 산다면 절대 진정한 행복을 얻을 수 없다. 탐욕과 질투로는 절대 행복을 느낄 수 없다. 세상 불행의 절반은 다른 사람을 부러워하고, 다른 사람이 가진 것을 갈망하여 우리가 가진 것에 대해 기뻐할 줄 모르는 데서 비롯된다.

캐나다의 시인 헨리 드러먼드는 "세상 사람들 중 절반은 잘못 짚은 행복의 냄새를 따라간다. 그들은 행복이 소유하는 것이고 다른 사람의 섬김을 받는 것이라고 생각한다. 하지만 행복은 주는 것이며 다른 사람을 섬기는 것이다"라고 행복에 대해 충고했다.

숭고한 행동, 다른 사람의 행복을 바라는 마음, 다른 사람에게 베푸는 친절, 인류에 대한 봉사, 고상한 열망, 유익한 생각은 반드시 행복을 가져온다.

그렇다고 인생에 슬픔이나 실패가 없다는 뜻은 아니다. 하지만 고생, 실망, 어려움은 우리를 슬프게 하기 위한 것이 아니라 우리를 강인하게 만들기 위한 것이다. 우리가 한탄하거나 불평하지 않는다면 이 모든 것을 극복할 수 있는 힘을 얻게 될 것이다.

사람들이 투덜거리거나 불평하는 소리를 들을 때마다 나는 어느 할머니를 떠올린다. 그 할머니는 슬픔과 실망으로 가득한 삶을 살았지만 한번도 명랑함이나 마음의 평화를 잃은 적이 없다. 어느 날 그 비결을 묻자 할머니는 이렇게 말했다.

"나는 기쁨의 책을 가지고 있다오. 젊을 때, 낮에 있었던 유쾌한 일들을 매일 밤 기록하겠다고 결심했지. 이런 습관 덕분에 평생 슬픈 일보다는 기쁜 일을 찾는 습관이 생겼지. 구름이 아무리 어두워도, 뒤에 숨어 있는 밝은 햇빛을 볼 수 있게 되었다오."

할머니는 한때 그 많은 가족을 모두 잃고는 구름 속에 숨은 빛을 보는 것이 참으로 힘들었다고 한다. 게다가 할머니는 병에 걸리고, 많던 재산도 잃어 아주 가난하게 되었다. 그런데도 할머니는 매일 감사할 수 있는 어떤 것을 찾아냈다고 한다.

인생을 슬프게 여기고, '기뻐할 것'을 발견하지 못하는 사람들은 수없이 많은 기쁨과 진정한 행복을 놓칠 뿐만 아니라 성취 능력도 크게 떨어진다. 너무 심각한 태도는 정신 능력을 저하시키고, 능률성을 낮춘다.

인생은 놀이, 재미, 빛, 명랑함으로 가득해야 한다.

기뻐할 어떤 것을 찾는 습관을 길러라.

매일 한 가지씩 기뻐할 것을 찾아라.

다음에는 두 가지를 찾아라.

다음에는 세 가지,

다음에는 한 시간에 하나,

다음에는 매 순간에 하나,

그러면 당신은 행복의 비결을 터득하게 될 것이다.

오/늘/나/는/

- 행복에 대해 알고 싶을 때, 백화점을 기웃거리기보다는 내 마음에 귀를 기울일 것이다.

- 행복을 갈망하지 않고 그저 행복한 삶을 살기 시작할 것이다.

- 윌리엄 헨리 채닝이 말한 것처럼 살려고 노력할 것이다.
  "작은 재산에 만족하며 살아라. 사치보다는 우아함을, 유행보다는 품위를 추구하라. 지위가 높아도 존경받으려 하지 마라. 돈이 없어도 부자가 되라. 열심히 공부하고, 차분히 생각하고, 부드럽게 말하고, 솔직하게 행동하라. 별과 새와 아기와 현자에게 열린 마음으로 귀를 기울여라. 항상 명랑한 태도를 유지하라. 항상 용감하게 행동하라. 절대 서두르지 마라."

- 라인홀트 니부어의 기도 내용처럼 살 것이다.
  "신이시여, 내가 변화시킬 수 없는 일에 대해서는 그것을 받아들일 수 있는 평정심을 주시고, 내 힘으로 고칠 수 있는 일에 대해서는 그것을 고칠 수 있는 용기를 주시며, 그리고 이 두 가지 차이를 깨달아 살 수 있는 지혜를 허락해주옵소서."

나를 행복하게 해주는 책

번역을 하는 동안 내내 행복했다. 그리고 많은 사람이 이 책을 읽기를 진심으로 바랐다. 이 책이 '행복에 대한 고전古典'이 되리라는 사실을 믿어 의심치 않는다. 아무도 없는 방 안에서 고개를 끄덕이기도 하고, 눈물을 흘리기도 했다. 교훈적인 얘기와 감동적인 얘기가 끝도 없이 이어진다.

그중 아주 짧은 얘기를 다시 읽어보자.

"나는 짐을 즐겁게 해줬어요. 그랬더니 그애가 웃었어요. 그 모습을 보니 즐거웠어요. 그래서 나도 웃었어요."

사람들은 행복을 멀리서 찾으려 하지만 사실은 우리 마음속에